# Muito além do inverno

**Da autora:**

*Afrodite: Contos, Receitas e Outros Afrodisíacos*
*O Amante Japonês*
*Amor*
*O Caderno de Maya*
*Cartas a Paula*
*A Casa dos Espíritos*
*Contos de Eva Luna*
*De Amor e de Sombra*
*Eva Luna*
*Filha da Fortuna*
*A Ilha sob o Mar*
*Inés da Minha Alma*
*O Jogo de Ripper*
*Longa Pétala de Mar*
*Meu País Inventado*
*Muito além do inverno*
*Mulheres de minha alma*
*Paula*
*O Plano Infinito*
*Retrato em Sépia*
*A Soma dos Dias*
*Zorro*

**As Aventuras da Águia e do Jaguar**

*A Cidade das Feras (Vol. 1)*
*O Reino do Dragão de Ouro (Vol. 2)*
*A Floresta dos Pigmeus (Vol. 3)*

# ISABEL ALLENDE

## Muito além do inverno

*Tradução*
Luís Carlos Cabral

9ª edição

BERTRAND BRASIL
Rio de Janeiro | 2023

Título original: *Más allá del invierno*

Texto revisado segundo o novo
Acordo Ortográfico da Língua Portuguesa

2023
Impresso no Brasil
*Printed in Brazil*

CIP-BRASIL. CATALOGAÇÃO NA PUBLICAÇÃO
SINDICATO NACIONAL DOS EDITORES DE LIVROS, RJ

A428m
9ª ed.

Allende, Isabel, 1942-
Muito além do inverno / Isabel Allende; tradução de Luís Carlos Cabral. – 9ª ed. – Rio de Janeiro: Bertrand Brasil, 2023.
294 p.; 23 cm.

Tradução de: Más allá del invierno
ISBN 978-85-286-2250-8

1. Romance chileno. I. Cabral, Luís Carlos. II. Título.

17-43709

CDD: 868.9933
CDU: 821.134.2(83)-3



Direitos exclusivos de publicação em língua portuguesa somente para o Brasil adquiridos pela:
EDITORA BERTRAND BRASIL LTDA.
Rua Argentina, 171 – 3º andar – São Cristóvão
20921-380 – Rio de Janeiro – RJ
Tel.: (21) 2585-2000 – Fax: (21) 2585-2084

Atendimento e venda direta ao leitor:
sac@record.com.br

*Para Roger Cukras, pelo amor inesperado*

*Au milieu de l'hiver j'apprenais enfin*
*qu'il y avait en moi un été invincible.*

No meio do inverno aprendi, finalmente, que
havia em mim um verão invencível.

ALBERT CAMUS,
*Retour à Tipasa* (1952)

# Lucía

*Brooklyn*

No final de dezembro de 2015, o inverno ainda se fazia esperar. O Natal chegou com seus sininhos chatos, e as pessoas continuavam usando camisetas e sandálias. Algumas celebravam a confusão das estações e outras temiam o aquecimento global, enquanto, das janelas, despontavam árvores artificiais salpicadas de orvalho prateado, confundindo os esquilos e os pássaros. Três semanas depois do Ano-Novo, quando ninguém mais pensava no atraso do calendário, a natureza despertou de repente, sacudiu a preguiça outonal e deixou cair a pior tormenta de neve da memória coletiva.

Em um porão da Prospect Heights, uma pequena cova de cimento e tijolos, com um montículo de neve na entrada, Lucía Maraz maldizia o frio. Tinha o caráter estoico da gente de seu país: estava habituada a terremotos, inundações, tsunâmis eventuais e cataclismos políticos; quando não acontecia nenhuma desgraça em um prazo razoável, ficava preocupada. No entanto, nada a preparara para enfrentar o inverno siberiano que chegara ao Brooklyn por engano. As tormentas chilenas se limitam à cordilheira dos Andes e ao sul profundo, à Terra do Fogo, onde o continente se desfia em ilhas feridas a facadas pelo vento austral, o gelo parte os ossos, e a vida é dura. Lucía era de Santiago, que tem a fama imerecida de ter um clima ameno, onde o inverno é úmido e frio, e o verão, seco e ardente. A cidade fica espremida entre montanhas arroxeadas que às vezes amanhecem cobertas de neve; então a luz mais pura do mundo se reflete nesses cumes de brancura ofuscante. Muito raramente cai sobre a cidade uma poeira triste, pálida como cinza, que não chega a embranquecer a paisagem urbana e logo se desfaz, transformada em lama suja. A neve é sempre antiga quando vista de longe.

Em seu quartinho do Brooklyn, a um metro abaixo do nível da rua e com aquecimento precário, a neve era um pesadelo. Os vidros embaçados das pequenas janelas impediam a passagem da luz e, no interior, reinava uma penumbra mal atenuada pelas lâmpadas desprotegidas que pendiam do teto. A habitação só dispunha do essencial, uma confusão de móveis desengonçados de segunda ou terceira mão e alguns utensílios de cozinha. Ao proprietário, Richard Bowmaster, não interessavam nem a decoração nem o conforto.

A tormenta se anunciou na sexta-feira com uma nevada espessa e uma ventania furiosa que varreu a chibatadas as ruas quase desertas. As árvores se dobravam e o temporal matou os pássaros que haviam se esquecido de emigrar ou de se proteger, iludidos pela tepidez inusitada do mês anterior. Quando teve início a tarefa de reparar os estragos, os caminhões de lixo levaram sacos de pardais congelados. No entanto, os misteriosos papagaios do cemitério do Brooklyn sobreviveram ao vendaval, como foi possível constatar três dias depois, quando reapareceram intactos bicando no meio dos túmulos. Desde a quinta-feira, os repórteres de televisão, com a expressão fúnebre e o tom emocionado que sempre adotavam quando se tratava de notícias sobre o terrorismo em países remotos, anunciavam que no dia seguinte haveria uma tempestade e desastres durante o fim de semana. A cidade de Nova York foi declarada em estado de emergência, e o diretor da faculdade em que Lucía trabalhava, acatando a advertência, suspendeu as aulas. De qualquer forma, para ela teria sido uma aventura chegar a Manhattan.

Aproveitando a inesperada liberdade daquele dia, preparou uma caçarola levanta defunto, a tradicional sopa chilena que recompõe o ânimo na desgraça e o corpo nas doenças. Lucía estava havia mais de quatro meses nos Estados Unidos e, sem vontade de cozinhar, comia na lanchonete da universidade, salvo umas poucas vezes em que o fez impelida pela nostalgia ou pela intenção de comemorar uma amizade. Para fazer uma autêntica caçarola, preparou um caldo substancioso e bem temperado, colocou cebola e carne para fritar, cozinhou à parte verduras, batatas e abóbora, e por último acrescentou arroz. Usou todas as panelas, e a rudimentar cozinha do porão ficou como depois de um bombardeio, mas o resultado valeu a pena e dissipou a sensação de solidão que a assaltara quando o vendaval começou. Essa solidão, que antes chegava sem se fazer anunciar, como uma visitante insidiosa, foi relegada ao último canto de sua consciência.

Essa noite, enquanto o vento rugia lá fora, arrastando redemoinhos de neve e penetrando, insolente, pelas frestas, sentiu o medo visceral de sua infância. Sabia que estava segura em sua cova; seu temor dos elementos era absurdo, não havia razão para incomodar Richard, exceto porque era a única pessoa a quem podia acudir naquelas circunstâncias, já que vivia no apartamento de cima. Às nove da noite cedeu à necessidade de ouvir uma voz humana e o chamou.

— O que está fazendo? — perguntou, tentando dissimular sua apreensão.

— Tocando piano. O barulho a incomoda?

— Não estou ouvindo o piano, a única coisa que se ouve aqui embaixo é um estrondo de fim do mundo. Isto é normal aqui no Brooklyn?

— De vez em quando no inverno faz mau tempo, Lucía.

— Estou com medo.

— De quê?

— Medo, simplesmente, de nada específico. Suponho que seria uma bobagem lhe pedir para vir me fazer companhia por um tempo. Fiz uma caçarola, é uma sopa chilena.

— Vegetariana?

— Não. Bem, não importa, Richard. Boa noite.

— Boa noite.

Tomou um gole de pisco e enfiou a cabeça debaixo do travesseiro. Dormiu mal, acordando a cada meia hora com o mesmo sonho fragmentado de haver naufragado em uma substância densa e azeda, semelhante a iogurte.

No sábado, a tempestade seguira seu trajeto exaltado em direção ao Atlântico, mas no Brooklyn continuavam reinando o mau tempo, o frio e a neve. Lucía não quis sair de casa; muitas ruas ainda estavam bloqueadas, embora o trabalho de liberá-las houvesse começado ao amanhecer. Teria muitas horas para ler e preparar as aulas da semana seguinte. Viu no noticiário que a tormenta continuava a semear destruição por onde passava. Sentia-se feliz com a perspectiva de ficar tranquila, lendo um bom romance, descansando. Em algum momento conseguiria que alguém viesse tirar a neve de sua porta. Não haveria problema. As crianças da vizinhança já estavam se oferecendo para ganhar alguns dólares. Agradecia sua sorte. Deu-se conta de que se sentia à vontade vivendo no inóspito buraco de Prospect Heights, que, apesar de tudo, não era tão ruim assim.

À tarde, um pouco entediada com o confinamento, compartilhou a sopa com Marcelo, seu chihuahua, e depois se deitaram juntos em um estrado, em um colchão granuloso, sob um montão de mantas, para ver vários capítulos de uma série sobre assassinatos. O apartamento estava gelado, e Lucía teve de vestir um gorro de lã e luvas.

Nas primeiras semanas, quando lhe pesava a decisão de ter saído do Chile, onde pelo menos podia rir em espanhol, se consolava com a certeza de que todas as coisas mudam. Qualquer infelicidade de um dia seria história antiga no seguinte. Na verdade, suas dúvidas haviam durado muito pouco: estava entretida com seu trabalho, tinha Marcelo, fizera amigos na universidade e no bairro, em todos os lugares as pessoas eram amáveis e bastava ir três vezes à mesma cafeteria para que a recebessem como se fosse um membro da família. A ideia chilena de que os ianques são frios não passava de um mito. A única pessoa mais ou menos fria com que deparara foi Richard Bowmaster, seu senhorio. Bem, ao diabo com ele!

Richard pagara uma miséria por aquele casarão de tijolos marrons do Brooklyn, igual a centenas de outros do bairro, porque o comprara de seu melhor amigo, um argentino que herdou de repente uma fortuna e voltou ao seu país para administrá-la. Alguns anos depois, a mesma casa, só que menos desconjuntada, valia mais de três milhões de dólares. Comprou-a poucos antes de os jovens profissionais de Manhattan chegarem em massa para comprar e reformar as pitorescas casas, elevando os preços a níveis escandalosos. Antes o bairro havia sido território de crimes, drogas e gangues; ninguém se atrevia a andar ali à noite, mas, na época em que Richard chegou, era um dos mais cobiçados do país, apesar das latas de lixo, das árvores esqueléticas e do ferro-velho amontoado nos pátios. Lucía o aconselhara, brincando, que vendesse aquela relíquia de escadas claudicantes e portas desconjuntadas, e partisse para uma ilha do Caribe, onde poderia envelhecer como um rei, mas Richard era um homem de espírito sombrio. Seu pessimismo natural se alimentava dos rigores e das inconveniências de uma casa com cinco amplos cômodos vazios, três banheiros sem uso, uma água-furtada fechada e um primeiro andar de pé-direito tão alto que era necessária uma escada telescópica para trocar as lâmpadas do lustre.

Richard Bowmaster era o chefe de Lucía na Universidade de Nova York, que a contratara por seis meses como professora visitante. No fim do semestre, sua vida estaria como um papel em branco; precisaria procurar outro trabalho e outro lugar para viver até que decidisse o que fazer da vida no longo prazo. Mais cedo ou mais tarde, voltaria ao Chile, onde terminaria seus dias, mas para isso faltava muito, e desde que sua filha Daniela se instalara em Miami, onde se dedicava à biologia marinha, possivelmente apaixonada e com planos de ficar, nada a chamava de volta a seu país. Pensava aproveitar bem os anos de saúde que lhe restavam antes de ser derrotada pela decrepitude. Queria viver no estrangeiro, onde os desafios cotidianos mantinham sua mente ocupada e o coração em relativa calma, porque no Chile era esmagada pelo peso do conhecido, das rotinas e limitações. Lá, ela se sentia condenada a ser uma velha sozinha e acossada por más recordações inúteis, enquanto, fora do país, poderia ter surpresas e oportunidades.

Aceitara trabalhar no Centro de Estudos Latino-Americanos e do Caribe para se afastar por um tempo e ficar mais perto de Daniela. E também, devia admitir, porque Richard a intrigava. Estava saindo de uma desilusão amorosa e achou que Richard poderia ser uma cura, uma maneira de esquecer para sempre Julián, seu último amor, o único que lhe deixara alguma marca depois de seu divórcio, em 2010. Nos anos seguintes, Lucía constatou como são raros os amantes disponíveis para uma mulher de sua idade. Tivera algumas aventuras que não mereciam sequer ser mencionadas até que apareceu Richard; conhecera-o mais de dez anos antes, quando ainda estava casada, e desde então a atraiu, embora não conseguisse definir por quê. Seu temperamento era oposto ao dela e, fora as questões acadêmicas, tinham pouco em comum. Encontravam-se em conferências, haviam passado horas conversando sobre seu trabalho e mantinham uma correspondência regular sem que ele houvesse manifestado o menor interesse amoroso. Lucía se insinuara em uma ocasião, algo incomum nela, porque não tinha o atrevimento das mulheres sedutoras. O ar pensativo e a timidez de Richard foram iscas poderosas e pesaram muito em sua decisão de ir para Nova York. Imaginava que um homem assim devia ser profundo e sério, nobre de espírito, um prêmio para quem conseguisse vencer os obstáculos que ele semeava no caminho em relação a qualquer forma de intimidade.

Aos 62 anos, Lucía ainda alimentava fantasias de garota, era inevitável. Tinha o pescoço enrugado, a pele seca e os braços frouxos, os joelhos lhe pesavam e se resignara a ver como ia se apagando sua cintura, porque carecia de disciplina para combater a decadência em academias de ginástica. Os seios continuavam jovens, mas não eram seus. Evitava olhar para si mesma despida, porque, vestida, se sentia muito melhor, sabia quais cores e estilos a favoreciam e se cingia a eles com rigor; podia comprar um traje completo em vinte minutos, sem se distrair nem por curiosidade. O espelho, como as fotografias, era um inimigo inclemente, porque a mostrava imóvel, com seus defeitos expostos sem atenuantes. Acreditava que seu atrativo, se houvesse, estava no movimento. Era flexível e tinha certa graça imerecida, porque não a cultivara nem um pouco, era gulosa e preguiçosa como uma odalisca e, se houvesse justiça no mundo, seria obesa. Seus antepassados, pobres camponeses croatas, lhe haviam legado um metabolismo afortunado. Seu rosto na foto do passaporte, séria e olhando para a frente, era o de uma carcereira soviética, como dizia sua filha Daniela brincando, mas ninguém a via assim: tinha um rosto expressivo e sabia se maquiar.

Em resumo, estava satisfeita com sua aparência e resignada diante da inevitável decadência dos anos. Seu corpo envelhecia, mas por dentro carregava intacta a adolescente que fora. No entanto, não conseguia imaginar a anciã que seria. Seu desejo de ganhar o iogo da vida se expandia à medida que seu futuro ia se encolhendo, e parte desse entusiasmo era a vaga esperança que se espatifava contra a realidade da falta de oportunidade, de arranjar um namorado. Sentia falta de sexo, romance e amor. O primeiro, ela conseguia de vez em quando, o segundo era uma questão de sorte, e o terceiro era um prêmio do céu que certamente não lhe caberia, como comentara mais de uma vez com sua filha.

Lucía lamentava ter terminado sua relação com Julián, mas nunca se arrependeu. Desejava ter uma vida estável, enquanto ele, aos 70 anos, ainda estava na fase de pular de uma relação para outra, como um beija-flor. Apesar dos conselhos da filha, que proclamava as vantagens do amor livre, para ela era impossível ter uma relação íntima com alguém que se distraía com outras mulheres. "O que você quer, mamãe? Casar?", brincara Daniela quando soube que havia rompido com Julián. Não, mas queria fazer amor amando, pelo prazer do corpo e a tranquilidade do espírito. Queria fazer amor com alguém que sentisse como ela. Queria ser aceita sem ter nada para ocultar ou fingir, conhecer o outro profundamente e aceitá-lo da mesma maneira. Queria alguém com quem pudesse passar as manhãs de domingo na cama lendo jornais, com quem rir de besteiras e discutir ideias, a quem pudesse dar a mão no cinema. Havia superado o entusiasmo pelas aventuras fugazes.

Habituara-se a seu espaço, seu silêncio e sua solidão; concluíra que teria muita dificuldade de compartilhar sua cama, seu banheiro e seu guarda-roupa, e que nenhum homem poderia satisfazer a todas as suas necessidades. Na juventude, acreditava que, sem o amor de casal, estava incompleta, que lhe faltava algo essencial. Na maturidade, agradecia à rica cornucópia de sua existência. No entanto, só por curiosidade, pensou vagamente em recorrer a um serviço de namoro pela internet. Desistiu imediatamente, porque Daniela a flagraria, mesmo estando em Miami. Além disso, não saberia como descrever a si mesma para parecer mais ou menos atraente sem mentir. Supôs que o mesmo acontecia com os outros: todo mundo mentia.

Os homens de sua idade desejavam mulheres vinte ou trinta anos mais jovens. Era compreensível, também não gostaria de se envolver com um velho adoentado, preferia um homem mais jovem. Segundo Daniela, era um desperdício que fosse heterossexual, porque sobravam mulheres maravilhosas sozinhas, com vida interior, em boa forma física e emocional, muito mais interessantes do que a maioria dos homens viúvos ou divorciados de 60 ou 70 anos que andavam soltos por aí. Lucía admitia suas limitações, mas achava que era tarde para mudar. Após o divórcio, tivera breves encontros íntimos com algum amigo, depois de beber em uma discoteca, ou com desconhecidos em uma viagem ou uma festa, nada que valesse a pena contar, mas aquelas relações fortuitas a ajudaram a superar o pudor de tirar a roupa diante de um homem. As cicatrizes que trazia no peito eram visíveis e seus seios virginais como os de uma jovem da Namíbia pareciam desconectados do restante de seu corpo; pareciam zombar do restante de sua anatomia.

O desejo de seduzir Richard, tão excitante quando a convidou para trabalhar na universidade, desapareceu na semana em que ocupou seu porão. Em vez de aproximá-los, essa convivência relativa, que os obrigava a se encontrar a todo instante no ambiente de trabalho, na rua, no metrô ou na porta da casa, os distanciara. A camaradagem das reuniões internacionais e da comunicação eletrônica, antes tão cálida, havia congelado ao ser submetida à prova da proximidade. Não, definitivamente não teria um romance com Richard Bowmaster; uma pena, porque era o tipo de homem sereno e confiável com o qual não se importaria de ficar entediada. Lucía era apenas um ano e oito meses mais velha do que ele, uma diferença desprezível, como ela dizia quando surgia uma oportunidade; no entanto, admitia secretamente que, em comparação, estava em desvantagem. Sentia-se pesada e estava perdendo altura devido a uma contração da coluna e porque não conseguia mais usar saltos muito altos sem cair de bruços; todo mundo ao seu redor crescia e crescia. Seus estudantes pareciam cada vez mais altos, espigados e indiferentes, como as girafas. Estava farta de contemplar de baixo a penugem do nariz do restante da humanidade. Richard, por sua vez, carregava seus anos com o encanto relaxado de um professor absorto pelas inquietações do estudo.

Tal como Lucía o descrevera a Daniela, Richard Bowmaster era de estatura mediana, com cabelo suficiente e bons dentes, olhos cinzentos ou verdes, conforme o reflexo da luz em seus óculos e o estado de sua úlcera. Raramente sorria sem que tivesse um bom motivo, mas suas covinhas permanentes e os cabelos desalinhados lhe davam um ar juvenil, apesar de sempre caminhar olhando para o chão, carregado de livros, dobrado pelo peso de suas preocupações; Lucía não imaginava em que consistiam, porque parecia saudável, chegara ao topo de sua carreira acadêmica e, quando se aposentasse, teria recursos suficientes para envelhecer confortavelmente. O único compromisso financeiro que tinha era com seu pai, Joseph Bowmaster, que vivia em uma casa de repouso a quinze minutos de distância; Richard lhe telefonava todos os dias e o visitava duas vezes por semana. O homem completara 96 anos e estava em uma cadeira de rodas, mas tinha mais fogo no coração e lucidez na mente do que qualquer outra pessoa: passava o tempo escrevendo cartas a Barack Obama, para lhe dar conselhos.

Lucía suspeitava que a aparência taciturna de Richard ocultava uma reserva de gentileza e o desejo dissimulado de ajudar sem fazer barulho; desde servir discretamente em um refeitório de instituições de caridade até monitorar como voluntário os papagaios do cemitério. Certamente Richard devia esse aspecto de seu caráter ao exemplo tenaz de seu pai; Joseph não iria permitir que seu filho passasse pela vida sem abraçar alguma causa justa. No começo, Lucía analisava Richard em busca de sinais que lhe permitissem conquistar ou amizade, mas, como não tinha ânimo para refeitórios de caridade ou para papagaios de nenhum tipo, só compartilhavam o trabalho, e ela não conseguiu descobrir como poderia penetrar na vida daquele homem. A indiferença de Richard não a ofendeu, porque também não se importava com as atenções das demais colegas ou com a horda de garotas na universidade. Sua vida de ermitão era um enigma, talvez o dos segredos que ocultava; como poderia ter vivido seis décadas sem desafios notáveis, protegido por sua carapaça de tatu?

Ela, por outro lado, tinha orgulho dos dramas de seu passado e, quanto ao futuro, desejava levar uma vida interessante. Desconfiava, por princípio, da felicidade, que considerava um pouco kitsch; bastava-lhe estar mais ou menos satisfeita. Richard havia passado uma longa temporada no Brasil e fora casado com uma jovem voluptuosa, a julgar por uma foto dela que Lucía vira, mas aparentemente nada da exuberância daquele país ou daquela mulher o contagiara. Apesar de suas extravagâncias, Richard era sempre agradável. Na descrição que fez à sua filha, Lucía disse que era ligeiro de sangue, como se diz no Chile de quem se faz amar sem se propor a isso e sem uma causa aparente. "É um sujeito estranho, Daniela; vive sozinho com quatro gatos. Ainda não sabe, mas, quando eu partir, terá que cuidar de Marcelo", acrescentou. Havia pensado bem. Seria uma solução lancinante, mas não poderia carregar pelo mundo um velho chihuahua.

# Richard

*Brooklyn*

Richard voltava para casa à tarde, de bicicleta quando o tempo permitia e, quando não, de metrô. Ao chegar, cuidava primeiro dos quatro gatos, animais pouco afetuosos, que adotara na Sociedade Protetora dos Animais para que acabassem com os ratos. Dera esse passo movido pela lógica, sem nenhum sentimentalismo, mas os felinos acabaram sendo seus companheiros inevitáveis. Foram entregues esterilizados, vacinados, portando um chip injetado sob a pele para identificá-los caso se perdessem e com seus nomes, mas, para simplificar, ele os batizou com números em português: Um, Dois, Três e Quatro. Richard alimentava-os, limpava a caixa de areia e depois ouvia as notícias enquanto preparava seu jantar na ampla mesa de uso múltiplo da cozinha. Depois de comer, tocava piano por algum tempo, às vezes por prazer e outras por disciplina.

Em tese, em sua casa havia um lugar para casa coisa, e cada coisa estava no devido lugar, mas, na prática, os papéis, revistas e livros se reproduziam como musaranhos em um pesadelo. Pela manhã, sempre havia mais do que na noite anterior e às vezes apareciam publicações ou páginas soltas que ele nunca vira nem suspeitava de como haviam ido parar em sua casa. Depois de jantar, lia, preparava aulas, corrigia provas e escrevia ensaios sobre política. Devia sua carreira acadêmica à persistência para pesquisar e publicar, e menos à sua vocação de ensinar; por isso achava inexplicável a devoção que seus alunos lhe manifestavam, mesmo depois de formados. Tinha um computador na cozinha e uma impressora em um quarto desocupado do terceiro andar, onde o único móvel era uma mesa. Felizmente, vivia sozinho e não era obrigado a explicar a ninguém a curiosa distribuição de seu equipamento de escritório, porque poucos entenderiam sua determinação de se exercitar subindo e descendo a escada íngreme. Além do mais, assim se obrigava a pensar duas vezes antes de imprimir qualquer besteira, por respeito às árvores que eram sacrificadas para a fabricação de papel.

Às vezes, em noites de insônia, quando não conseguia seduzir o piano e as teclas tocavam o que lhe dava na telha, cedia ao vício secreto de decorar e escrever poesia. Para esse fim, gastava pouco papel: escrevia à mão em cadernos escolares quadriculados. Tinha vários cheios de poemas inacabados e um par de cadernetas de luxo com capas de couro; nelas, copiava seus melhores versos, pensando em poli-los no futuro, mas esse futuro nunca chegava; a perspectiva de relê-los lhe provocava espasmos no estômago. Havia estudado japonês para ler haicais em sua forma original, conseguiu ler e entender o idioma, mas teria sido presunçoso se tentasse falá-lo. Orgulhava-se de ser poliglota. Aprendera português na infância com a família materna e o aperfeiçoara com Anita. Sabia um pouco de francês por razões românticas e outro tanto de espanhol por necessidade profissional. Sua primeira paixão, aos 19 anos, fora por uma francesa oito anos mais velha que conheceu em um bar de Nova York e que continuou em Paris. A paixão esfriou bem depressa, mas, por conveniência, viveram juntos em um sótão do Quartier Latin tempo suficiente para que ele adquirisse os fundamentos do conhecimento carnal e da língua, que falava com um sotaque bárbaro. Seu espanhol era de livro e da rua; havia latinos em todos os cantos de Nova York, mas esses imigrantes raramente entendiam a dicção do Instituto Berlitz. Tampouco ele os entendia além do necessário para pedir comida em restaurantes. Aparentemente, todos os garçons do país falavam espanhol.

Ao amanhecer do sábado, a tormenta havia passado, deixando o Brooklyn meio afundado na neve. Richard acordou com a má impressão de ter ofendido Lucía na noite anterior, ao desprezar friamente seus temores. Seria agradável estar ao seu lado enquanto, lá fora, o vento e a neve açoitavam a casa. Por que a cortara tão secamente? Temia cair na armadilha da paixão, uma armadilha que evitara durante 25 anos. Não se perguntava por que evitava o amor, já que a resposta era óbvia: era sua eterna penitência. Com o passar do tempo, acostumara-se a seus hábitos de monge e ao silêncio interno daqueles que vivem e dormem sozinhos. Depois de desligar o telefone, teve o impulso de ir até o porão levando uma garrafa térmica de chá para acompanhá-la. Intrigava-o esse temor infantil de uma mulher que passara por muitos dramas na vida e parecia invulnerável. Gostaria de ter explorado a fenda da fortaleza de Lucía, mas foi detido por um pressentimento de perigo, como se, ao ceder ao impulso, fosse pisar em areias movediças. A sensação de risco continuava presente. Nada de novo. De vez em quando, era fisgado por uma ansiedade injustificada; para isso, contava com seus comprimidos verdes. Nessas ocasiões, sentia que ia caindo de maneira irremediável na escuridão gelada do fundo do mar e não havia ninguém perto para estender-lhe a mão e puxá-lo para a superfície. Essas premonições fatalistas haviam começado no Brasil por contágio de Anita, que vivia atenta aos sinais do além. Antes o assaltavam com frequência, mas havia aprendido a administrá-las, porque raramente se concretizavam.

Os noticiários do rádio e da televisão diziam que as pessoas deviam ficar em casa até que as ruas fossem limpas. Manhattan continuava semiparalisada, as lojas fechadas, mas o metrô e os ônibus já começavam a funcionar. Outros estados estavam em piores condições do que Nova York, com casas destruídas, árvores arrancadas, bairros sem comunicação e alguns sem gás nem eletricidade. Seus vizinhos haviam retrocedido dois séculos em poucas horas. Em comparação, no Brooklyn tiveram sorte.

Richard saiu para limpar a neve que cobria o automóvel estacionado diante da casa antes que se transformasse em gelo e tivesse de raspá-lo. Depois alimentou os gatos e tomou o café da manhã de sempre, aveia com leite de amêndoa e frutas, e se instalou para trabalhar em seu artigo sobre a crise político-econômica do Brasil, que a proximidade dos Jogos Olímpicos colocara em evidência e era acompanhada em todo o mundo. Precisava corrigir a tese de um estudante, mas faria isso mais tarde. Tinha o dia inteiro pela frente.

Por volta das três da tarde, Richard notou a falta de um dos gatos. Quando estava em casa, os animais davam um jeito de ficar por perto. Sua relação com eles era de mútua indiferença, exceto com Dois, a única fêmea, que aproveitava qualquer oportunidade para pular em cima dele e acomodar-se para que a acariciasse. Os três machos eram independentes e haviam entendido, desde o começo, que não eram animais de estimação; seu dever era caçar ratos. Deu-se conta de que Um e Quatro passeavam pela cozinha, inquietos, e que não havia rastro de Três. Dois estava em cima da mesa, ao lado do computador, um de seus lugares preferidos.

Foi procurar o ausente pela casa, chamando-o com o assovio que os animais reconheciam. Encontrou-o no segundo andar, deitado no chão com uma espuma rosada no focinho. "Vamos, Três, se levante." O que há com você, menino?" Conseguiu colocá-lo em pé, e o gato deu alguns passos cambaleantes, de bêbado, antes de cair. Havia rastros de vômito por todo lado, o que costumava acontecer, porque às vezes não digeriam bem os ossinhos dos roedores. Levou-o no colo para a cozinha e tentou em vão fazê-lo beber água. Estava fazendo isso quando as quatro patas de Três ficaram rígidas e começou a ter convulsões; então, Richard compreendeu que eram sintomas de envenenamento. Tentou se lembrar, rapidamente, das substâncias tóxicas que tinha em casa, normalmente bem guardadas. Levou alguns minutos para encontrar o motivo embaixo da pia da cozinha. Um líquido anticongelante derramara e, sem dúvida, Três o lambera, porque havia marcas de patas. Tinha certeza de que fechara bem a lata e a porta do armário, não entendia como o acidente acontecera, mas ele veria isso depois. Por ora, o mais urgente era cuidar do gato; o anticongelante era mortal.

O tráfego estava restrito, exceto para emergências, e esse era exatamente o seu caso. Procurou na internet o endereço da clínica veterinária mais próxima que estivesse aberta, que era uma que já conhecia, envolveu o animal em uma manta e o colocou no carro. Ficou aliviado por ter limpado a neve de manhã: caso contrário, estaria atolado, e agradeceu que o acidente não tivesse acontecido no dia anterior, no meio do vendaval, porque não poderia ter saído de casa. O Brooklyn fora transformado em uma cidade nórdica, branco sobre branco, os ângulos suavizados pela neve, as ruas vazias, com uma estranha paz, como se a natureza bocejasse. "Não pense em morrer, Três, por favor. Você é um gato proletário, tem tripas de aço, um pouco de anticongelante não é nada, ânimo", alentava Richard enquanto dirigia com terrível lentidão na neve, pensando que cada minuto que perdia no caminho era um a menos de vida para o animal. "Calma, amigo, aguente. Não posso me apressar porque, se patinarmos, estaremos fodidos, já vamos chegar. Não posso ir mais depressa, me perdoe..."

O trajeto, de vinte minutos em circunstâncias normais, levou o dobro, e quando, finalmente, chegou à clínica, voltara a nevar, e Três estava sendo agitado por novas convulsões e babando mais espuma rosada. Foram recebidos por uma doutora eficiente e de poucos gestos e palavras, que não manifestou otimismo a respeito do gato nem simpatia por seu dono, cuja negligência provocara o acidente, como disse a seu auxiliar em voz baixa, mas não tão baixa para que Richard não a ouvisse. Em outro momento ele teria reagido ao comentário mal-intencionado, mas foi dominado por uma intensa onda de péssimas recordações. Ficou mudo, humilhado. Não era a primeira vez que sua negligência pregava uma peça nele. Desde então, ficara tão cuidadoso e tomava tantas precauções que frequentemente sentia que estava pisando em ovos pelo caminho da vida. Os exames de sangue e urina determinaram, sim, que o dano nos rins era irreversível, e por isso o animal iria sofrer e seria melhor que lhe dessem um fim digno. Devia ficar internado; em alguns dias, teria um diagnóstico definitivo, mas seria conveniente se preparar para o pior. Richard assentiu, prestes a chorar. Despediu-se de Três com o coração na mão, sentindo o olhar duro da doutora na nuca: uma acusação e uma condenação.

A recepcionista, uma jovem com cabelos cor de cenoura e uma argola no nariz, se compadeceu dele ao ver que tremia quando lhe entregou seu cartão de crédito para pagar a primeira parte do tratamento. Garantiu-lhe que seu bichinho seria muito bem cuidado e apontou para a máquina de café. Diante desse gesto de mínima amabilidade, Richard foi sacudido por um sentimento desproporcional de gratidão e deixou escapar um soluço que emergiu do mais profundo de si. Se lhe tivessem perguntado o que sentia pelos seus quatro animais de estimação, teria respondido que cumpria com a responsabilidade de alimentá-los e limpar sua caixa de areia; a relação com os gatos era apenas cortês, exceto com Dois, que exigia carinho. Isso era tudo. Nunca imaginou que chegaria a considerar aqueles felinos displicentes membros da família que não tinha. Sentou-se em uma cadeira da sala de espera, sob o olhar compreensivo da recepcionista, para beber um café aguado e amargo, com dois de seus comprimidos verdes para os nervos e um cor-de-rosa para a acidez, até que recuperou o controle. Devia voltar para casa.

Os faróis do carro iluminavam uma paisagem desolada de ruas sem vida. Richard avançava lentamente, olhando com dificuldade pelo semicírculo claro que se formara no vidro embaçado. Aquelas ruas pertenciam a uma cidade desconhecida, e por um minuto, embora já tivesse feito o mesmo trajeto, achou que estava perdido entre o tempo imóvel, o zumbido do aquecedor e o tique-taque acelerado do limpador de para-brisas; tinha a impressão de que o automóvel flutuava em um ambiente algodoado, sentia o desconcerto de ser a única alma presente em um mundo abandonado. Ia falando sozinho, com a cabeça cheia de ruídos e pensamentos nefastos sobre os horrores inevitáveis do mundo e de sua vida em particular. Quanto mais iria viver e em que condições? Quando a pessoa vive o suficiente, tem câncer de próstata. Quando vive mais, seu cérebro se desintegra. Chegara à idade do susto, as viagens não o atraíam mais, estava amarrado ao conforto do seu lar, não queria imprevistos, temia se perder ou adoecer e morrer, e que seu cadáver só fosse descoberto algumas semanas depois, quando os gatos já tivessem devorado boa parte de seus restos. A possibilidade de ser encontrado no meio de uma poça de vísceras putrefatas o aterrorizava de tal modo que havia combinado com sua vizinha, uma viúva madura com temperamento de ferro e coração sentimental, que lhe enviaria uma mensagem de texto todas as noites. Se ele não enviasse por dois dias, ela viria dar uma olhada; para isso, lhe dera uma chave de sua casa. A mensagem continha só duas palavras: "Ainda vivo". Ela não tinha obrigação de responder, mas padecia o mesmo temor e sempre o fazia com três palavras: "Porra, eu também". O mais temível da morte era a ideia da eternidade. Morto para sempre, que horror!

Richard temeu que a nuvem de ansiedade que costumava envolvê-lo começasse a se formar. Nesses casos, checava o pulso e não o sentia ou sentia que galopava. Sofrera algumas crises de pânico no passado, tão parecidas com um ataque de coração que acabou hospitalizado, mas não se haviam repetido nos últimos anos, graças aos comprimidos verdes, e porque aprendera a dominá-las. Concentrava-se em visualizar a nuvem negra que pairava sobre sua cabeça trespassada por potentes raios de luz, como os das gravuras religiosas. Com essa imagem e alguns exercícios respiratórios, conseguia dissipar a nuvem; mas dessa vez não foi necessário recorrer a esse truque porque logo se rendeu à novidade da situação. Viu-se de longe como em um filme no qual ele não era o protagonista, mas o espectador.

Vivia havia muitos anos em um ambiente perfeitamente controlado, sem surpresas nem sobressaltos, mas não se esquecera de todo o fascínio das poucas aventuras que vivera na juventude, como seu amor louco por Anita. Sorriu de sua apreensão, porque dirigir algumas quadras com mau tempo no Brooklyn não era exatamente uma aventura. Nesse instante teve a nítida consciência de como sua existência ficara pequena e limitada e, então, sentiu medo de verdade, medo de ter perdido muitos anos trancado em si mesmo, medo da pressa com que o tempo passava enquanto a velhice e a morte desabavam nele. Os óculos se embaçaram de suor ou de lágrimas; tirou-os com um tapa e tentou limpá-los com a manga. Estava escurecendo, e a visibilidade era péssima. Aferrado ao volante com a mão esquerda, tentou colocar os óculos com a direita, mas as luvas dificultaram esse movimento, e os óculos caíram e se alojaram entre os pedais. Um palavrão escapou de suas tripas.

Nesse momento, quando se distraiu brevemente tateando o solo à procura dos óculos, um carro branco que ia na frente, confundido no meio da neve, freou no cruzamento de outra rua. Richard bateu na sua traseira. O impacto foi tão inesperado e espantoso que, por uma fração de segundo, perdeu a consciência. Recuperou-se imediatamente, com a mesma sensação anterior de estar fora de seu corpo, com o coração disparado, banhado de suor, com a pele quente e a camisa grudada nas costas. Sentia um incômodo físico, mas sua mente estava em outro plano, afastada dessa realidade. O homem do filme continuava cuspindo palavrões dentro do automóvel, e ele, como espectador, de outra dimensão, avaliava friamente o que acontecera, indiferente. Era uma batida mínima, tinha certeza. Os dois carros avançavam bem devagar. Precisava recuperar os óculos, descer e enfrentar civilizadamente o outro motorista. Para alguma coisa existiam os seguros.

Ao descer do automóvel, escorregou no chão gelado e teria caído de costas se não tivesse se apoiado na porta. Percebeu que, mesmo que tivesse freado, também teria batido, porque teria patinado dois ou três metros antes de parar. O outro carro, um Lexus SC, recebeu o impacto por trás, e a força do choque o impulsionou para a frente. Arrastando os pés, caminhando contra o vento, Richard atravessou a curta distância que o separava do outro motorista, que também descera do carro. Sua primeira impressão foi a de que se tratava de uma pessoa muito jovem para ter carteira de motorista, mas, ao se aproximar mais, deu-se conta de que era uma garota muito pequena. Vestia calças, botas de borracha preta e um agasalho muito folgado para seu tamanho. Um capuz cobria sua cabeça.

— Foi culpa minha. Desculpe, não a vi. O meu seguro pagará os prejuízos — disse-lhe.

A garota deu uma olhada rápida na lanterna quebrada e na porta do porta-malas, abaulada e aberta. Tentou inutilmente fechá-la, enquanto Richard repetia a história do seguro.

— Se quiser, podemos chamar a polícia, mas não é necessário. Pegue o meu cartão, não é difícil me achar.

Ela não parecia ouvi-lo. Visivelmente alterada, continuou a golpear a porta com os punhos até convencer-se de que não conseguiria fechá-la direito; então se dirigiu ao seu assento o mais depressa que as rajadas de vento permitiam, seguida por Richard, que insistia em lhe passar seus dados. Enfiou-se no Lexus sem sequer olhar para ele, mas ele atirou o cartão no seu colo justamente quando ela pressionava o acelerador sem fechar a porta, que bateu em Richard e o deixou sentado na rua. O carro dobrou a esquina e desapareceu. Richard levantou-se com dificuldade, esfregando o braço atingido pela porta. Concluiu que aquele havia sido um dia catastrófico e que a única coisa que lhe faltava era que o gato morresse.

# Lucía, Richard, Evelyn

*Brooklyn*

A essa hora da noite, Richard Bowmaster, que se levantava às cinco da manhã para ir à academia de ginástica, estaria, normalmente, deitado na cama contando carneirinhos, com Dois ronronando ao seu lado, mas os infelizes acontecimentos do dia o haviam deixado de tão mau humor que se preparou para o tormento da insônia vendo uma bobagem qualquer na televisão. Isso aliviaria sua mente. Estava no momento inevitável da cena de sexo, vendo o diretor lutar com o roteiro tão desesperadamente quanto os atores lutavam na cama para excitar o público com um erotismo adocicado que só quebrava o ritmo da ação. "Vamos, continuem com a história, caralho", gritou para a tela, sentindo saudades dos tempos em que o cinema insinuava a fornicação com uma porta se fechando discretamente, uma lâmpada se apagando ou um cigarro se consumindo em um cinzeiro abandonado. Nisso, foi sobressaltado pela campainha. Richard olhou seu relógio, eram nove e quarenta da noite; nem as Testemunhas de Jeová que havia duas semanas andavam pelo bairro em busca de convertidos se atreviam a pregar tão tarde. Achando estranho, dirigiu-se à porta, sem acender a luz da entrada, e olhou pelo olho mágico, mas só distinguiu um vulto na escuridão. Ia recuar quando um segundo toque o sobressaltou. Em um impulso, acendeu a luz e abriu a porta.

Emoldurada pela fraca luz da entrada, com a noite negra às costas, estava a garota do agasalho. Richard reconheceu-a imediatamente. Encolhida, com a cabeça afundada entre os ombros, o rosto coberto com o capuz, parecia ainda menor do que algumas horas antes na rua. Richard murmurou um "sim?" interrogativo e, em resposta, ela lhe entregou o cartão que ele havia atirado no interior de seu carro, onde estavam seu nome, seu cargo na universidade e os endereços do trabalho e de sua casa. Ficou com o cartão na mão sem saber o que fazer por um minuto eterno. Por fim, ao sentir o vento e a neve irrompendo pela porta, reagiu e deu um passo para o lado, dizendo à garota, com um gesto, que entrasse. Fechou a porta atrás dela e novamente ficou aturdido, observando-a.

— Não precisava vir até aqui, senhorita. Deve ligar diretamente para o seguro... — balbuciou.

A garota não respondeu. Plantada na entrada, sem mostrar o rosto, parecia uma obstinada visitante do além-túmulo. Richard insistiu na história do seguro sem que ela reagisse.

— Fala inglês? — perguntou-lhe, finalmente.

Silêncio por mais alguns segundos. Richard repetiu a pergunta em espanhol, porque o tamanho da visitante lhe sugeriu que certamente provinha da América Central, embora também pudesse ser do sudeste asiático. Ela respondeu com um murmúrio incompreensível que soava como uma goteira monótona. Ao se dar conta de que a situação só se prolongava, Richard optou por convidá-la a ir para a cozinha, onde a luz era melhor e talvez conseguissem se comunicar. Ela o seguiu olhando para o chão e pisando exatamente onde ele pisava, como se estivesse se balançando em uma corda bamba. Na cozinha, Richard afastou para um lado os papéis da mesa e lhe ofereceu assento em um dos banquinhos.

— Lamento muito ter batido em seu carro. Espero que não tenha se machucado — disse.

Em vista da falta de reação, traduziu o comentário para seu espanhol precário. Ela negou com a cabeça. Richard continuou fazendo um esforço inútil de se comunicar para descobrir por que estava em sua casa a essa hora. Como o leve acidente não justificava o estado de terror da garota, pensou que talvez estivesse fugindo de alguém ou de alguma coisa.

— Como se chama? — perguntou.

Penosamente, tropeçando em cada sílaba, ela conseguiu dizer seu nome, Evelyn Ortega. Richard sentiu que não conseguiria lidar com a situação; precisava urgentemente de ajuda para se livrar daquela visitante inoportuna. Horas depois, quando conseguiu analisar o que acontecera, ele se surpreenderia com o fato de que a única coisa que lhe ocorreu foi chamar a chilena do porão. Ao longo do tempo em que se conheciam, aquela mulher dera mostras de ser uma profissional competente, mas não havia motivo para supor que estava preparava para administrar uma inconveniência tão incomum quanto aquela.

Às dez da noite, o telefone sobressaltou Lucía Maraz. A única ligação que poderia esperar a essa hora era de sua filha Daniela, mas se tratava de Richard, que lhe pedia para subir com urgência à sua casa. Por fim, depois de passar o dia tiritando, Lucía se aquecera deitada na cama e não pensava em deixar seu ninho para acudir ao chamado peremptório do homem que a condenara a viver em um iglu e que, na noite anterior, havia desdenhado de sua necessidade de companhia. Não havia um caminho direto do porão ao restante da propriedade, teria de se vestir, abrir caminho na neve e subir doze degraus escorregadios até a casa; Richard não merecia tal esforço.

Uma semana antes o enfrentara porque a água da vasilha do cachorro amanhecia congelada, mas nem sequer diante dessa prova contundente conseguiu que aumentasse a temperatura. Richard se limitou a lhe emprestar uma manta elétrica que não era usada havia anos e, quando a ligou, soltou uma fumaceira e entrou em curto-circuito. O frio era a queixa mais recente de Lucía. Antes houve outras. À noite, ouvia-se um coro de ratos entre as paredes, mas, segundo seu senhorio, isso era impossível, porque seus gatos caçavam os roedores. Os ruídos provinham de canos oxidados e madeiras ressecadas.

— Perdoe-me por incomodá-la tão tarde, Lucía, mas preciso que venha, tenho um problema sério — disse Richard ao telefone.

— Que tipo de problema? A menos que esteja sangrando, terá de esperar até amanhã — respondeu ela.

— Uma latino-americana muito nervosa invadiu minha casa e não sei o que fazer com ela. Talvez você possa ajudá-la. Não entendo quase nada...

— Bem, pegue uma pá e venha me desenterrar da neve — concedeu ela, mordida pela curiosidade.

Pouco depois, Richard, vestido como um esquimó, resgatou sua inquilina e a levou com Marcelo para sua casa, quase tão fria quanto o porão. Resmungando sobre sua avareza no assunto da calefação, Lucía o seguiu até a cozinha, onde estivera algumas vezes de passagem. Recém-chegada ao Brooklyn, visitara-o com o pretexto de preparar um jantar vegetariano, pensando em, assim, aprofundar a relação, mas Richard era um osso duro de roer. Ela considerava o vegetarianismo uma excentricidade de pessoas que nunca haviam passado fome, mas se esmerou em cozinhar para ele. Richard comeu dois pratos sem fazer comentários, agradeceu-lhe sem exagerar e jamais retribuiu sua atenção. Nessa ocasião, Lucía pôde constatar como era austero o estilo de vida de seu senhorio. Entre uns poucos móveis ordinários e em estado duvidoso, destacava-se a contundência de um lustroso piano de cauda. Nas tardes das quartas-feiras e dos sábados, chegavam ao buraco de Lucía os acordes dos concertos de Richard e outros três músicos, que se reuniam pelo prazer de tocar juntos. Em sua opinião, tocavam muito bem, mas Lucía tinha um ouvido péssimo e sua cultura musical era insignificante. Esperara por vários meses que Richard a convidasse em uma dessas tardes para ouvir o quarteto, mas esse convite nunca chegou.

Richard ocupava o menor quarto da casa, quatro paredes com uma janelinha de prisão, e a sala do primeiro andar transformada em depósito de papel impresso. A cozinha, também lotada de pilhas de livros, se reconhecia pela pia e por um aquecedor a gás caprichoso, que costumava acender sem intervenção humana, impossível de consertar, pois não existiam mais peças de reposição.

A pessoa que Richard anunciara era uma anã. Estava sentada diante da grande mesa de madeira rústica que fazia o papel de escrivaninha e mesa de jantar, com os pés pendendo de um banquinho, enfiada em um agasalho amarelo furioso, com um capuz na cabeça e calçada com botas de bombeiro. Não dava mostras de nervosismo; pelo contrário, parecia atônita. Ignorou a presença de Lucía, mas ela se adiantou e lhe estendeu a mão, sem soltar Marcelo nem perder de vista os gatos, que a observavam de perto com os lombos eriçados.

— Lucía Maraz, chilena, sou a inquilina do porão — apresentou-se.

Do agasalho amarelo, surgiu uma trêmula mãozinha de bebê, que apertou suavemente a de Lucía.

— Se chama Evelyn Ortega — interveio Richard, tendo em vista que a aludida permanecia muda.

— Muito prazer — disse Lucía.

Silêncio por vários segundos, até que Richard interveio de novo, pigarreando nervosamente.

— Bati na traseira do carro dela quando voltava do veterinário. Um dos meus gatos se envenenou com anticongelante. Acho que está muito assustada. Você pode falar com ela? Tenho certeza de que se entenderão.

— Por quê?

— Você é mulher, não? E fala seu idioma melhor do que eu.

Lucía se dirigiu em espanhol à visitante para averiguar de onde era e o que lhe havia acontecido. A outra acordou do estado catatônico em que parecia estar e tirou o capuz, mas manteve os olhos fixos no chão. Não era uma anã, mas uma jovem muito baixa e magra, a pele da cor de madeira clara e o cabelo recolhido na nuca. Lucía supôs que fosse ameríndia, possivelmente maia, embora nela não fossem muito perceptíveis os traços característicos desse grupo humano: nariz aquilino, maçãs do rosto angulosas e olhos amendoados. Richard disse à garota em voz muito alta que podia confiar em Lucía, partindo da suposição de que os estrangeiros entendem inglês quando se fala com eles aos gritos. Nesse caso, funcionou, porque a garota usou uma voz de canário para esclarecer que era da Guatemala. Gaguejava com tanta dificuldade que era difícil acompanhar suas palavras; quando terminava a frase, ninguém mais se lembrava do começo.

Lucía conseguiu deduzir que Evelyn havia pegado o carro de sua patroa, uma tal de Cheryl Leroy, sem lhe dizer, porque estava fazendo a sesta. Acrescentou aos tropeções que, depois de Richard ter batido em sua traseira, teve de desistir de voltar para casa sem mencionar o que fizera. Não tinha medo da senhora, mas do senhor Frank Leroy, seu patrão, pessoa de péssimo caráter e perigosa. A garota ficou dando voltas de um lugar a outro, tentando encontrar uma solução, com a mente em turbilhão. A fechadura abaulada do porta-malas não se ajustava, abriu sozinha várias vezes, e ela teve de parar e improvisar uma amarra com o cinturão de seu agasalho. Passou o restante da tarde e parte da noite estacionada em vários pontos da cidade, mas ficava pouco tempo, temendo chamar a atenção ou que a neve acabasse cobrindo-a. Em uma dessas paradas, viu o cartão que Richard lhe dera quando seu carro bateu contra o dela e, como último recurso desesperado, foi à sua casa.

Enquanto Evelyn permanecia no banquinho da cozinha, Richard levou Lucía para um lado e lhe sussurrou que a visitante tinha problemas mentais ou estava drogada.

— Por que você acha isso? — perguntou-lhe ela, também sussurrando.

— Não consegue nem falar, Lucía.

— Mas você não percebeu que é gaga?

— Tem certeza?

— Claro, homem! Além disso, está aterrorizada, pobre garota.

— Como podemos ajudá-la? — perguntou Richard.

— Está muito tarde, não há nada que possamos fazer agora. O que você acha de deixá-la ficar aqui até amanhã e então levá-la à casa de seus patrões e explicarmos a história da batida? Seu seguro vai pagar os prejuízos. Não terão do que se queixar.

— Exceto pelo fato de que pegou o carro sem permissão. Certamente a mandarão embora.

— Veremos isso amanhã. Agora precisamos tranquilizá-la — determinou Lucía.

O interrogatório a que submeteu a garota esclareceu alguns aspectos de sua convivência com seus patrões, os Leroy. Evelyn não tinha um horário fixo naquela casa, em tese trabalhava das nove às cinco, mas, na prática, passava o dia inteiro com a criança de que cuidava e dormia com ela para atendê-la, caso fosse necessário, ou seja, fazia o equivalente a três turnos normais. Pagavam-na em dinheiro muito menos do que deveriam, como calcularam Lucía e Richard; parecia um trabalho forçado ou uma forma ilegal de servidão, mas, para Evelyn, isso era irrelevante. Tinha um lugar para viver e segurança; isso era o mais importante, disse-lhes. A senhora Leroy a tratava muito bem e o senhor Leroy só lhe dava ordens de vez em quando; pelo resto do tempo, não ligava para ela. O senhor Leroy tratava com o mesmo desdém sua esposa e seu filho. Era um homem violento, e todos na casa, especialmente sua mulher, tremiam na sua presença. Se ficasse sabendo que ela havia pegado o carro...

— Acalme-se, menina, não vai acontecer nada com você — disse-lhe Lucía.

— Pode dormir aqui. Isso não é tão grave quanto você acha. Vamos ajudá-la — acrescentou Richard.

— Eu acho que agora precisamos de um trago. Você tem alguma bebida, Richard? Cerveja, por exemplo? — perguntou Lucía.

— Você sabe que eu não bebo.

— Suponho que tenha erva. Isso nos ajudaria. Evelyn está morta de cansaço, e eu, de frio.

Richard decidiu que não era o momento de ser moralista e tirou da geladeira uma lata de biscoitos de chocolate. Por causa da úlcera e das dores de cabeça, havia obtido, havia alguns anos, uma carteira que lhe permitia comprar maconha de uso medicinal. Partiram um biscoito em três pedaços, dois para eles e um para levantar o moral de Evelyn Ortega. Lucía achou prudente explicar à garota as propriedades do biscoito, mas ela o comeu confiante, sem fazer perguntas.

— Você deve estar com fome, Evelyn. Com toda essa confusão, certamente não jantou. Precisamos de alguma coisa quente — decidiu Lucía, abrindo a geladeira. — Não tem nada aqui, Richard!

— Aos sábados faço compras para a semana inteira, mas hoje não pude ir ao supermercado, por causa da neve e do gato.

Ela se lembrou da caçarola, cujos restos estavam em seu apartamento, mas lhe faltou coragem para sair de novo, descer às catacumbas e voltar mantendo em equilíbrio uma marmita na escada escorregadia. Lançando mão do pouco que conseguira na cozinha de Richard, preparou torradas de pão sem glúten e as serviu com xícaras de café com leite sem lactose, enquanto ele passeava de ponta a ponta da cozinha murmurando e Evelyn acariciava o lombo de Marcelo com uma devoção compulsiva.

Quarenta e cinco minutos depois, os três descansavam flutuando em uma bruma amável perto da lareira acesa. Richard se instalara no chão, com as costas encostadas na parede, e Lucía se deitou sobre uma manta com a cabeça nas pernas dele. Essa intimidade jamais teria acontecido em tempos normais; Richard não permitia contato físico e menos ainda com suas coxas. Essa era, em muitos meses, a primeira vez que Lucía sentia o cheiro e o calor de um homem, a textura áspera de calças de brim contra sua face e a suavidade de um velho colete de casimira ao alcance da mão. Preferiria estar com ele em uma cama, mas bloqueou essa imagem com um suspiro, resignada a saboreá-lo vestido, enquanto imaginava a remota possibilidade de avançar pelo caminho torto da sensualidade. "Estou um pouco enjoada, deve ser o biscoito", decidiu. Evelyn se sentara na única almofada da casa, reduzida ao tamanho de um minúsculo jóquei, com Marcelo no colo. O pedacinho de biscoito que comera não surtira mesmo efeito que em Richard e Lucía. Enquanto eles repousavam com os olhos virados, lutando para ficar acordados, Evelyn, eufórica, lhes contava, gaguejando, a trágica trajetória de sua vida. Ficou claro que falava mais inglês do que havia demonstrado no começo, mas o perdia quando ficava muito nervosa. No entanto, conseguia falar com inesperada eloquência em *spanglish*, a mistura de espanhol e inglês, que é o idioma oficial de muitos latinos que vivem nos Estados Unidos.

Lá fora, a neve cobria suavemente o Lexus branco. Nos três dias seguintes, enquanto a tempestade ia se cansando de castigar a terra e se dissolvia no oceano, as vidas de Lucía Maraz, Richard Bowmaster e Evelyn Ortega se veriam irremediavelmente entrelaçadas.

# Evelyn

*Guatemala*

Verde, um mundo verde. Zumbido de mosquitos, gritos de cacatuas, murmúrio de juncos na brisa, fragrância pegajosa de frutas maduras, de fumaça de lenha e de café torrado, umidade quente na pele e nos sonhos, assim Evelyn Ortega lembrava-se de seu pequeno povoado, Monja Blanca del Valle. Cores ardentes nos muros pintados, os teares de sua gente, a flora e as aves, cor e mais cor, o arco-íris completo e mais. E em todos os lugares, em qualquer momento, sua avó onipresente, sua mãezinha, Concepción Montoya, a mais decente, trabalhadora e católica das mulheres, segundo o padre Benito, que sabia tudo, porque era jesuíta e basco, com muita honra, como ele dizia com a picardia de sua terra, que ninguém apreciava por aqueles lados. O padre Benito havia percorrido meio mundo e toda a Guatemala, e conhecia a vida dos camponeses, porque estava profundamente inserido em seu ambiente. Não teria trocado essa vida por nada. Amava sua comunidade, sua grande tribo, como a chamava. A Guatemala era o país mais belo do mundo, dizia, o jardim do Éden mimado por Deus e maltratado pela humanidade, e acrescentava que seu povoado favorito era Monja Blanca del Valle, que devia seu nome à flor nacional, a mais branca e pura das orquídeas.

O sacerdote havia sido testemunha das matanças de indígenas ocorridas nos anos 1980; a tortura sistemática, as fossas comuns, os povoados transformados em cinza, onde nem mesmo os animais domésticos sobreviviam; de como os soldados, com os rostos pintados para não serem reconhecidos, sufocavam cada tentativa de rebelião e cada faísca de esperança de outros seres tão pobres quanto eles, com o objetivo de manter as coisas como sempre haviam sido. Longe de endurecê-lo, isso abrandou seu coração. Às imagens atrozes desse passado, ele sobrepunha o espetáculo fantástico do país que amava, a variedade infinita de flores e pássaros, as paisagens dos lagos, bosques e montanhas, os céus imaculados. As pessoas o aceitavam como se fosse uma delas, porque na verdade o era. Diziam que estava vivo por um milagre da Virgem da Assunção, padroeira nacional — que outra explicação cabia? Comentava-se que escondera guerrilheiros e o haviam ouvido mencionar a reforma agrária do púlpito; por muito menos que isso, haviam cortado a língua de outros e arrancado os olhos. Os desconfiados, que nunca faltam, resmungavam que nada de Virgem, que o padre devia ser da CIA, era protegido pelos narcotraficantes ou espião dos militares, mas não se atreviam a insinuar isso onde ele pudesse ouvi-los, porque o basco, com seu esqueleto de faquir, poderia quebrar-lhes o nariz com uma bofetada. Por outro lado, ninguém tinha mais autoridade moral do que aquele sacerdote de sotaque duro. Se ele respeitava Concepción Montoya como a uma santa, por algo seria, pensava Evelyn, embora de tanto conviver, trabalhar e dormir com a avó, permanecesse-lhe mais humana do que divina.

Quando Miriam, a mãe de Evelyn, partiu para o norte, aquela avó imbatível ficou cuidando dela e de seus dois irmãos mais velhos. Evelyn mal havia nascido quando seu pai emigrou em busca de trabalho. Não souberam nada de concreto a seu respeito por vários anos, até que ouviram boatos de que se instalara na Califórnia, onde tinha outra família, mas ninguém pôde confirmar essa informação. Evelyn tinha seis anos quando, por sua vez, sua mãe desapareceu sem se despedir.

Miriam fugiu de madrugada, porque a determinação impediu-a de abraçar os filhos pela última vez. Temia não ter forças. Era isso que a avó dizia às crianças quando perguntavam por ela, e acrescentava que, graças ao sacrifício de sua mãe, podiam comer todos os dias, ir à escola e receber pacotes com brinquedos, tênis Nike e guloseimas vindos de Chicago.

O dia em que Miriam foi embora estava anotado na folhinha da Coca-Cola de 1998, desbotada pelo tempo, que ainda estava pregada na parede do casebre de Concepción. Os filhos mais velhos, Gregorio, de 10, e Andrés, de 8 anos, se cansaram de esperar que Miriam voltasse e se conformaram com os cartões-postais e em ouvir sua voz entrecortada no telefone da agência dos correios no Natal ou nos aniversários, desculpando-se porque quebrara mais uma vez a promessa de visitá-los. Evelyn continuou acreditando que um dia sua mãe voltaria com dinheiro e construiria uma casa decente para sua avó. As três crianças haviam idealizado a mãe, mas nenhuma tanto quanto Evelyn, que não se lembrava bem de sua aparência nem de sua voz, mas imaginava. Miriam lhes enviava fotografias, mas mudou muito com o passar dos anos, engordou, pintava o cabelo com listras amarelas, tirou as sobrancelhas e pintou outras no meio da testa, que lhe davam um ar de perpétua surpresa ou espanto.

Os filhos de Miriam não eram as únicas crianças sem mãe nem pai; dois terços de seus colegas de escola estavam na mesma situação. No passado, só os homens emigravam em busca de trabalho, mas, nos últimos anos, as mulheres também partiam. Segundo o padre Benito, os emigrados enviavam, todos os anos, vários milhares de milhões de dólares para manter suas famílias, contribuindo, de passagem, para a estabilidade do governo e a indiferença dos ricos. Poucos concluíam a escola; os meninos partiam em busca de trabalho ou acabavam se envolvendo com drogas e gangues, enquanto as meninas engravidavam, iam trabalhar e algumas eram até recrutadas para a prostituição. A escola contava com poucos recursos e, se não fosse pelos missionários evangélicos, que competiam deslealmente com o padre Benito, porque recebiam dinheiro de fora, teriam faltado até cadernos e lápis.

O padre Benito costumava se instalar no único bar do povoado diante de uma cerveja que durava a noite inteira e ficava conversando com os outros clientes sobre a desapiedada repressão contra os indígenas, que durara trinta anos e preparara terreno para o desastre. "É preciso subornar todo mundo, desde os políticos mais influentes até o último guarda civil, e ficamos falando da delinquência e do crime", queixava-se, tendendo ao exagero. Sempre havia alguém que lhe insinuava que devia voltar para seu país, já que não gostava da Guatemala. "Mas o que você está dizendo, infeliz, já não disse mil vezes que este é o meu país?"

Aos 14 anos, Gregorio Ortega, o irmão mais velho de Evelyn, abandonou definitivamente a escola. Sem ter nada para fazer, vagava com outros garotos pelas ruas com os olhos vidrados e o cérebro envolto em brumas, pois cheirava cola, gasolina, tíner e o que pudesse conseguir, roubando, brigando e incomodando as meninas. Quando ficava entediado, plantava-se na estrada, pedia carona a algum caminhoneiro e, assim, chegava a outros povoados, onde ninguém o conhecia, e quando voltava trazia dinheiro obtido por meios ilícitos. Quando conseguia agarrá-lo, Concepción Montoya dava nele surras enérgicas, que o neto suportava porque ainda dependia dela para comer. Às vezes, os policiais o flagravam no meio de um bando de meninos drogados, davam nele uma surra memorável e o trancavam em uma cela a pão e água, até que, ao passar por ali em sua rota itinerante, o padre Benito o resgatava. O sacerdote era um otimista impenitente e, contra qualquer evidência, mantinha sua fé na capacidade humana de se regenerar. Os policiais lhe entregavam o menino com um último pontapé no traseiro, assustado e coberto de feridas e piolhos. O basco o enfiava em sua caminhonete em meio a insultos e o levava para saciar a fome na única lanchonete de tacos do povoado, enquanto lhe profetizava, com sua truculência de jesuíta, uma vida espantosa e uma morte precoce se continuasse com sua conduta inconsequente.

As surras da avó, o cárcere e as admoestações do padre não serviram para corrigir Gregorio. Continuou à deriva. Os vizinhos que o conheciam desde a infância o ignoravam. Quando não tinha uns quetzais, a moeda da Guatemala, à sua disposição, aparecia na casa da avó cabisbaixo, fingindo humildade, para comer os mesmos feijões, pimentas e milho de cada dia. Concepción tinha mais bom senso do que o padre Benito e logo abandonou a tentativa de pregar virtudes inalcançáveis a seu neto; o garoto não tinha cabeça para os estudos nem vontade de aprender um ofício; não havia trabalho honrado em nenhum lugar para os de sua condição. Teve de dizer a Miriam que seu filho abandonara os estudos, mas evitou feri-la e não lhe contou toda a verdade, porque de longe a mãe poderia fazer muito pouco. Rezava de joelhos à noite com seus outros netos, Andrés e Evelyn, para que Gregorio sobrevivesse até os 18 anos, quando, então, faria o serviço militar obrigatório. A avó desprezava, com toda a sua alma, as Forças Armadas, mas talvez o alistamento pudesse endireitar o neto descarrilhado.

Gregorio Ortega não chegou a receber os benefícios das orações de sua avó ou das velas acesas em seu nome na igreja. Quando faltavam poucos meses para ser convocado ao serviço militar, conseguiu que a MS-13, mais conhecida como Mara Salvatrucha, a mais feroz das gangues, o aceitasse. Precisou fazer o juramento de sangue: lealdade a seus camaradas antes de tudo, antes da família, das drogas, das mulheres ou do dinheiro. Passou pelo teste rigoroso a que eram submetidos os aspirantes: levou uma surra monumental desferida por vários membros do bando para provar sua têmpera. O ritual de iniciação o deixou mais morto do que vivo, quebrou-lhe vários dentes e o deixou urinando sangue durante duas semanas, mas, uma vez recuperado, conquistou o direito à primeira tatuagem característica dos MS-13. Com o tempo, à medida que acumulasse crimes e ganhasse respeito, esperava acabar como os membros mais fanáticos, com o corpo inteiro e o rosto cobertos de tatuagens. Ouvira dizer que, na prisão de Pelican Bay, na Califórnia, havia um salvadorenho cego porque tatuara o branco dos olhos.

Em seus trinta e tantos anos de existência, a gangue, originada em Los Angeles, havia estendido seus tentáculos ao restante dos Estados Unidos, do México e da América Central, com mais de setenta mil membros dedicados a assassinato, extorsão, tráfico de armas, de drogas e de seres humanos, com tamanha reputação de crueldade que costumavam ser usados por outras quadrilhas para os trabalhos mais sujos. Na América Central, onde gozava de mais impunidade do que nos Estados Unidos e no México, eles marcavam seu território deixando em seu caminho corpos irreconhecíveis. Ninguém se atrevia a enfrentá-los, nem a polícia nem os militares. Os vizinhos do bairro sabiam que o neto de Concepción Montoya se unira à MS-13, mas comentavam isso aos sussurros, com a porta fechada, para não provocar uma vingança. Passaram a ignorar a avó desafortunada e seus outros netos; ninguém queria confusão. Desde os tempos da repressão, estavam habituados ao medo e tinham dificuldade de imaginar que seria possível viver de outra maneira; a MS-13 era outra praga, outro castigo pelo pecado de existir, outro motivo para andar com cautela. Concepción enfrentou o repúdio com a cabeça erguida, sem se sentir atingida pelo silêncio ao seu redor na rua ou no mercado, aonde ia aos sábados vender pamonhas e as roupas usadas que Miriam enviava de Chicago. Então, Gregorio se afastou, deixaram de vê-lo por um tempo, e o temor que inspirava no povoado foi se afrouxando. Havia outros problemas mais urgentes. Concepción proibiu as crianças de mencionar o irmão mais velho. "Não se deve atrair a desgraça", dizia-lhes.

Um ano depois, quando Gregorio reapareceu pela primeira vez, tinha dois dentes de ouro, a cabeça raspada, arame farpado tatuado no peito e números, letras e caveiras nos nós dos dedos. Parecia ter crescido alguns centímetros, e os ossos e a pele de criança haviam sido substituídos por músculos e cicatrizes. Encontrara uma família e uma identidade na Salvatrucha, não tinha de andar mendigando, podia obter o que quisesse: dinheiro, drogas, álcool, armas, mulheres, tudo ao alcance da mão. Mal se lembrava dos tempos de humilhação. Entrou na casa de sua avó pisando firme e anunciando-se com voz gutural. Encontrou-a debulhando milho com Evelyn, enquanto Andrés, que crescera muito pouco e não aparentava a idade que tinha, fazia seus deveres de casa na outra ponta da única mesa da casa.

Andrés deu um salto e ficou de pé, boquiaberto de susto e admiração por seu irmão mais velho. Gregorio saudou-o com um empurrão afetuoso e o encurralou com gestos de boxeador, exibindo as tatuagens das mãos fechadas. Depois se aproximou de Evelyn com a intenção de abraçá-la, mas se deteve antes de tocá-la. Na gangue, havia aprendido a desconfiar e desprezar as mulheres em geral, mas sua irmã era uma exceção. À diferença das demais fêmeas, ela era boa e pura, uma menina que ainda não se desenvolvera. Pensou nos perigos que a espreitavam só por ter nascido mulher e sentiu-se aliviado pela proteção que seria capaz de lhe dar. Ninguém se atreveria a machucá-la, porque teria de se ver com a gangue e com ele.

A avó conseguiu falar e lhe perguntou por que viera. Gregorio a estudou com uma expressão desdenhosa e, depois de uma pausa muito longa, respondeu que viera pedir sua bênção. "Que Deus o abençoe — balbuciou a mulher, como dizia todas as noites a seus netos antes de dormir, e acrescentou em um murmúrio — e que Deus me perdoe."

O rapaz tirou um maço de quetzais do bolso de suas largas calças de brim, presas precariamente na altura do púbis, e o entregou à avó com orgulho; era sua primeira contribuição ao orçamento familiar, mas Concepción Montoya se negou a receber o dinheiro e lhe pediu que não voltasse, porque era um mau exemplo para seus irmãos. "Velha mal-agradecida de merda!", exclamou Gregorio, atirando as notas no chão. Partiu cuspindo ameaças e se passariam vários meses até que voltasse a ver sua família. Nas raras ocasiões em que passava pelo povoado, esperava seus irmãos, escondido em alguma esquina, para evitar ser reconhecido, tomado pela mesma insegurança que fora sua cruz na infância. Aprendera a disfarçar essa insegurança; na gangue, tudo era ostentação e machismo. Interceptava Andrés e Evelyn no tumulto de crianças saindo da escola, pegava-os pelo braço e os arrastava até um beco sombrio para lhes dar dinheiro e saber se tinham notícias da mãe. A palavra de ordem da gangue era se desprender dos afetos, cortar o sentimentalismo com uma única machadada: a família era uma atadura, uma carga, nada de recordações nem nostalgias, tornar-se homem, os homens não choram, os homens não se queixam, os homens não amam, os homens se viram sozinhos. A única coisa que vale é a coragem; a honra se defende com sangue, o respeito se conquista com sangue. Mas, para seu próprio pesar, Gregorio continuava ligado a seus irmãos pela lembrança dos anos compartilhados. Prometeu a Evelyn organizar uma festa para comemorar seus 15 anos sem se importar com gastos e deu uma bicicleta a Andrés. O menino a escondeu de sua avó por algumas semanas, até que ela ouviu fofocas e obrigou-o a confessar a verdade. Concepción lhe deu uma surra por aceitar presentes de um delinquente, embora fosse seu irmão, e no dia seguinte vendeu a bicicleta no mercado.

O misto de pavor e veneração que Andrés e Evelyn sentiam por Gregorio se tornava timidez paralisante na sua presença. A corrente com cruzes pendurada no pescoço, os óculos verdes de aviador, as botas americanas, as tatuagens que se proliferavam como peste em sua pele, sua fama de valentão, sua vida louca, sua indiferença pela dor e a morte, seus segredos e delitos, tudo os maravilhava. Falavam do irmão aterrorizante em cochichos proibidos, longe dos ouvidos da avó.

Concepción temia que Andrés seguisse os passos do irmão, mas o garoto não tinha temperamento para ser delinquente, era muito esperto, prudente e não gostava de bagunça; sonhava em partir para o norte e prosperar. Seu plano era ganhar dinheiro nos Estados Unidos e viver como mendigo, economizando para levar Evelyn e sua avó. Lá lhes daria uma boa vida. Viajariam com um coiote responsável que lhes conseguisse passaportes com os devidos vistos e os certificados de vacina contra tifo e hepatite, que às vezes os gringos pediam. Viveriam com sua mãe em uma casa de cimento com água e eletricidade. A primeira coisa a fazer seria emigrar. A viagem através do México, a pé ou no teto de trens de carga, era uma prova de fogo, era necessário enfrentar assaltantes armados com facões e policiais com cachorros. Cair do trem significava perder as pernas ou a vida, e quem conseguisse atravessar a fronteira poderia morrer de sede no deserto norte-americano ou baleado por fazendeiros, que saíam caçando emigrantes como se fossem coelhos. É o que contavam os rapazes que haviam feito a viagem e voltavam deportados no "Ônibus das Lágrimas", famintos, com a roupa esfarrapada e extenuados, mas não derrotados. Recuperavam-se em poucos dias e partiram de novo. Andrés conhecia um que tentara oito vezes e estava se preparando para partir de novo, mas a ele faltava coragem para isso. Estava disposto a esperar, porque sua mãe prometera que lhe conseguiria um coiote assim que terminasse a escola, antes de ser convocado para servir às Forças Armadas.

A avó estava cansada de ouvir falar do plano de Andrés, mas Evelyn se divertia com os mínimos detalhes, embora não quisesse viver em outro lugar. Só conhecia seu povoado e a casa de sua avó. A recordação de sua mãe continuava intacta, mas já não vivia esperando os cartões-postais ou os telefonemas esporádicos. Não tinha tempo para sonhar. Levantava--se ao amanhecer para ajudar a avó, ia ao poço buscar água, molhava o chão de terra pisada para evitar as nuvens de poeira, colocava lenha na cozinha, esquentava o feijão-preto, se tivesse sobrado do dia anterior, e fazia tortilhas de milho, fritava fatias das bananas que nasciam no quintal e coava café para a avó e Andrés; também precisava alimentar as galinhas e o porco, e pendurar a roupa lavada na noite anterior. Andrés não participava dessas atividades, eram coisas de mulheres; ele ia para a escola antes da irmã e ficava jogando bola com outros garotos.

Evelyn se entendia com a avó sem palavras, em uma dança de gestos repetidos e tarefas domésticas metódicas. Às sextas-feiras, as duas começavam a trabalhar às três da madrugada; preparavam o recheio das pamonhas e, no sábado, as cozinhavam e levavam para vender no mercado. Como qualquer comerciante, por mais pobre que fosse, a avó pagava uma taxa de proteção aos membros de gangue e delinquentes que agiam impunemente na região e às vezes também aos guardas-civis. Era uma quantia mínima, compatível com sua mísera renda, mas a cobravam com ameaças e se não pagassem atiravam as pamonhas no riacho e a esbofeteavam. Depois de comprar os ingredientes para as pamonhas e pagar a taxa, o que sobrava era tão pouco que só dava para alimentar os netos. Sem as remessas de Miriam, seriam indigentes. Aos domingos e dias santos, se tivessem a sorte de contar com o padre Benito, a avó e a neta iam varrer a igreja e arrumar as flores da missa. As beatas do povoado davam guloseimas a Evelyn. "Olhe, como a Evelyn está ficando bonita! Esconda-a, dona Concepción, para que nenhum homem desalmado a engane", diziam.

Na segunda sexta-feira de fevereiro, o corpo de Gregorio Ortega amanheceu cravado na ponte que cruzava o rio, coberto de sangue seco e excrementos, com um cartão no pescoço com as temíveis iniciais MS, que todos conheciam. As moscas-varejeiras haviam iniciado seu asqueroso banquete muito antes da chegada dos primeiros curiosos e de três homens com o uniforme da Polícia Nacional Civil. Nas horas seguintes, o corpo começou a feder e, por volta do meio-dia, as pessoas começaram a se retirar, afugentadas pelo calor, a podridão e o medo. Só ficaram perto da ponte os policiais, esperando ordens, um fotógrafo entediado enviado de outro povoado para cobrir "o fato de sangue", como o chamou, embora não fosse nenhuma novidade, e Concepción Montoya com seus netos, Andrés e Evelyn, os três calados e imóveis.

— Leve as crianças, vovó, este não é um espetáculo para elas — ordenou-lhe um homem que parecia comandar os outros policiais.

Mas Concepción estava plantada como uma árvore antiga na terra. Já vira crueldades como aquela, haviam queimado vivos seus pai e dois irmãos durante a guerra, achava que nenhuma ferocidade humana poderia surpreendê-la, mas, quando uma vizinha chegou correndo para avisá-la do que havia na ponte, a frigideira caiu de suas mãos, esparramando no chão a massa de farinha para as pamonhas. Estava havia um bom tempo esperando que seu neto mais velho acabasse na prisão ou morto em uma briga, mas jamais esperara um final como aquele.

— Vamos, velha, saia daqui, antes que me aborreça — insistiu o chefe dos policiais, empurrando-a.

Finalmente Andrés e Evelyn sacudiram o estupor, pegaram a avó pelos braços, arrancaram suas pernas do chão e a levaram aos tropeções. Concepción envelhecera de repente, arrastava os pés, encolhida como uma anciã. Andava olhando para o chão, bamboleando e repetindo: "Que Deus o abençoe e o perdoe, que Deus o abençoe e o perdoe".

Coube ao padre Benito a triste tarefa de ligar para a mãe de Gregorio, informá-la da desgraça de seu filho e tentar consolá-la. Miriam soluçava, sem entender o que acontecera. Por orientação de Concepción, o sacerdote não lhe deu detalhes, só disse que se tratava de um crime relacionado ao crime organizado, como tantas mortes ao azar perpetradas todos os dias; Gregorio era outra vítima casual da violência desatada. Era inútil que viesse ao enterro, disse, porque não chegaria a tempo, mas era necessário que enviasse dinheiro para o caixão, um lugar no cemitério e outras despesas; ele cuidaria de dar a seu filho sepultura cristã e rezar missas pela salvação de sua alma. Tampouco disse a Miriam que o corpo estava em um depósito a sessenta quilômetros de distância e que só o entregariam à família depois do boletim de ocorrência, coisa que poderia demorar meses, a menos que se pagasse algo por debaixo da mesa, e neste caso ninguém se lembraria da autópsia. Para isso serviria uma parte do dinheiro. Essa negociação ingrata também caberia a ele.

No verso do cartão pendurado no pescoço de Gregorio, com as iniciais da Mara Salvatrucha, estava escrito que assim morriam os traidores e suas famílias. Ninguém sabia qual fora a traição de Gregorio. Sua morte era uma advertência aos membros da gangue, caso algum estivesse sendo desleal, uma zombaria dirigida à Polícia Nacional Civil e seus alardes de que controlava o crime, e uma ameaça à população. O padre Benito soube da mensagem do cartão por um dos policiais e achou que era sua obrigação informar Concepción do perigo que sua família estava correndo. "Mas então, padre, o que quer que façamos?", foi a resposta da mulher. Decidiu que Andrés devia acompanhar Evelyn na ida e na volta da escola e, em vez de encurtar o caminho pelo atalho verde dos bananais, deviam ir margeando a estrada, embora isso aumentasse o trajeto em vinte minutos, mas Andrés não precisou obedecer a essa ordem, porque sua irmã se negou a voltar à escola.

Na época, já era evidente que a visão do irmão cravado na ponte havia enredado o pensamento e a língua de Evelyn. A menina estava prestes a completar 15 anos, insinuavam-se em seu corpo algumas curvas de mulher e começava a superar a timidez. Antes do assassinato de Gregorio, atrevia-se a fazer intervenções nas aulas, sabia as canções que estavam na moda e era mais uma das meninas que ficavam na praça observando os garotos com fingida indiferença. Mas, a partir daquela sexta-feira espantosa, perdeu o apetite e a capacidade de alinhavar as sílabas; gaguejava tanto que nem sua avó carinhosa tinha paciência para tentar entendê-la.

# Lucía

*Chile*

Lena, sua mãe, e Enrique, seu irmão, foram os dois pilares da infância e da juventude de Lucía Maraz, antes que o golpe militar arrancasse seu irmão. Seu pai morrera em um acidente de trânsito quando era muito pequena e foi como se nunca tivesse existido, mas a ideia de um pai ficou flutuando entre seus filhos como uma névoa. Entre as poucas recordações que Lucía tinha, tão difusas que talvez não fossem lembranças mas tão somente cenas evocadas por seu irmão, ela estava no zoológico, nos ombros do pai, agarrando a sua cabeça de cabelos pretos e ásperos, passeando entre as jaulas dos macacos. Em outra recordação, igualmente vaga, ela estava em um carrossel montada em um unicórnio, e ele, de pé ao seu lado, a segurava pela cintura. Em nenhum desses momentos apareciam seu irmão ou sua mãe.

Lena Maraz, que amara aquele homem desde os 17 anos de idade com abnegação inquestionável, recebeu a trágica notícia de sua morte e só conseguiu chorar por algumas horas até descobrir que a pessoa a quem acabara de identificar em um hospital público, onde lhe mostraram o corpo coberto com um lençol, em cima de uma mesa metálica, era um desconhecido, e seu casamento, uma enorme fraude. O mesmo oficial dos carabineiros a quem coube avisá-la do que acontecera voltou mais tarde acompanhado de um detetive da Delegacia de Investigações para lhe fazer perguntas que pareciam cruéis, dadas as circunstâncias, e sem nenhuma relação com o acidente. Precisaram repetir a informação duas vezes até que Lena entendesse o que estavam querendo dizer. Seu marido era bígamo. A 160 quilômetros de distância, em uma cidade de província, havia outra mulher, tão enganada quanto ela, que acreditava ser sua esposa legítima e mãe de seu único filho. Seu marido havia levado vida dupla durante vários anos, protegido por seu trabalho de caixeiro-viajante, um bom pretexto para as ausências prolongadas. Como se casara primeiro com Lena, a segunda relação não era legalmente válida, mas o filho fora reconhecido e tinha o sobrenome do pai.

O luto de Lena se transformou em um furacão de ressentimentos e ciúmes retrospectivos, e ela passou meses revisando o passado à procura de mentiras e omissões, amarrando os fios para entender cada ação suspeita, cada palavra falsa, cada promessa quebrada, duvidando até mesmo da forma como haviam feito amor. Em seu afã de investigar a outra mulher, viajou à província para espioná-la e constatou que era uma jovem de aparência inofensiva, malvestida e com óculos, muito diferente da cortesã que imaginara. Observou-a de longe e seguiu-a pelas ruas, mas não se aproximou. Semanas depois, quando a mulher lhe telefonou sugerindo que se encontrassem para conversar sobre a situação, já que as duas haviam sofrido da mesma maneira e os filhos de ambas compartilhavam o mesmo pai, Lena a cortou bruscamente. Não tinham nada em comum, disse-lhe: os pecados daquele indivíduo pertenciam somente a ele e certamente estaria pagando por eles no purgatório.

O rancor a estava consumindo em vida, mas em algum momento se deu conta de que seu marido a continuava ferindo do túmulo e a própria raiva a estava destruindo mais do que a traição. Então, optou por uma solução draconiana: cortou o infiel de sua vida com uma machadada, destruiu todas as fotografias dele que tinha ao seu alcance, livrou-se de seus objetos, deixou de ver os amigos em comum e evitou qualquer contato com a família Maraz, mas manteve seu sobrenome, porque era o de seus filhos.

Enrique e Lucía receberam uma explicação elementar: seu pai havia morrido em um acidente, mas a vida continuava e era ruim pensar nos ausentes. Deviam virar a página; bastava incluí-lo em suas orações para que sua alma descansasse em paz. Lucía só podia imaginar sua aparência por algumas fotografias em preto e branco que seu irmão salvara antes que Lena as descobrisse. Nelas, o pai era um homem alto, magro, com olhos intensos e brilhantina nos cabelos. Em uma das imagens, estava muito jovem com um uniforme da Marinha, onde estudara e trabalhara como engenheiro de som por algum tempo, e na outra, tirada anos depois, estava com Lena e Enrique, ainda bebê, nos braços. Havia nascido na Dalmácia e emigrado para o Chile com seus pais na infância, como Lena e centenas de outros croatas que entraram no país como iugoslavos e se estabeleceram no norte. Conhecera Lena em um festival de folclore, e a descoberta das histórias que tinham em comum alimentou a ilusão do amor, mas eram fundamentalmente diferentes. Lena era séria, conservadora e religiosa; ele, alegre, boêmio e irreverente; ela se adaptava às regras sem questioná-las, era trabalhadora e econômica; ele, preguiçoso e perdulário.

Lucía cresceu sem saber nada de seu pai, porque o tema era tabu em sua casa. Lena nunca proibiu que se falasse dele, mas evitava o assunto com os lábios apertados e o cenho franzido. Os filhos aprenderam a engolir a curiosidade. Raramente Lena se referia ao marido, mas, em suas últimas semanas de vida, conseguiu falar dele e responder às perguntas de

Lucía. "De mim você herdou o senso de responsabilidade e a força; pode agradecer ao seu pai por lhe ter dado simpatia e inteligência, mas nenhum de seus defeitos, que eram muitos", disse-lhe.

Em sua infância, a ausência do pai foi para Lucía como um aposento fechado da casa, uma porta hermética que guardava sabe-se lá quais segredos. Como seria abrir essa porta? Quem encontraria naquele quarto? Por mais que olhasse atentamente para o homem das fotografias, não conseguia relacionar-se com ele, era um estranho. Quando lhe perguntavam sobre sua família, a primeira coisa que dizia, com expressão de tristeza, para evitar um provável interrogatório, era que seu pai havia morrido. Isso causava pena — a pobre menina era órfã de pai — e ninguém perguntava mais. Secretamente, invejava Adela, sua melhor amiga, filha única de pais separados, mimada como uma princesa pelo pai, um médico que transplantava órgãos vitais, vivia viajando para os Estados Unidos e lhe trazia bonecas que falavam inglês e sapatos de verniz vermelho da personagem Dorothy, do filme *O mágico de Oz*. O médico era puro carinho e alegria, levava Adela e Lucía ao salão de chá do hotel Crillón para tomar sorvetes em taças cobertas com creme, ao zoológico para ver as focas e ao Parque Florestal para andar a cavalo, mas os passeios e os brinquedos eram o de menos. Os melhores momentos de Lucía eram quando caminhava de mãos dadas com o pai de sua amiga em público, fingindo que Adela era sua irmã, e as duas compartilhavam aquele pai de contos de fadas. Desejava com fervor de noviça que aquele homem perfeito se casasse com sua mãe e ela pudesse tê-lo como padrasto, mas o céu deixou de lado esse desejo, como tantos outros.

Nessa época, Lena Maraz era uma mulher jovem e bela, de ombros quadrados, pescoço longo e olhos desafiadores da cor de espinafre, a quem o pai de Adela nunca se atreveu a cortejar. Os *tailleurs* severos e as blusas castas que usava não dissimulavam suas formas sedutoras, mas sua atitude impunha respeito e distância. Teriam sobrado pretendentes se houvesse permitido, mas se aferrou à viuvez com a arrogância de uma imperatriz. As mentiras de seu marido semearam nela uma desconfiança perpétua em relação ao gênero masculino em sua totalidade.

Enrique Maraz, três anos mais velho que a irmã, guardava algumas recordações idealizadas ou inventadas do pai, que compartilhava aos sussurros com Lucía, mas, com o passar do tempo, essa nostalgia foi se dissipando. O pai de Adela, com seus presentes gringos ou suas taças de sorvete do hotel Crillón, não lhe interessava. Queria um próprio e um modelo, alguém com quem se parecesse quando fosse mais velho, alguém que reconheceria ao se olhar no espelho quando chegasse a época de se barbear, alguém que lhe ensinasse as coisas fundamentais da virilidade. Sua mãe lhe repetia que ele era o homem da casa, responsável por ela e pela irmã, porque o papel do homem é proteger e cuidar. Uma vez se atreveu a lhe perguntar como se aprende isso sem um pai e ela lhe respondeu secamente que improvisasse, porque, mesmo que seu pai estivesse vivo, não lhe serviria de exemplo. Não poderia aprender nada com ele.

Os irmãos eram tão diferentes entre si quanto haviam sido seus pais. Enquanto Lucía se perdia nos labirintos de uma imaginação fértil e de uma curiosidade inesgotável, sempre com o coração na mão, chorando pelo sofrimento humano e pelos animais maltratados, Enrique era pura inteligência. Desde pequeno, manifestou um ardor proselitista que a princípio despertava risadas e depois se transformou em uma chatice; ninguém suportava aquele garoto extremamente veemente, com ares de superioridade e complexo de pregador. Em sua época de escoteiro, usou durante anos o uniforme de calças curtas, tentando convencer, a quem tivesse a infelicidade de encontrá-lo, das vantagens da disciplina e da vida ao ar livre. Mais tarde transportou esse empenho patológico para a filosofia de Gurdjieff, a Teologia da Libertação e as revelações do LSD, até que encontrou sua vocação definitiva em Karl Marx.

Seus discursos incendiários deixavam Lena de péssimo humor; para ela, a esquerda era só confusão e mais confusão, e não comovia sua irmã, uma colegial frívola mais interessada em namoros de um dia e em cantores de rock do que em qualquer outra coisa. Enrique, com barba curta, cabelos compridos e boina preta, imitava o célebre guerrilheiro Che Guevara, que tombara na Bolívia alguns anos antes, em 1967. Havia lido seus textos e os citava sem parar, mesmo que não viessem ao caso, diante da irritação explosiva de sua mãe e a admiração abobalhada de sua irmã.

No final da década de 1960, quando Lucía estava concluindo o secundário, Enrique se uniu às forças que apoiavam Salvador Allende, o candidato socialista à presidência da república que para muitos era o Satanás encarnado. Segundo Enrique, a salvação da humanidade baseava-se em derrotar o capitalismo através de uma revolução que não deixasse pedra sobre pedra; por isso, as eleições eram uma palhaçada, mas, já que apresentavam a oportunidade única de eleger um marxista, era necessário aproveitá-la. Os outros candidatos prometiam reformas dentro dos parâmetros do que já era conhecido, enquanto o programa da esquerda era radical. A direita desatou uma campanha de terror, profetizando que o Chile iria terminar como Cuba, que os soviéticos iriam raptar as crianças chilenas para lavar seus cérebros, que destruiriam as igrejas, violariam as freiras e executariam os padres, que confiscariam a terra de seus legítimos donos e acabariam com a propriedade privada, que até o mais humilde camponês perderia suas galinhas e terminaria como escravo em um *gulag* da Sibéria.

Apesar da campanha do medo, o país se inclinou para os partidos de esquerda, que se uniram em uma coalizão, a Unidade Popular, com Allende na cabeça. Diante do espanto de quem sempre exercera o poder e dos Estados Unidos, que observavam as eleições chilenas com Fidel Castro e sua revolução em mente, a Unidade Popular venceu em 1970. Quem mais se surpreendeu foi, possivelmente, o próprio Allende, que já havia disputado a presidência três vezes e costumava brincar dizendo que seu epitáfio diria: "Aqui jaz o futuro presidente do Chile". O segundo mais surpreso foi Enrique Maraz, que se viu, da noite para o dia, sem ter nada a que se opor. Isso mudou rapidamente assim que a euforia inicial se amainou.

A vitória de Salvador Allende, o primeiro marxista eleito por votação democrática, atraiu o interesse do mundo inteiro e em especial da Agência Central de Inteligência dos Estados Unidos. Governar com os partidos de várias tendências que o apoiavam e com a guerra sem trégua de seus opositores provaria ser uma tarefa impossível, como se veria muito depressa, quando começou o vendaval que haveria de durar três anos e sacudir os alicerces da sociedade. Ninguém ficou indiferente.

Para Enrique Maraz, a verdadeira revolução, a indispensável, era a de Cuba, e as reformas de Allende só serviam para adiá-la. Seu partido de ultraesquerda sabotou o governo com o mesmo fervor da direita. Pouco depois das eleições, Enrique abandonou os estudos e saiu da casa de sua mãe sem dizer para onde ia. A partir daí, teriam notícias dele esporadicamente, quando aparecia para fazer uma visita ou ligava, sempre apressado; suas atividades eram secretas. Continuava com a barba e os cabelos compridos, mas não usava mais a boina e as botas, e parecia mais reflexivo. Já não se lançava ao ataque armado de frases lapidares contra a burguesia, a religião e o imperialismo americano; havia apreendido a ouvir com fingida cortesia as opiniões trogloditas de sua mãe e as burrices de sua irmã, como as qualificava.

Lucía decorara seu quarto com um pôster de Che Guevara porque era um presente de seu irmão, porque o guerrilheiro era *sexy* e para incomodar sua mãe, que o considerava um delinquente. Também tinha vários discos do cantor e compositor Víctor Jara. Conhecia suas canções de protesto e alguns *slogans* sobre a "vanguarda marxista-leninista da classe operária e das camadas oprimidas", como se definia o partido de Enrique. Juntava-se à multidão em marchas em defesa do governo, cantando até se esgoelar que o povo unido jamais seria vencido, e uma semana depois, com o mesmo entusiasmo, ia com suas amigas a outras manifestações contra o mesmo governo que defendera dias antes. A *causa* lhe interessava muito menos do que o prazer de gritar na rua. Sua coerência ideológica deixava muito a desejar, como reprovou-a Enrique em uma ocasião em que a viu de longe em uma marcha da oposição. Estavam na moda a minissaia, as botas de plataforma e os olhos pintados de preto, visual que Lucía adotou, e os hippies, que poucos jovens chilenos imitavam, dançando drogados com seus pandeiros e fazendo amor nos parques, como em Londres e na Califórnia. Lucía não chegou a tanto porque sua mãe jamais lhe teria permitido se misturar com aqueles bucólicos degenerados, como os chamava.

Tendo em vista que o único tema do país era a política, que provocava violenta ruptura entre parentes e amigos, Lena impôs em seu lar a lei do silêncio sobre o assunto, como a impusera a respeito de seu marido. Para Lucía, em plena rebelião adolescente, a melhor forma de hostilizar sua mãe era mencionar Allende. Lena voltava para casa à noite, esgotada por sua jornada de trabalho, o péssimo transporte público, o trânsito obstruído pelas greves e manifestações e as eternas filas para comprar um frango magro ou seus cigarros, sem os quais não conseguiria sobreviver, mas juntava forças para bater panelas com as vizinhas do bairro, como uma forma anônima de protestar contra a escassez em particular e o socialismo em geral. O barulho das panelas começava com umas batidas solitárias em um pátio, às quais logo se somavam outras em um coro ensurdecedor, que se espalhava pelos bairros de classe média e alta da cidade como um anúncio do apocalipse. Encontrava sua filha esparramada diante da televisão ou fofocando no telefone, com suas canções favoritas a todo volume. Aquela menina inconsequente, com corpo de mulher e cérebro de pirralha, a preocupava, mas Enrique a preocupava muito mais. Temia que seu filho fosse uma das cabeças quentes que pregavam a conquista do poder pela violência.

A profunda crise que dividia o país se tornou insustentável. Os camponeses se apropriavam de terras para criar comunidades agrícolas, bancos e indústrias eram expropriados, foram nacionalizadas as minas de cobre do norte, que sempre estiveram nas mãos de empresas norte-americanas, a escassez se tornou endêmica, faltavam agulhas e gaze nos hospitais, peças de reposição para as máquinas, leite para as crianças; vivia-se em estado de paranoia. Os patrões sabotavam a economia, retirando artigos essenciais do mercado, e, em resposta, os trabalhadores se organizavam em comitês, demitiam os chefes e se apoderavam das indústrias. Nas ruas do centro, viam-se piquetes de trabalhadores em volta de fogueiras defendendo os escritórios e as lojas do bando da direita, enquanto nos campos vigiavam dia e noite para se proteger dos antigos patrões. Havia capangas armados em ambos os lados. Apesar do clima de guerra, a esquerda ampliou a porcentagem de seus votos nas eleições parlamentares de março. Então a oposição, que conspirava havia três anos, compreendeu que não bastava a sabotagem para derrubar o governo. Era necessário recorrer às armas.

No dia 11 de setembro de 1973, uma terça-feira, os militares se sublevaram contra o governo. De manhã, Lena e Lucía ouviram passar voando baixo helicópteros e aviões em formação, foram olhar e viram tanques e caminhões nas ruas quase vazias. Na televisão, nenhum canal funcionava; exibia-se apenas uma imagem geométrica, fixa. Pelo rádio, ficaram sabendo de um pronunciamento militar e só foram entender o que isso significava três horas depois, quando foi reiniciada a transmissão do canal estatal e surgiram na tela quatro generais em uniforme de combate, em pé diante da bandeira do Chile, anunciando o fim do comunismo na estimada pátria e promulgando decretos que a população devia acatar.

Foi declarado o estado de guerra, o Congresso foi colocado em recesso por tempo indefinido e foram suspensos os direitos civis, enquanto as honoráveis Forças Armadas restauravam a lei, a ordem e os valores da civilização cristã ocidental. Explicaram que Salvador Allende acionara um plano que consistia em executar milhares e milhares de pessoas da oposição em um genocídio sem precedentes, mas eles se adiantaram e conseguiram evitá-lo. "O que vai acontecer agora?", perguntou Lucía à sua mãe, inquieta porque a alegria incontida de Lena, que abriu uma garrafa de champanhe para celebrar o acontecimento, lhe pareceu mau agouro: significava que, em algum lugar, seu irmão Enrique poderia estar desesperado. "Nada, filha, aqui os soldados respeitam a Constituição. Logo vão convocar eleições", respondeu-lhe Lena, sem imaginar que se passariam mais de dezesseis anos até se que isso acontecesse.

Mãe e filha ficaram trancadas no apartamento até que, poucos dias depois, foi suspenso o toque de recolher, e puderam sair brevemente para comprar provisões. Já não havia mais filas e, nos armazéns, viram montanhas de frangos, que Lena não comprou porque achou que eram muito caros, mas se abasteceu de vários maços de cigarro. "Onde os frangos estavam ontem?", perguntou Lucía. "Estavam na despensa privada de Allende", replicou sua mãe.

Ficaram sabendo que o presidente havia morrido durante um bombardeio ao palácio do governo — viram a cena do ataque até a exaustão nas imagens repetidas pela televisão — e ouviram boatos de que corpos flutuavam no trecho do rio Mapocho, que atravessa Santiago, de grandes fogueiras onde eram queimados livros agora proibidos e de milhares de suspeitos amontoados em caminhões do exército e transportados a lugares de detenção improvisados às pressas, como o Estado Nacional, onde, dois dias antes, eram disputadas partidas de futebol. Os vizinhos de bairro de Lucía estavam tão eufóricos quanto Lena, mas ela sentia medo. Um comentário que ouviu de passagem ficou ressoando em seu peito como uma ameaça certeira a seu irmão: "Vamos trancar os malditos comunistas em campos de concentração, e o primeiro que protestar será fuzilado, como esses desgraçados haviam planejado fazer conosco".

Quando se espalhou a notícia de que o corpo de Víctor Jara, com as mãos destroçadas, havia sido jogado em um bairro pobre, como exemplo, Lucía chorou inconsolavelmente durante horas. "São piadas, filhas, exageros. Não sabem mais o que inventar para desprestigiar as Forças Armadas, que salvaram o país das garras do comunismo. Como você pode acreditar que isso vai acontecer no Chile?", perguntou Lena. A televisão exibia desenhos animados e divulgava ordens militares, o país estava calmo. Lena teve sua primeira dúvida quando viu o nome de seu filho em uma das listas negras que convocavam os relacionados a se apresentar em um dos quartéis da polícia.

Três semanas depois, vários homens em trajes civis e armados, que não precisaram se identificar, invadiram o apartamento de Lena procurando seus dois filhos. Enrique era acusado de ser guerrilheiro, e Lucía, de simpatizante. Lena não tinha tido notícias de seu filho havia muitos meses e, mesmo que tivesse, não diria nada àqueles homens. Lucía havia combinado de passar a noite na casa de uma amiga durante o toque de recolher, e sua mãe teve a lucidez de não se deixar amedrontar pelas ameaças e sopapos que recebera durante a invasão. Com espantosa serenidade, informou aos agentes que seu filho se afastara da família e não sabiam nada a seu respeito, e que sua filha estava em Buenos Aires, em uma viagem de turismo. Os homens foram embora, mas antes avisaram que voltariam para levá-la, a menos que seus filhos aparecessem.

Lena supôs que seu telefone estivesse grampeado e esperou até as cinco da manhã, quando, então, foi suspenso o toque de recolher, para ir avisar Lucía na casa de sua amiga. Depois foi visitar o cardeal, que fora amigo próximo de sua família antes de galgar os degraus celestiais do Vaticano. Pedir favores era uma coisa que jamais havia feito, mas, naquele momento, nem se lembrou do orgulho. O cardeal, agoniado com a situação e as filas de suplicantes, teve a bondade de ouvi-la e conseguir asilo para Lucía na embaixada da Venezuela. Aconselhou a Lena que também partisse antes que a polícia política cumprisse sua ameaça. "Vou ficar aqui, eminência. Não irei a lugar nenhum sem saber de meu filho Enrique", respondeu ela. "Se o encontrar, me procure, Lena, porque o rapaz vai precisar de ajuda."

# Richard

*Brooklyn*

Richard Bowmaster passou a noite daquele sábado de janeiro sentado no chão, encostado na parede, com as pernas adormecidas pelo peso da cabeça de Lucía, às vezes acordado, outras sonhando, e meio tonto pelo biscoito mágico. Não se lembrava da última vez que se sentira tão feliz. A qualidade dos alimentos com maconha variava e era difícil calcular a quantidade que se podia consumir para conseguir o efeito desejado sem sair voando como um foguete. Fumar era melhor, mas a fumaça lhe dava asma. A última leva estava muito forte, teria de dividir os biscoitos em pedaços menores. A erva lhe servia para relaxar depois de uma jornada de trabalho pesado ou para afugentar fantasmas, no caso de serem dos maus. Não é que acreditasse em fantasmas, logicamente; era um homem racional. Mas eles apareciam. No mundo de Anita, que ele compartilhou por vários anos, a vida e a morte estavam irremediavelmente entrelaçadas, e os espíritos bons e os maus andavam por todo lado. Admitia ser alcoólatra, por isso evitava as bebidas havia anos, mas não achava que era viciado em outras substâncias nem ter vícios preocupantes, a menos que a bicicleta fosse adição ou vício. A pouca maconha que usava não se enquadrava nessa categoria. Se na noite anterior o biscoito não tivesse batido tão forte, teria levantado assim que o fogo da lareira tivesse apagado e ido para a cama, em vez de dormir sentado no chão e amanhecer com os músculos rígidos e a vontade abrandada.

Naquela noite, com as defesas baixas, seus demônios apareceram para atacá-lo nos momentos de cochilo ou nos sonhos. Anos antes, tentara mantê--los trancados em um compartimento blindado da memória, mas desistiu porque, junto com os demônios, partiam os anjos. Depois aprendeu a cuidar de suas recordações, inclusive das mais dolorosas, porque, sem elas, seria como se nunca tivesse sido jovem, nunca tivesse amado, nunca tivesse sido pai. Se o preço que devia pagar por isso era mais sofrimento, ele pagava. Às vezes, os demônios venciam a luta contra os anjos, e o resultado era uma enxaqueca paralisante, que também fazia parte do preço. Carregava a pesada dívida dos erros cometidos, uma dívida que não havia compartilhado com ninguém até aquele inverno de 2016, quando as circunstâncias abriram seu coração à força. A abertura já havia começado naquela noite, deitado no chão, no meio de duas mulheres e de um cachorro ridículo, exorcizando, aos poucos, seu passado, enquanto, lá fora, o Brooklyn dormia.

Quando ligava o computador, aparecia na tela uma fotografia de Anita e Bibi, acusando-o ou sorrindo-lhe, conforme seu ânimo do dia. Não era um lembrete, não precisava dele. Se sua memória viesse a falhar, Anita e Bibi o estariam esperando na dimensão atemporal dos sonhos. Às vezes um sonho particularmente vívido ficava grudado em sua pele e o levava a andar o dia inteiro com um pé neste mundo e o outro no terreno incerto de um pesadelo catastrófico. Ao apagar a luz antes de dormir, evocava Anita e Bibi com a esperança de vê-las. Sabia que as visões noturnas eram de produção própria; se sua mente era capaz de castigá-lo com pesadelos, também podia premiá-lo, mas ainda não havia descoberto um método para provocar sonhos de consolo.

Com o passar do tempo, sua dor havia mudado de tom e textura. No começo, era vermelha e pungente, depois ficou cinza, rude e áspera, como o tecido de um saco. Estava familiarizado com essa dor em surdina, incorporara-a aos males cotidianos junto com a acidez estomacal.

A culpa, no entanto, continuava a mesma, fria e dura como o vidro, implacável. Seu amigo Horacio, sempre disposto a brindar pelas coisas positivas e minimizar as negativas, o acusara certa vez de estar apaixonado pela desgraça: "Mande seu superego para o caralho, cara. Essa coisa de examinar cada ação passada e presente e de andar se flagelando é uma perversão, um pecado de soberba. Você não é tão importante. Tem que se perdoar de uma vez por todas, assim como Anita e Bibi o perdoaram".

Lucía Maraz lhe dissera meio de brincadeira que estava virando um velhote hipocondríaco e medroso. "Já sou", respondeu-lhe, tentando imitar o tom jocoso dela, mas se sentiu ferido, porque era uma verdade impossível de rebater. Estavam de pé em uma das reuniões sociais horrorosas do departamento para se despedir de uma professora que estava se aposentando. Aproximou-se de Lucía com uma taça de vinho para ela e um copo de água mineral para ele; era a única pessoa com quem tinha vontade de conversar. A chilena tinha razão, vivia preocupado. Ingeria suplementos vitamínicos aos punhados porque achava que, se a saúde lhe falhasse, tudo iria por água abaixo, e o edifício de sua existência desabaria. Instalara um alarme em sua casa porque ouvira dizer que no Brooklyn, como na verdade em todos os lugares, entravam para roubar em plena luz do dia, e protegia seu computador e seu celular com senhas tão complicadas para que não tivessem acesso que, de vez em quando, as esquecia. Além disso, havia os seguros do carro, de saúde, de vida... Enfim, só lhe faltava um seguro contra as piores recordações que o assaltavam quando saía da rotina, e a desordem o perturbava. Pregava a seus alunos que a ordem é uma arte dos seres racionais, uma batalha sem trégua contra as forças centrífugas, porque a dinâmica natural de tudo o que existe é a expansão, a multiplicação e o caos: como prova bastava observar o comportamento humano, a voracidade da natureza e a infinita complexidade do universo. Para conservar pelo menos uma aparência de ordem, ele não se descuidava, mantinha sua existência sob controle com precisão militar. Para isso, serviam suas listas e sua agenda estrita, que fizeram Lucía rir muito quando as descobriu. O aspecto negativo de trabalharem juntos é que nada escapava a ela.

— Como você acha que vai ser sua velhice? — Lucía perguntara.

— Já estou instalado nela.

— Não, homem, ainda faltam uns dez anos.

— Espero não viver muito, seria uma desgraça. O ideal é morrer com a saúde perfeita, digamos, por volta dos 75 anos, quando meu corpo e minha mente ainda estiverem funcionando como é devido.

— Acho que é um bom plano — disse ela, com alegria.

Richard estava falando sério. Aos 75 anos, encontraria um meio eficaz de partir. Quando chegasse esse momento, iria para Nova Orleans e se instalaria ouvindo música no meio dos personagens extravagantes do bairro francês. Pensava em acabar seus dias ali tocando piano com negros formidáveis que o aceitariam em sua banda por misericórdia, perdido ao som do trompete e do saxofone, atordoado pelo entusiasmo africano da bateria. E, se isso fosse pedir muito, bem, então desejaria partir do mundo em silêncio, sentado embaixo do ventilador decrépito de um velho bar, consolado pelo ritmo de um jazz melancólico, bebendo coquetéis exóticos, sem se importar com as consequências, porque teria o comprimido letal em seu bolso. Seria sua última noite, e bem que poderia tomar alguns tragos.

— Não lhe faz falta uma companheira, Richard? Alguém em sua cama, por exemplo? — perguntou-lhe Lucía, com uma piscadela maliciosa.

— Nem um pouco.

Qual era a necessidade de contar a história de Susan? Aquela relação não era importante nem para Susan nem para ele. Tinha certeza de que era mais um entre os vários amantes que a ajudavam a suportar um casamento terrível, o qual, na sua opinião, deveria ter terminado há muitos anos. Essa era uma questão que os dois evitavam. Susan não falava do assunto e ele não perguntava. Eram bons amigos, unidos por uma amizade sensual e interesses intelectuais. Os encontros não precisavam de complicações, aconteciam sempre na segunda quinta-feira de cada mês, sempre no mesmo hotel, pois ela era tão metódica quanto ele. Uma tarde por mês, isso lhes bastava; cada um levava sua vida.

A ideia de estar diante de uma mulher em uma recepção como aquela, procurando um assunto para conversar e tateando o terreno para decidir o passo seguinte, teria despertado a úlcera de Richard três meses antes, mas, desde que Lucía se instalara em seu porão, se imaginava conversando com ela. Perguntava-se por que justamente com ela, se havia outras mulheres mais bem-dispostas, como sua vizinha, que lhe havia sugerido que fossem amantes, já que viviam tão perto e, de vez em quando, ela cuidava de seus gatos. A única explicação para essas conversas ilusórias com a chilena era que a solidão já começava a pesar, outro sintoma da velhice, pensava. Nada tão patético quanto o som de um garfo batendo no prato em uma casa vazia. Comer sozinho, dormir sozinho, morrer sozinho. Como seria ter uma companheira, como Lucía sugerira? Cozinhar para ela, esperá-la à tarde, passear de mãos dadas, dormir abraçados, contar os pensamentos, escrever poemas para ela... Alguém como Lucía. Era uma mulher madura, forte, inteligente, de riso fácil, sabia por que havia sofrido, mas não se prendia a seu sofrimento, como ele, e, além do mais, era bonita. Mas era atrevida e mandona. Uma mulher assim ocupava muito espaço, seria como lidar com um harém, muito trabalho, uma péssima ideia. Sorriu pensando em como era presunçoso ao supor que ela corresponderia. Nunca lhe dera qualquer sinal de que se interessava por ele, exceto naquela vez que cozinhou, mas ela tinha acabado de chegar e ele estava na defensiva ou na lua. "Me comportei como um idiota, gostaria de começar de novo com ela", concluiu.

A chilena era admirável do ponto de vista profissional. Na semana de sua chegada a Nova York, ele lhe pediu que desse uma palestra. Tiveram que organizá-la em um auditório grande, porque se inscreveram mais pessoas do que esperavam, e coube a ele apresentá-la. O tema da noite era o fim da intervenção da CIA na América Latina, que contribuíra para derrubar democracias e substituí-las por governos totalitários que nenhum norte-americano toleraria. Richard sentou-se no meio do público, enquanto Lucía falava sem consultar suas notas em inglês com um sotaque que ele achava simpático. Quando terminou sua exposição, a primeira pergunta foi de um colega a respeito do milagre econômico da ditadura chilena; pelo tom de seu comentário, ficou evidente que queria justificar a repressão. Os cabelos da nuca de Richard se eriçaram e precisou esforçar-se para ficar calado, mas Lucía não precisava que ninguém a defendesse. Respondeu que o suposto milagre murchou e que as estatísticas econômicas não expunham a enorme desigualdade e a pobreza reinantes.

Uma professora visitante da Universidade da Califórnia mencionou a situação de violência na Guatemala, em Honduras e El Salvador, e as dezenas de milhares de crianças sozinhas que cruzavam a fronteira fugindo ou à procura de seus pais e propôs reorganizar o Sanctuary Movement dos anos 1980. Richard pegou o microfone e, se houvesse na plateia alguém que ignorasse do que se tratava, explicou que aquela fora uma iniciativa de mais de quinhentas igrejas, advogados, estudantes e ativistas norte-americanos destinada a ajudar os refugiados, que eram tratados como delinquentes e deportados pelo governo de Reagan. Lucía perguntou se havia alguém na sala que tivesse participado desse movimento e quatro mãos se levantaram. Naquela época, Richard estava no Brasil, mas seu pai se envolvera tão ativamente que foi parar duas vezes na prisão. Esses foram os momentos memoráveis da existência do velho Joseph.

A palestra durou duas horas, e seu conteúdo foi tão intenso que Lucía recebeu uma salva de palmas. Richard ficou impressionado com sua eloquência e, além disso, achou-a muito atraente com seu vestido preto, um colar de prata e suas mechas coloridas. As maçãs de seu rosto e sua energia eram de tártaros. Lembrava-a com cabelos avermelhados e calças justas, mas já se haviam passado alguns anos. Embora tivesse mudado, continuava bonita e, se não temesse ser mal interpretado, lhe diria isso. Ficou feliz por tê-la convidado para trabalhar em seu departamento. Sabia que ela havia passado por anos difíceis, uma doença, um divórcio e sabe-se lá o que mais. Ocorreu-lhe convidá-la para dar aulas na faculdade sobre a política chilena durante um semestre, algo que talvez servisse a ela para se distrair, mas serviria mais ainda para os estudantes. Alguns eram tão ignorantes que chegavam à universidade sem conseguir localizar o Chile em um mapa e certamente também não eram capazes de situar seu próprio país no mundo: acreditavam que os Estados Unidos eram o mundo.

Queria que Lucía ficasse mais tempo, mas seria complicado levantar os recursos necessários; a parcimônia da administração universitária era como a do Vaticano. Além do contrato para o curso, ofereceu-lhe o apartamento independente de sua casa, que estava vago. Supôs que Lucía ficaria feliz em ter um lugar tão cobiçado, em pleno coração do Brooklyn, perto do transporte público e com um aluguel bem razoável, mas ela mal dissimulou sua decepção ao vê-lo. "Que pessoa difícil", pensou Richard naquele momento. Haviam começado com o pé esquerdo, mas a relação dos dois havia melhorado.

Tinha certeza de que se comportara de forma generosa e compreensiva, até suportava a presença do cachorro, que, segundo ela, seria temporária, mas já durava mais de dois meses. Embora o contrato de aluguel proibisse animais domésticos, fingira-se de tonto com aquele chihuahua que latia como um pastor-alemão e aterrorizava o carteiro e os vizinhos. Não sabia nada de cachorros, mas podia perceber que Marcelo era peculiar, com seus olhos protuberantes de sapo que não se encaixavam bem nas órbitas, e a língua pendurada, porque lhe faltavam vários dentes. O abrigo de lã escocesa que usava não contribuía para melhorar seu aspecto. Segundo Lucía, apareceu uma noite encolhido em sua porta, moribundo e sem coleira de identificação. "Quem seria tão cruel a ponto de abandoná-lo?" — indagou a Richard, com um olhar suplicante. Naquela ocasião, ele examinou pela primeira vez os olhos de Lucía, escuros como azeitonas, com cílios grossos e finas rugas de riso, olhos orientais; mas esse era um detalhe irrelevante. A aparência dela era o de menos. Desde que comprara a casa, impusera-se a regra de evitar intimidade com seus inquilinos, a fim de manter a privacidade, e não pensava em abrir uma exceção neste caso.

Naquela manhã invernal de domingo, Richard foi o primeiro a acordar; eram seis da manhã, ainda noite fechada. Depois de passar horas com a sensação de navegar entre o sono e a vigília, finalmente havia dormido como se tivesse sido anestesiado. Na lareira, restavam poucas brasas; a casa era um mausoléu gelado. Suas costas doíam, seu pescoço estava rígido. Alguns anos antes, quando ia acampar com seu amigo Horacio, dormia em um saco sobre a terra dura, mas já estava muito velho para passar por situações desconfortáveis. Lucía, por sua vez, aninhada ao seu lado, tinha a expressão plácida de quem descansa sobre penas. Evelyn, deitada na almofada e abrigada com seu agasalho, botas e luvas, roncava ligeiramente com Marcelo em cima dela. Richard levou alguns segundos para reconhecê-la e recordar o que aquela menina fazia em sua casa: o carro, a batida, a neve. Depois de ouvir parte da história de Evelyn, voltou a sentir o ultraje moral que antes o mobilizara a defender os imigrantes e ainda entusiasmava seu pai. Afastara-se da ação e acabara encerrado em seu mundo acadêmico, longe da dura realidade dos pobres da América Latina. Tinha certeza de que seus patrões exploravam Evelyn e talvez até mesmo a maltratassem, o que justificaria seu estado de pavor.

Empurrou Lucía sem muita consideração, para afastá-la das pernas e da mente, sacudiu-se como um cachorro molhado e se levantou com dificuldade. Sua boca estava seca e tinha uma sede de beduíno. Pensou que o biscoito fora uma má ideia e o culpou pelas confidências da noite passada, a história de Evelyn, a de Lucía e quem sabe o que ele lhes contara. Não se lembrava de lhes ter revelado detalhes de seu passado, jamais o fazia, mas sem dúvida havia mencionado Anita, porque Lucía comentara que, tantos anos depois de perder sua mulher, ele continuava sentindo saudades dela. "Nunca me amaram assim, Richard, o amor sempre me chegou pela metade", acrescentara.

Richard calculou que ainda era muito cedo para telefonar, embora seu pai acordasse ao amanhecer e ficasse esperando, impaciente, a sua ligação. Aos domingos, almoçavam juntos em algum lugar escolhido por Joseph, porque, se dependesse de Richard, iriam sempre ao mesmo restaurante. "Pelo menos desta vez terei uma coisa diferente para lhe contar, papai", disse Richard para si mesmo. Joseph se interessaria em saber de Evelyn Ortega, pois conhecia bem o problema dos imigrantes e refugiados.

Joseph Bowmaster, já muito velho e totalmente lúcido, havia sido ator. Nascera na Alemanha em uma família judia com uma longa tradição de antiquários e colecionadores de arte, que se podia seguir no passado até o Renascimento. Era uma gente culta e refinada, embora a fortuna amealhada por seus antepassados se tivesse perdido durante a Primeira Guerra Mundial. No final dos anos 1930, quando a ascensão de Hitler já era inevitável, seus pais enviaram Joseph à França com o pretexto de que estudasse a fundo a pintura impressionista, mas, na realidade, queriam afastá-lo do iminente perigo do nazismo, enquanto eles se organizavam para emigrar ilegalmente para a Palestina, então controlada pela Grã-Bretanha. A fim de apaziguar os árabes, os ingleses limitavam a imigração de judeus a esse território, mas nada podia deter os desesperados.

Joseph permaneceu na França, mas, em vez de estudar arte, dedicou-se ao teatro. Tinha talento natural para os palcos e os idiomas; além do alemão, dominava o francês e estudou inglês com tanto êxito que podia imitar vários sotaques, desde o *cockney* até o dos locutores da BBC. Em 1940, quando os nazistas invadiram a França e ocuparam Paris, deu um jeito de fugir para a Espanha e de lá foi para a capital de Portugal. Recordaria durante toda a vida a bondade das pessoas que, correndo sérios riscos, o ajudaram nessa odisseia. Richard cresceu ouvindo a história de seu pai durante a guerra, com a ideia talhada a cinzel em sua mente de que ajudar os perseguidos é um dever moral inevitável. Assim que teve idade suficiente, seu pai o levou à França para visitar duas famílias que o esconderam dos alemães, e à Espanha, para agradecer àqueles que o ajudaram a sobreviver e chegar a Portugal.

Em 1940, Lisboa se transformara no último refúgio de centenas de milhares de judeus que tentavam conseguir documentos para chegar aos Estados Unidos, à América do Sul ou à Palestina. Enquanto esperava sua chance, Joseph se hospedou no bairro de Alfama, um labirinto de becos e casas misteriosas, em uma pensão que cheirava a jasmim e laranjas. Ali se apaixonou por Cloé, a filha da proprietária, três anos mais velha do que ele, funcionária dos correios durante o dia e cantora de fados à noite. Era uma bela morena de expressão trágica, apropriada para as canções tristes de seu repertório. Joseph não se atreveu a comunicar a seus pais que estava apaixonado por Cloé, porque ela não era judia, até que conseguiram emigrar juntos, primeiro para Londres, onde viveram por dois anos, e depois para Nova York. Naquela época, a guerra ardia com fúria na Europa, e os pais de Joseph, precariamente instalados na Palestina, não objetaram que a futura nora não fosse judia. A única coisa que lhes importava era que seu filho ficasse a salvo do genocídio que os alemães perpetravam.

Em Nova York, Joseph trocou seu sobrenome por Bowmaster, o qual soava a inglês de pura cepa, e, com seu falso sotaque de aristocrata, conseguiu atuar em peças de Shakespeare durante quarenta anos. Cloé, por sua vez, nunca aprendeu direito a língua inglesa e não teve êxito com os fados lamuriosos de seu país, mas, em vez de afundar no desespero de artista frustrada, começou a estudar moda e se transformou na provedora da família, porque o que Joseph recebia no teatro nunca era suficiente para chegar ao fim do mês. A mulher com ares de diva que Joseph conhecera em Lisboa demonstrou ter um grande senso prático e uma imensa capacidade de trabalho. Além disso, era irredutível em seus afetos e dedicou sua vida a amar seu marido e Richard, seu único filho, que cresceu mimado como um príncipe em um modesto apartamento do Bronx, protegido do mundo pelo carinho de seus pais. Ao recordar sua infância feliz, haveria de se perguntar muitas vezes por que não esteve à altura do que nele incutiram quando era menino, por que não seguira o exemplo recebido e falhara como marido e como pai.

Richard era quase tão bonito quanto Joseph, porém mais baixo e sem seu magnífico temperamento de ator; era, ao contrário, melancólico, como sua mãe. Seus pais, ocupados em seus respectivos trabalhos, o amavam sem sufocá-lo e o tratavam com a negligência habitual daquela época, antes que as crianças se transformassem em projetos. Isso convinha a Richard, porque o deixavam em paz com seus livros e ninguém lhe exigia muito. Bastava tirar boas notas, ter boas maneiras e bons sentimentos. Passava mais tempo com seu pai do que com sua mãe, porque os horários de Joseph eram flexíveis; Cloé era sócia de uma loja de roupas e costumava ficar costurando até altas horas da noite. Joseph levava seu filho em seus passeios de socorro, como os chamava Cloé. Iam deixar comida e roupas que doavam à igreja, à sinagoga e às famílias mais pobres do Bronx, tanto judias como cristãs. "Não se pergunta ao necessitado quem é nem de onde vem, Richard. Somos todos iguais na desgraça", dizia Joseph a seu filho. Vinte anos depois, haveria de prová-lo enfrentando nas ruas a polícia para defender, imigrantes sem documentos, vítimas de batidas em Nova York.

Richard ficou observando Lucía com repentina ternura. Ainda estava adormecida no chão, e o abandono da noite lhe dava um aspecto vulnerável e juvenil. Aquela mulher com idade suficiente para ser avó lhe fez recordar sua Anita dormindo, sua Anita de vinte e poucos anos. Por um segundo, ficou tentado a se agachar, pegar seu rosto entre as mãos e beijá-la, mas se conteve imediatamente, surpreso com o impulso traiçoeiro.

— Vamos, acorde! — disse, batendo palmas.

Lucía abriu os olhos e também levou um tempo para localizar o momento e o lugar.

— Que horas são? — perguntou.

— Hora de começar a funcionar.

— Ainda está escuro! Primeiro um café. Não consigo pensar sem cafeína. Aqui faz um frio polar, Richard. Pelo amor de Deus, aumente a calefação, não seja tão sovina. Onde fica o banheiro?

— Use o do segundo andar.

Lucía se levantou em várias etapas: primeiro em quatro apoios, depois de joelhos, então com as mãos no chão e o traseiro no ar, como havia aprendido em sua aula de ioga, e finalmente ficou de pé.

— Antes, eu conseguia fazer flexões. Agora espreguiçar me dá câimbras. A velhice é uma merda — resmungou, dirigindo-se à escada.

"Vejo que não sou o único que caminha para a velhice", pensou Richard com certa satisfação. Foi passar o café e alimentar os gatos, enquanto Evelyn e Marcelo se espreguiçavam, como se tivessem todo o dia pela frente e pudessem perder tempo. Controlou o impulso de apressar a garota, que devia estar exausta.

O banheiro do segundo andar, limpo e sem uso aparente, era grande e antiquado, com uma banheira com pés de leão e torneiras douradas. Lucía viu no espelho uma mulher desconhecida, de olhos inchados, rosto vermelho e cabelos brancos e rosados que pareciam uma peruca de palhaço. Originalmente, as mechas eram da cor de beterraba, mas iam desbotando. Tomou uma ducha rápida, enxugou-se com sua camiseta, pois não havia toalhas, e se penteou com os dedos. Precisava de uma escova de dentes e de sua bolsa de maquiagem. "Você não pode mais andar pelo mundo sem rímel e batom", disse ao espelho. Sempre cultivara a vaidade como se fosse uma virtude, exceto nos meses em que fez quimioterapia, quando se descuidou, até que Daniela a obrigou a voltar à vida. Toda manhã se dava tempo para se arrumar, mesmo que fosse ficar em casa sem ver ninguém. Preparava-se para o dia, maquiava-se, escolhia a roupa como quem veste uma armadura; era sua maneira de se apresentar segura ao mundo. Gostava de pincéis, esmaltes, loções, cores, pós, tecidos, texturas. Não podia prescindir da maquiagem, do computador, do celular e de um cachorro. O computador era sua ferramenta de trabalho, o celular a conectava com o mundo, especialmente com Daniela, e a necessidade de conviver com um animal começara quando vivia sozinha em Vancouver e continuara ao longo dos anos em que estivera casada com Carlos. Sua cadela, Olivia, morrera de velhice justamente quando o câncer a atacou. Nessa época, coube-lhe chorar a morte de sua mãe, o divórcio, a doença e a perda de Olivia, sua fiel companheira. Marcelo era um enviado do céu, o confidente perfeito, conversavam e ele a fazia rir com sua feiura e o olhar inquisitivo de seus olhos de batráquio; com aquele chihuahua que latia para os ratos e os fantasmas, ela liberava a ternura insuportável que carregava em seu âmago e não podia oferecer à sua filha, porque a teria constrangido.

# Lucía e Richard

*Brooklyn*

Dez minutos depois, Lucía encontrou Richard na cozinha torrando pão, a cafeteira cheia e três canecas sobre a mesa. Evelyn voltou do pátio com o cachorro tiritando em seus braços e correu para o café e as torradas que Richard lhe servira. Parecia tão faminta e tão jovem equilibrando-se no banquinho com a boca cheia que Richard ficou comovido. Qual seria sua idade? Certamente era mais velha do que parecia. Talvez tivesse a idade de sua Bibi.

— Vamos levá-la para casa, Evelyn — disse à garota quando terminaram o café.

— Não! Não! — exclamou Evelyn, ficando de pé tão subitamente que o banquinho virou e Marcelo rodou pelo chão.

— Foi uma batida de nada, Evelyn, não se assuste. Eu mesmo vou explicar ao seu patrão o que aconteceu.

— Mas não é só pela batida — gaguejou Evelyn, aturdida.

— O que há além disso? — perguntou Richard.

— Vamos, Evelyn, de que você tem tanto medo? — acrescentou Lucía.

E então, tropeçando nas sílabas e tremendo, a jovem lhes disse que havia um cadáver no porta-malas do automóvel. Precisou repetir duas vezes, para que Lucía entendesse. Richard teve mais dificuldade. Falava espanhol, mas seu forte era o português doce e cantado do Brasil. Não conseguiu acreditar no que estava ouvindo, a magnitude da revelação o deixou congelado. Se entendera bem, havia duas possibilidades: a garota era uma louca delirante ou realmente havia uma pessoa morta no Lexus.

— Um cadáver, você disse?

Evelyn assentiu com os olhos no chão.

— Não é possível. Que tipo de cadáver?

— Richard! Não seja ridículo. Um cadáver humano, logicamente — interveio Lucía, tão assustada que se esforçava para conter o riso nervoso.

— Como chegou lá? — perguntou Richard, ainda incrédulo.

— Não sei...

— Você atropelou uma pessoa?

— Não.

Diante da possibilidade de que tivessem de fato nas mãos um cadáver anônimo, Richard começou a coçar com as duas mãos a alergia dos braços e do peito que surgia em momentos de tensão. Era um homem de hábitos e rotinas inabaláveis, não estava preparado para imprevistos como aquele. Sua vida estável e cautelosa havia terminado, mas ele ainda não sabia.

— Precisamos chamar a polícia — decidiu, pegando o celular.

A menina da Guatemala soltou um grito de terror e começou a chorar com soluços pungentes por razões evidentes para Lucía, mas nem tanto para Richard, embora estivesse bem-informado sobre a incerteza perene da maioria dos imigrantes latinos.

— Suponho que você não tem documentos — disse Lucía. — Não podemos chamar a polícia, Richard, porque a meteríamos em uma grande confusão. Pegou o carro sem permissão. Podem acusá-la de roubo e homicídio. Você sabe muito bem como a polícia endurece com os ilegais. A corda sempre arrebenta do lado mais fraco.

— Que corda?

— É uma metáfora, Richard.

— Como essa pessoa morreu? Quem é? — insistiu em perguntar Richard.

Evelyn contou a eles que não havia tocado no corpo. Na farmácia, aonde fora comprar fraldas descartáveis, abriu o porta-malas com uma mão, enquanto segurava a sacola de compras na outra, e, ao empurrá-la para dentro, percebeu que a mala estava cheia. Então, viu um volume coberto com um tapete e, ao afastá-lo para um lado, viu que se tratava de um corpo encolhido. O susto a atirou na calçada diante da farmácia, mas engoliu o grito que lutava para escapar, levantou-se aos tropeções e fechou o porta-malas com um golpe. Colocou a bolsa no banco traseiro e se trancou no carro durante um bom tempo, não sabia precisar quanto, vinte ou trinta minutos pelo menos, até se acalmar o suficiente para dirigir de volta à casa em que vivia. Com um pouco de sorte, sua ausência teria passado despercebida e ninguém saberia que havia usado o veículo, mas, depois da trombada de Richard, com o porta-malas abaulado e semiaberto, isso se tornou impossível.

— Nem sequer sabemos se a pessoa está morta. Pode estar inconsciente — sugeriu Richard, enxugando a testa com um pano de cozinha.

— É pouco provável, já teria morrido de hipotermia, mas há uma maneira de saber — disse Lucía.

— Meu Deus, mulher! Você não está pensando em checar uma coisa dessas na rua...

— Você tem outra ideia? Não tem ninguém lá fora. É muito cedo, ainda está escuro e é domingo. Quem vai nos ver?

— De maneira nenhuma. Não conte comigo.

— Bem, me empreste uma lanterna. Evelyn e eu vamos dar uma olhada.

Diante disso, os soluços da garota aumentaram vários decibéis. Lucía a abraçou, com pena daquela jovem, que passara por tantos sofrimentos nas últimas horas.

— Eu não tenho nada a ver com isso! Meu seguro vai pagar os prejuízos, isto é tudo o que posso fazer. Perdoe-me, Evelyn, mas terá que ir embora — disse Richard, em seu espanhol de pirata.

— Está pensando em expulsá-la, Richard? Ficou louco? Parece que não sabe o que significa não ter documentos neste país! — gritou Lucía.

— Eu sei, Lucía. Se não soubesse pelo meu trabalho no Centro, saberia pelo meu pai, que vive repetindo isso — suspirou Richard, vencido. — O que sabemos dessa garota?

— Que precisa de ajuda. Sua família vive aqui, Evelyn?

Silêncio de túmulo. Evelyn não iria dizer que sua mãe vivia em Chicago e arruinar também a vida dela. Richard se coçava pensando estar fodido: polícia, investigação, imprensa, ao inferno com sua reputação. E a voz de seu pai no meio do peito lhe recordando o dever de ajudar os perseguidos. "Eu não estaria neste mundo e você não teria nascido se algumas almas corajosas não me tivessem escondido dos nazis", repetira-lhe milhões de vezes.

— Temos que verificar se a pessoa está viva, não temos tempo a perder — repetiu Lucía.

Pegou as chaves do carro que Evelyn deixara em cima da mesa da cozinha, entregou-lhe o chihuahua por precaução contra os gatos, vestiu o capuz e as luvas, e voltou a pedir a lanterna.

— Você não pode ir sozinha, Lucía. Merda! Terei que ir com você — decidiu Richard, resignado. — Precisamos descongelar a porta da mala para que possamos abri-la.

Pegaram um panelão e o encheram de água quente. Richard e Lucía o carregaram com dificuldade, patinando sobre o espelho de neve que cobria a escada, abraçados ao corrimão para se manterem em pé. As lentes de contato de Lucía ficaram congeladas, pareciam pedaços de vidro pressionando seus olhos. Richard tinha o hábito de ir pescar, no inverno, nos lagos gelados do norte, e tinha experiência de lidar com o frio extremo, mas não estava preparado para fazê-lo no Brooklyn. As luzes dos faróis desenhavam círculos amarelos fosforescentes na neve, e o vento chegava em lufadas e de repente se amainava, cansado do esforço, e voltava pouco depois levantando redemoinhos de flocos de neve. Nas pausas reinava um silêncio absoluto, uma quietude ameaçadora. Ao longo da rua havia vários veículos cobertos de neve, uns mais do que outros, e o carro branco de Evelyn era quase invisível. Não estava diante da casa, como Richard temia, mas a uns quinze metros de distância, que, no caso, era como se fosse a mesma coisa. Ninguém circulava a essa hora. Os veículos de limpeza haviam começado a trabalhar na véspera, e havia montanhas de neve nas calçadas.

Tal como Evelyn dissera, o porta-malas estava preso com um cinto amarelo. Teve dificuldade de desfazer o nó com as luvas; Richard estava paranoico diante da possibilidade de deixar impressões digitais. Abriram-no finalmente e encontraram um volume malcoberto com um tapete manchado de sangue seco que, ao ser afastado, revelou o corpo de uma mulher vestida com roupa esportiva, o rosto escondido pelos braços. Não parecia humana, estava encolhida em uma postura estranha, como uma boneca desarticulada, e a pouca pele visível era da cor malva. Estava morta, não havia dúvida. Ficaram observando-a por vários minutos sem entender o que acontecera, não viram sangue, teriam de virá-la para examiná-la por inteiro. A infeliz estava congelada e dura como um bloco de cimento. Por mais que Lucía puxasse e empurrasse, não conseguia movê-la, enquanto Richard, prestes a soluçar de ansiedade, a iluminava com a lanterna.

— Acho que morreu ontem — disse Lucía.

— Por quê?

— *Rigor mortis*. O corpo enrijece umas oito horas depois da morte e fica nesse estado por cerca de trinta e seis horas.

— Então pode ter sido anteontem à noite.

— Sim. Inclusive pode ter sido antes, porque a temperatura está muito baixa, faz muito frio. Quem quer que tenha colocado essa mulher aí certamente contava com isso. Talvez não tivesse conseguido se livrar do corpo por causa da tormenta da sexta-feira. Vê-se que não tinha pressa.

— Talvez o *rigor mortis* tenha passado e o corpo congelou — sugeriu Richard.

— Uma pessoa não é a mesma coisa que um frango, Richard, precisaria de alguns dias em um frigorífico para congelar por completo. Digamos que pode ter morrido entre anteontem e ontem.

— Como você sabe tanto sobre isso?

— Não me pergunte — respondeu ela, em um tom taxativo.

— De qualquer forma, isso cabe ao médico-legista e à polícia, e não a nós — concluiu Richard.

Como se tivessem sido convocados magicamente, apareceram os faróis de um carro que dobrava a esquina lentamente. Conseguiram baixar a porta da mala, que ficou semifechada, no momento em que um carro da polícia parava ao seu lado. Um dos policiais olhou pela janela.

— Tudo bem? — perguntou.

— Tudo bem, oficial — respondeu Lucía.

— O que fazem aqui fora a esta hora? — insistiu o homem.

— Procuramos as fraldas da minha mãe, que esquecemos no carro — disse ela, tirando um pacote grande do assento.

— Bom-dia, oficial — acrescentou Richard, e sua voz saiu aguda.

Esperaram que os policiais se afastassem, amarraram o porta-malas com o cinto e entraram na casa escorregando no gelo da escada, segurando as fraldas e a panela vazia, rogando aos céus que não passasse pela cabeça dos policiais voltar para dar uma olhada no Lexus.

Encontraram Evelyn, Marcelo e os gatos na mesma posição em que os haviam deixado. Perguntaram à garota pelas fraldas, e ela lhes explicou que Frankie, o menino de quem cuidava, tinha paralisia cerebral e precisava delas.

— Qual é a idade do menino? — perguntou Lucía.

— Treze.

— Usa fraldas de adulto?

Evelyn enrubesceu, envergonhada, e esclareceu que o menino era muito desenvolvido para sua idade e as fraldas deviam ser folgadas, porque seu pintinho despertava. Lucía traduziu para Richard: ereção.

— Está sozinho desde ontem, deve estar desesperado. Quem lhe aplicará a insulina? — murmurou a garota.

— Precisa de insulina?

— Se pudéssemos ligar para a senhora Leroy... Frankie não pode ficar sozinho.

— É arriscado usar o telefone — disse Richard.

— Vou ligar do meu celular; o número é protegido — disse Lucía.

O telefone tocou três vezes e uma voz alterada respondeu aos gritos. Lucía desligou imediatamente e Evelyn respirou, aliviada. A única pessoa que poderia atender naquele número era a mãe de Frankie. Se ela estava com ele, podia relaxar, o menino estava bem cuidado.

— Vamos, Evelyn, você deve ter uma ideia de como o corpo dessa mulher foi parar no porta-malas do carro — disse Richard.

— Não sei. O Lexus é do meu patrão, o senhor Leroy.

— Deve estar procurando seu carro.

— Está na Flórida. Acho que volta amanhã.

— Você acha que, teve algo a ver com isso?

— Sim.

— Ou seja, você acha que ele pode ter matado essa mulher? — insistiu Richard.

— Quando o senhor Leroy se irrita, parece um demônio... — disse a garota, e começou a chorar.

— Deixe que se acalme, Richard — interveio Lucía.

— Você percebeu que não podemos mais chamar a polícia, Lucía? Como explicaríamos o fato de termos aos policiais? — perguntou Richard.

— Esqueça a polícia por enquanto.

— Meu erro foi chamar você. Se soubesse que a menina andava com um cadáver nas costas, teria chamado a polícia imediatamente — comentou Richard, mais pensativo do que irritado, servindo outro café a Lucía. — Leite?

— Puro e sem açúcar.

— Em que confusão estamos metidos!

— Na vida, acontecem imprevistos, Richard.

— Não na minha.

— Sim, já percebi. Mas está vendo como a vida não nos deixa em paz? Cedo ou tarde, ela nos atinge.

— Essa garota terá de ir com seu cadáver para outro lugar.

— Diga-lhe você — respondeu ela, apontando para Evelyn, que chorava em silêncio.

— O que está pensando fazer, menina? — perguntou Richard.

Ela encolheu os ombros, compungida, e murmurou uma desculpa por tê-los incomodado.

— Você terá de fazer alguma coisa... — insistiu Richard, sem muita convicção.

Lucía o segurou por uma manga e o levou para perto do piano, para longe de Evelyn.

— A primeira coisa será destruir a evidência — disse-lhe em voz baixa. — Isso antes de tudo.

— Não entendi.

— Temos que dar um sumiço no carro e no corpo.

— Você ficou demente! — gritou ele.

— Isso também lhe diz respeito, Richard.

— A mim?

— Sim, a partir do momento em que abriu a porta para Evelyn ontem à noite e me ligou. Temos que decidir onde vamos deixar o corpo.

— Suponho que você esteja brincando. Como lhe ocorre uma ideia assim tão disparatada?

— Veja, Richard. Evelyn não pode voltar para a casa de seus patrões nem chamar a polícia. Você pretende que saía por aí carregando um cadáver em um carro alheio? Por quanto tempo?

— Tenho certeza de que isso pode ser esclarecido.

— Com a polícia? De maneira nenhuma.

— A gente leva o carro para outro bairro e pronto.

— Seria encontrado imediatamente, Richard. Evelyn precisa de um tempo para ficar a salvo. Suponho que você percebeu que está aterrorizada. Sabe mais do que nos disse. Creio que tem um medo muito concreto de seu patrão, o tal de Leroy. Suspeita que matou essa mulher e que a está procurando; sabe que levou o Lexus, não a deixará escapar.

— Se for isso mesmo, nós também corremos perigo.

— Ninguém suspeita de que a garota está com a gente. Levemos o carro para longe daqui.

— Isso nos transformaria em cúmplices!

— Já somos, mas, se fizermos tudo bem direitinho, ninguém ficará sabendo. Não poderão nos relacionar com isso, nem com Evelyn. A neve é uma bênção e devemos aproveitá-la enquanto durar. Precisamos partir agora mesmo.

— Para onde iremos?

— Sei lá, Richard! Pense em alguma coisa. Devemos ir na direção do frio, para que o corpo não comece a feder.

Voltaram à mesa da cozinha e tomaram café avaliando várias possibilidades sem a participação de Evelyn Ortega, que os observava, timidamente. Havia enxugado as lágrimas, mas voltara à mudez com a resignação de quem nunca tivera controle sobre sua existência. Lucía opinou que, quanto mais longe fossem, mais possibilidades teriam de sair ilesos da aventura.

— Certa vez fui visitar as cataratas do Niágara e passei pela fronteira com o Canadá sem mostrar documentos e não revistaram meu carro.

— Isso deve ter sido há uns quinze anos. Agora pedem passaporte.

— Poderíamos ir ao Canadá em um suspiro e abandonar o carro em um bosque. Existem muitos bosques por aqueles lados.

— Também podem identificar o carro no Canadá, Lucía. Não estamos em Bangladesh.

— A propósito, deveríamos identificar a vítima. Não podemos abandoná-la em um lugar qualquer sem saber pelo menos quem é.

— Por quê? — perguntou Richard, perplexo.

— Por respeito. Vamos ter que dar uma olhada no porta-malas e é melhor fazer isso agora, antes que as pessoas apareçam nas ruas — decidiu Lucía.

Levaram Evelyn para fora quase à força e precisaram empurrá-la para que se aproximasse do carro.

— Você a conhece? — perguntou-lhe Richard, depois de desamarrar o cinto, iluminando com a lanterna o interior do porta-malas, embora já começasse a clarear.

Repetiu a pergunta três vezes, até que a garota se atreveu a abrir os olhos. Tremia, assaltada pelo mesmo terror que sentira naquela ponte de seu povoado, um terror que havia oito anos a espreitava nas sombras, tão ardente quanto se seu irmão Gregorio estivesse ali mesmo, naquela hora, lívido e ensanguentado.

— Faça um esforço, Evelyn. É muito importante saber quem é esta mulher — insistiu Lucía.

— A senhorita Kathryn. Kathryn Brown... — murmurou, finalmente, a garota.

# Evelyn

*Guatemala*

Cinco semanas depois da morte de Gregorio Ortega, mais exatamente no dia 22 de março de 2008, um Sábado de Aleluia, chegaria a vez de seus dois irmãos. Os vingadores aproveitaram que a avó Concepción Ortega fora à igreja para arrumar as flores do Domingo de Páscoa e invadiram o casebre em plena luz do meio-dia. Eram quatro, identificáveis pelas tatuagens e o descaramento, que chegaram em Monja Blanca del Valle em duas motocicletas barulhentas, muito chamativas naquele povoado de pessoas que andavam a pé ou de bicicleta. Só ficaram dezoito minutos dentro da casa; foi o suficiente. Se os vizinhos os viram, ninguém interveio e, mais tarde, ninguém quis testemunhar. O fato de terem agido justamente na Semana Santa, dedicada ao jejum e à penitência, seria lembrado durante muitos anos como o mais imperdoável dos pecados.

Concepción Montoya voltou para casa por volta de uma da tarde, quando o sol batia com fúria e até as cacatuas estavam caladas no meio dos galhos. Nem o silêncio nem as ruas vazias a surpreenderam. Era a hora da sesta e aqueles que não estavam descansando estariam ocupados, preparando a procissão da Ressurreição do Senhor e a missa solene, que seria celebrada pelo padre Benito no dia seguinte, com cíngulo branco e casula roxa, em vez de seus jeans desbotados e da surrada estola de tecido bordado de Chichicastenango que usava o resto do ano. Ofuscada pela luz da rua, a mulher levou alguns segundos para ajustar as pupilas à penumbra do interior e ver Andrés perto da porta, encolhido como um cão em repouso. "O que há com você, meu filho?", chegou a perguntar antes de ver o fio de sangue que escurecia a terra no chão e o corte no pescoço. Um alarido rouco lhe subiu dos pés, destroçando-a por dentro. Ajoelhou-se, chamando-o, "Andrés, Andresito", e então se lembrou, em um relâmpago, de Evelyn. Estava caída no outro extremo do aposento, seu corpo delgado exposto, sangue no rosto, sangue nas pernas, sangue no vestido de algodão rasgado. A avó se arrastou até ela, clamando a Deus, gemendo que não a levasse, que tivesse piedade. Pegou sua neta pelos ombros, sacudindo-a, percebeu que um braço pendia em um ângulo impossível, procurou algum sinal de vida e, sem encontrá-lo, foi até a porta invocando a Virgem com gritos terríveis.

Uma vizinha foi a primeira a acudir e depois foram chegando outras mulheres. Duas seguraram Concepción, enlouquecida, e outras confirmaram que nada poderia ser feito por Andrés, mas Evelyn ainda respirava. Mandaram um garoto ir de bicicleta avisar a polícia, enquanto tentavam reanimar Evelyn sem levantá-la, pois torcera o braço e despejava sangue pela boca e por baixo.

O padre Benito chegou em sua caminhonete antes da polícia. Encontrou a casa cheia de gente falando e tentando ajudar no que fosse possível. Haviam colocado o corpo de Andrés em cima da mesa, acomodado sua cabeça, coberto o pescoço mutilado com um xale, limparam-no com panos molhados e procuravam uma camisa para deixá-lo apresentável, enquanto outras mulheres aplicavam compressas de água fria em Evelyn e tentavam consolar Concepción. O sacerdote compreendeu que já era tarde para preservar as evidências, manuseadas e pisoteadas por aquelas vizinhas bem-intencionadas, embora, por outro lado, não importasse, dada a indiferença da polícia. Provavelmente nenhuma autoridade iria se preocupar com aquela pobre família. Quando chegou, as pessoas se afastaram com respeito e esperança, como se os poderes divinos que ele representava pudessem revogar a tragédia. Ao padre Benito, bastou um segundo para avaliar a situação de Evelyn. Envolveu seu braço em um pano e pediu que colocassem um colchão em sua caminhonete e, às mulheres, que deslizassem uma manta debaixo da menina; quatro delas a levaram nos ombros e a deitaram no colchão. Ordenou a Concepción que o acompanhasse e às outras que esperassem ali mesmo os policiais, se é que chegariam.

A avó e duas mulheres foram com o padre à clínica dos missionários evangélicos, que ficava a onze quilômetros de distância, onde sempre havia um ou dois médicos de plantão, porque atendia a vários povoados dos arredores. Pela primeira vez na vida, o padre Benito, um terror ao volante, dirigiu com cuidado, porque a cada buraco ou curva do caminho Evelyn se queixava. Ao chegar, levaram-na da caminhonete para a clínica sobre a manta, como em uma rede, e a colocaram em uma maca. Foi recebida por uma médica, Nuria Castell, que era catalã e agnóstica, como o padre Benito descobriria mais tarde. De evangélica, nada. O pano se soltara do braço direito de Evelyn; a julgar pelos machucados, devia ter fraturado algumas costelas; as radiografias confirmariam, disse a doutora. Também levara pancadas no rosto e talvez tivesse uma contusão cerebral. Estava consciente e abria os olhos, mas murmurava incoerências, não reconhecia sua avó nem se dava conta de onde estava.

— O que aconteceu com ela? — perguntou a catalã.

— Assaltaram sua casa. Acho que ela viu matarem seu irmão — disse o padre Benito.

— É provável que tenham obrigado o irmão a ver o que faziam com ela antes de matá-lo.

— Jesus! — gritou o padre, dando um soco na parede.

— Tenha cuidado com a minha clínica, veja que é frágil e acabamos de pintá-la. Vou examinar a menina para ver qual foi o dano interno — disse Nuria Castell, com um suspiro de resignada experiência.

O padre Benito telefonou para Miriam. Dessa vez teve de lhe contar a verdade nua e crua e lhe pedir dinheiro para o funeral de outro de seus filhos e para pagar o coiote que levaria Evelyn ao norte. A menina estava correndo perigo imediato, porque a gangue tentaria matá-la para evitar que identificasse os agressores. Desfeita em lágrimas, sem conseguir entender a tragédia, Miriam explicou que, para financiar o funeral de Gregorio, havia lançado mão do dinheiro que estava economizando para pagar a viagem de Andrés quando terminasse a escola, como lhe prometera. Não lhe restava muito, mas tentaria obter um empréstimo para socorrer sua filha.

Evelyn ficou alguns dias na clínica, até que conseguiu engolir sucos de fruta e mingau de milho, assim como andar com dificuldade. Sua avó voltou para casa, pois precisava cuidar do enterro de Andrés. O padre Benito foi ao quartel da polícia e fez bom uso de seu vozeirão de sotaque espanhol para exigir um boletim de ocorrência, assinado e carimbado, relatando o que acontecera com a família Ortega. Ninguém se deu ao trabalho de interrogar Evelyn e, se o tivessem feito, de pouco teria servido, porque a garota estava entorpecida. O padre também pediu a Nuria Castell um atestado médico, achando que a qualquer momento poderia ser útil. Durante esses dias, a médica catalã e o jesuíta basco tiveram a oportunidade de se encontrar várias vezes. Discutiram extensamente sobre o divino sem chegar a um acordo, mas descobriram que eram unidos pelos mesmos princípios no terreno humano. "É pena que seja padre, Benito. Tão belo e celibatário, que desperdício!" — brincava a médica, entre duas xícaras de café.

A gangue cumprira sua ameaça de se vingar. A traição de Gregorio devia ter sido muito grave para merecer tamanho castigo, embora talvez fosse só uma covardia ou um insulto no momento errado. Impossível saber, desconhecia os códigos daquele mundo.

— Malditos, desgraçados — murmurou o padre em um de seus encontros com a médica.

— Esses garotos da gangue não nasceram perversos, Benito, alguma vez foram meninos inocentes, mas cresceram na miséria, sem lei, sem heróis para imitar. Você viu crianças mendigando? Vendendo agulhas e garrafas de água nas estradas? Escavando no lixo e dormindo à intempérie com as ratazanas?

— Vi sim, Nuria. Não há nada que eu não tenha visto neste país.

— Na gangue pelo menos não passam fome.

— Esta violência é o resultado de uma guerra perpétua contra os pobres. Duzentos mil indígenas aniquilados, cinquenta mil desaparecidos, um milhão e meio de pessoas deslocadas. Este é um país pequeno, calcule em porcentagem da população o que isso significa. Você é muito jovem, Nuria, o que pode saber disso...

— Não me subestime, homem. Sei do que está falando.

— Os soldados cometiam atrocidades contra pessoas iguais a eles, da mesma raça, da mesma classe, da mesma profunda miséria. Cumpriam ordens, é verdade, mas as cumpriam intoxicados pela droga mais viciante: a combinação de poder e impunidade.

— Você e eu tivemos sorte, Benito, porque não nos coube provar essa droga. Se tivesse poder e impunidade, você castigaria os culpados com o mesmo sofrimento que eles causam às suas vítimas? — perguntou.

— Suponho que sim.

— E isso mesmo sendo sacerdote e seu Deus mandar que perdoe.

— Essa coisa de oferecer a outra face sempre me pareceu uma besteira, só serve para receber uma segunda bofetada — replicou ele.

— Se você é tentado pela vingança, imagine como deve ser para os mortais comuns. Eu castraria os violadores de Evelyn sem anestesia.

— Meu cristianismo falha a cada momento, Nuria. Será que sou basco e bruto, como meu pai, que descanse em paz? Eu digo que, se tivesse nascido em Luxemburgo, talvez não estivesse tão indignado.

— Este mundo precisa de mais pessoas tão indignadas quanto você, Benito.

Essa era uma raiva antiga. O padre lutava havia anos contra ela e acreditava que em sua idade, com tudo o que vira e vivera, já era hora de fazer as pazes com a realidade. A idade não o tornara mais sábio nem mais manso, apenas mais rebelde. Quando jovem, sentira essa rebeldia contra o governo, os militares, os americanos, os ricos de sempre, e agora a sentia contra a polícia e os políticos corruptos, os narcotraficantes, os gângsteres e tantos outros culpados pela ruína. Estava havia 36 anos na América Central, tirando alguns intervalos, quando o mandaram de castigo ao Congo por um ano e a um retiro de vários meses na Estremadura, para expiar o pecado da soberba e esfriar sua paixão justiceira, depois que esteve preso em 1982. Havia servido à Igreja em Honduras, El Salvador e Guatemala, o que agora era chamado de Triângulo do Norte, o lugar mais violento do mundo que não estava em guerra, e durante todo esse tempo não aprendera a conviver com a injustiça e a desigualdade.

— Deve ser difícil ser sacerdote com esse seu caráter — sorriu ela.

— O voto de obediência pesa uma tonelada, Nuria, mas jamais questionei minha fé ou minha vocação.

— E o voto de celibato? Você se apaixonou alguma vez?

— O tempo todo, mas Deus me ajuda e passa logo; por isso, não tente me seduzir.

Depois de sepultar Andrés ao lado de seu irmão, a avó foi ver a neta na clínica. O padre Benito levou-as à casa de uns amigos dele em Sololá, onde estariam a salvo enquanto Evelyn convalescia e ele procurava um coiote confiável para a viagem aos Estados Unidos. A menina andava com um braço em uma tipoia e, cada vez que respirava, era um suplício para suas costelas. Havia perdido muito peso desde a morte de Gregorio. Durante aquelas semanas se apagaram as curvas da adolescência, estava magra e frágil, qualquer vento forte poderia levá-la ao céu. Não havia contado nada do que acontecera naquele fatídico Sábado de Aleluia; na realidade, não dissera uma única palavra desde que despertara no colchão da caminhonete. Tinham a esperança de que não tivesse visto como degolaram seu irmão, que já estivesse inconsciente. A doutora Castell ordenou que não tentassem lhe fazer perguntas; estava traumatizada e precisava de tranquilidade e de tempo para se recuperar.

Ao se despedir, Concepción Montoya perguntou à doutora se havia a possibilidade de que sua neta tivesse engravidado, como acontecera com ela na juventude, quando foi capturada por soldados; Miriam era filha desse tormento. A catalã se trancou com a avó em um banheiro e lhe disse, em particular, que não se preocupasse com isso, porque ela dera a Evelyn um comprimido inventado pelos americanos para evitar a gravidez. Era ilegal na Guatemala, mas ninguém ficaria sabendo. "Estou dizendo isso, senhora, para que não pense em fazer algum remédio caseiro para a menina, que já sofreu bastante."

Se antes Evelyn gaguejava, depois daquela violência parou, simplesmente, de falar. Passava horas descansando na casa dos amigos do padre Benito sem se interessar pelas novidades disponíveis, como água corrente, eletricidade, dois banheiros e até uma televisão em seu quarto.

Concepción intuiu que a doença das palavras escapava à sabedoria dos doutores e resolveu agir antes que se enraizasse nos ossos da neta. Assim que a menina conseguiu se manter em pé sobre as próprias pernas e respirar sem sentir punhaladas no peito, despediu-se das boas pessoas que a haviam acolhido e partiu com ela para Petén, em uma viagem de muitas horas, aos solavancos em um micro-ônibus, para visitar Felicitas, uma xamã, curandeira e guardiã da tradição dos maias. A mulher era famosa, as pessoas vinham da capital e até de Honduras e Belize para consultá-la sobre questões da saúde e do destino. Haviam-na entrevistado em um programa de televisão, no qual calcularam que completara 112 anos e seria a pessoa mais velha do mundo. Felicitas não desmentiu a informação, mas tinha a maioria de seus dentes e tranças grossas ao longo das costas; eram muitos dentes e muito cabelo para uma pessoa de tanta idade.

Foi fácil encontrar a curandeira, porque todos a conheciam. Felicitas não se mostrou surpresa quando chegaram: estava habituada a receber almas, como chamava os visitantes, e recebeu-as amavelmente em sua casa. Afirmava que a madeira das paredes, a terra pisada do chão e a palha do teto respiravam e pensavam, como qualquer ser vivo; ela conversava com elas para lhes pedir conselhos nos casos mais difíceis e elas lhe respondiam em seus sonhos. Era uma choupana redonda de um único aposento, onde passava sua vida e realizava as curas e cerimônias. Uma cortina de mantas coloridas separava o pequeno espaço onde Felicitas dormia em um catre de tábuas cruas. A maga saudou as recém-chegadas com o sinal da cruz, ofereceu-lhes assento no chão e serviu um café amargo a Concepción e uma infusão de menta a Evelyn. Aceitou o pagamento adequado por seus serviços profissionais e colocou o dinheiro, sem contá-lo, em uma lata.

A avó e a neta beberam em respeitoso silêncio e esperaram pacientemente que Felicitas regasse as plantas medicinais que estavam em cachepôs alinhados na sombra, desse milho às galinhas, que andavam por todos os lados, e colocasse para cozinhar seus feijões em um fogão no quintal. Terminados os afazeres mais urgentes, a anciã estendeu um pano de cores berrantes no chão e colocou sobre ele, em ordem rigorosa, os elementos de seu altar: velas, feixes de ervas aromáticas, pedras, conchas e objetos de cultos maia e cristão. Acendeu uns ramos de sálvia e limpou com a fumaça o interior da casa, caminhando em círculos e recitando encantamentos em língua antiga para afugentar os espíritos negativos. Depois se sentou diante de suas visitantes e lhes perguntou o que as trazia. Concepción lhe explicou o problema da fala que acometera sua neta.

As pupilas da curandeira, brilhando entre as pálpebras enrugadas, examinaram o rosto de Evelyn por alguns longos minutos. "Feche os olhos e me diga o que vê", ordenou à garota. Ela fechou os olhos, mas não lhe saiu a voz para descrever a cena da ponte nem o terror dos homens tatuados prendendo Andrés, espancando-a, arrastando-a. Tentou falar e as consoantes ficaram presas na garganta; mal conseguiu soltar, com esforço de um náufrago, algumas vogais afogadas. Concepción interveio para contar o que acontecera com sua família, mas a curandeira a interrompeu. Explicou que ela canalizava a energia curativa do universo, um poder que recebera ao nascer e cultivara em sua longa vida com outros xamãs. Para isso, viajara para longe, de avião, e visitara, entre outros, os seminoles da Flórida e os inuítes do Canadá, mas seu maior conhecimento provinha de uma planta sagrada do Amazonas. Queimou ervas em um pote de argila pintado com símbolos pré-colombianos e soprou a fumaça no rosto da paciente, depois a fez beber um chá nauseabundo que Evelyn mal conseguiu engolir.

Logo a poção começou a fazer efeito e a garota não conseguiu mais ficar sentada, caiu de lado, com a cabeça no colo da avó. Seus ossos se afrouxaram, o corpo se dissolveu como sal em um mar opalescente e se viu envolta por fantásticos torvelinhos de cores violentas, amarelo de girassóis, preto de obsidiana, verde de esmeraldas. O sabor asqueroso do chá encheu sua boca e vomitou com fortes arquejos em um recipiente de plástico que Felicitas colocou diante dela. Por fim, a náusea se acalmou e Evelyn voltou a se recostar na saia de sua avó, tremendo. As visões se repetiam rapidamente; em algumas, estava sua mãe tal como a vira pela última vez, outras eram cenas de sua infância, banhando-se no rio com outras crianças, aos 5 anos cavalgando nos ombros de seu irmão mais velho; apareceram-lhe visões de um jaguar com dois cachorros, outra vez sua mãe e um homem desconhecido, talvez seu pai. E de repente se viu diante da ponte da qual pendia seu irmão. Estava sozinha com Gregorio. A terra expelia uma bruma quente, pássaros negros paravam em pleno voo, ficavam petrificados no céu, flores violentas, carnívoras, flutuavam na água de cor oxidada de um rio, e seu irmão crucificado. Evelyn continuou gritando, enquanto tentava, inutilmente, fugir e se esconder; não conseguia mover nenhum músculo, fora transformada em pedra. Ouviu ao longe uma voz recitando uma ladainha em maia e achou que a balançavam e ninavam. Depois de uma eternidade foi se tranquilizando e então se atreveu a levantar os olhos e viu que Gregorio não estava mais pendurado como carne no matadouro, mas de pé na ponte, intacto, sem tatuagens, como era antes de perder a inocência. E ao seu lado estava Andrés, também ileso, chamando-a ou despedindo-se com um gesto vago de mão. Ela lhes mandou um beijo a distância e seus irmãos sorriram, antes de se apagarem lentamente contra o céu púrpura e desaparecer. O tempo se torceu, enredando-se, não sabia mais se era antes ou depois, nem como os minutos e as horas passavam. Entregou-se por completo à autoridade formidável da droga e, ao fazê-lo, perdeu o medo. A mãe jaguar voltou com seus cachorros e ela se atreveu a passar a mão em seu lombo, tinha pelos duros e cheirava a pântano. A enorme gata amarela a acompanhou por um tempo, entrando e saindo de outras visões, observando-a com seus olhos de âmbar, mostrando-lhe o caminho quando se perdia em labirintos abstratos, protegendo-a quando seres maléficos a espreitavam.

Horas depois, Evelyn saiu do mundo mágico e se viu deitada em um catre, coberta com mantas, aturdida e com o corpo dolorido, sem saber onde estava. Quando conseguiu focar os olhos, distinguiu sua avó sentada ao seu lado, rezando o rosário, e outra mulher, que não reconheceu até que disse seu nome, Felicitas, e conseguiu se lembrar dela. "Diga-me o que viu, menina", ordenou-lhe. Evelyn fez um esforço supremo para elevar a voz e modular as palavras, mas estava muito cansada e só conseguiu gaguejar "irmão" e "jaguar". "Era uma fêmea?", perguntou a curandeira. A garota assentiu. "O meu poder é feminino", disse a curandeira. "É o poder da vida, que os antigos tinham, tanto as mulheres como os homens. Nos homens, agora está adormecido; por isso existe a guerra. Mas esse poder vai despertar; então o poder vai se expandir na terra, reinará o Grande Espírito, haverá paz e acabarão os atos de maldade. Não digo isso sozinha. Dizem isso todos os anciãos e anciãs dos povos nativos que visitei. Você também tem o poder feminino. Por isso, a mãe jaguar a visitou. Lembre-se. E não se esqueça de que seus irmãos estão com os espíritos e não sofrem."

Esgotada, Evelyn afundou em uma sonolência mortífera, sem sonhos, e horas depois acordou no catre de Felicitas revigorada, consciente do que experimentara e faminta. Comeu vorazmente os feijões e as tortilhas que a maga lhe ofereceu e, quando lhe agradeceu, sua voz saiu aos borbotões, mas audível. "A sua doença não é do corpo, mas da alma. Talvez se cure sozinha, talvez passe por um tempo e depois volte, porque é um mal muito teimoso e talvez não passe nunca. Vamos ver", prognosticou Felicitas. Antes de se despedir de suas visitantes, deu a Evelyn uma figura da Virgem, benzida pelo papa João Paulo em sua visita à Guatemala, e um pequeno amuleto de pedra talhada com a imagem feroz de Ixchel, a deusa jaguar. "O sofrimento fará parte, menina, mas duas virtudes a protegerão. Uma é a mãe jaguar dos maias e a outra é a mãe sagrada dos cristãos. Chame-as e elas acudirão para ajudá-la."

Na região da Guatemala próxima à fronteira com o México, centro de contrabando e tráfico, havia milhares de homens, mulheres e crianças ganhando a vida à margem da lei, mas era difícil conseguir um coiote ou *pollero,* como são chamados no México e em El Salvador. Havia alguns que depois de receber a metade do dinheiro deixavam suas cargas abandonadas em qualquer lugar do México ou as transportavam em condições desumanas. Às vezes o cheiro denunciava a presença, em um contêiner, de dúzias de cadáveres de emigrantes asfixiados ou cozidos pelo calor inclemente. As meninas corriam um perigo extremo: poderiam acabar violentadas ou vendidas para cafetões ou bordéis. Mais uma vez Nuria

Castell deu uma das mãos ao padre Benito e lhe recomendou uma agência discreta que gozava de boa reputação entre os evangélicos.

Tratava-se da dona de uma padaria que se dedicava ao contrabando de pessoas como negócio paralelo. Orgulhava-se de que nenhum de seus clientes fora vítima do tráfico humano, nenhum havia sido sequestrado pelo caminho nem assassinado, não havia caído ou sido empurrado de um trem. Podia oferecer certa segurança em um negócio fundamentalmente arriscado, tomava as medidas de cautela que estavam ao seu alcance, e o resto encomendava ao Senhor, para que velasse do céu por seus humildes vassalos. Cobrava o preço habitual exigido pelos *polleros* para cobrir seus riscos e despesas, mais sua própria comissão. Ela se comunicava pelo celular com os coiotes, seguia sua pista e sempre sabia em que ponto da viagem seus clientes estavam. Segundo Nuria, a padeira nunca havia perdido ninguém.

O padre Benito foi visitá-la e se viu diante de uma mulher cinquentona, muito maquiada e com ouro em todos os lugares: nas orelhas, no pescoço, nos pulsos e nos dentes. O sacerdote lhe pediu um desconto em nome de Deus, apelando ao seu bom coração de cristã, mas a mulher evitava misturar a fé com seu negócio e mostrou-se inflexível: deviam pagar o adiantamento para o coiote e a comissão dela integralmente. O resto seria cobrado dos familiares nos Estados Unidos ou o cliente ficaria devendo, mas teria de pagar com juros, logicamente. "De onde imagina que vou tirar esta quantia, senhora?", alegou o jesuíta. "Da coleta de sua igreja, ora, padrinho", replicou ela com ironia. No entanto, não foi necessário; a remessa de Miriam foi suficiente para o enterro de Andrés, a comissão da agente e os trinta por cento do preço do *pollero*, com o compromisso de pagar o restante quando Evelyn chegasse. A dívida era sagrada; ninguém deixava de pagá-la.

O *pollero* que a padeira destinou a Evelyn Ortega era um tal de Berto Cabrera, de 32 anos, mexicano, bigodudo e com barriga de bom bebedor de cerveja, que exercia esse ofício havia mais de uma década. Fizera a viagem dúzias de vezes com centenas de emigrantes e, quando se tratava de seres humanos, era de uma honradez escrupulosa, mas, no caso de outros contrabandos, sua moral era negociável. "Minha atividade é malvista, mas o que faço é um trabalho social. Eu cuido das pessoas, não as levo em caminhões de animais nem em cima de trens", explicou ao padre.

Evelyn Ortega se somou a um grupo de quatro homens que iam para o norte procurar trabalho e uma mulher com um bebê de dois meses que estava indo encontrar o namorado em Los Angeles. A criança incomodaria durante a viagem, mas sua mãe implorou tanto que a dona da padaria acabou cedendo. Os clientes se reuniram nos fundos da loja, onde receberam documentos de identidade falsos e foram instruídos sobre a aventura que os esperava. A partir daquele momento, eles só poderiam usar o novo nome, e era melhor que não soubessem os nomes verdadeiros dos outros passageiros. Evelyn, de cabeça baixa, não se atreveu a olhar para ninguém, mas a mulher com o bebê aproximou-se e se apresentou: "Agora me chamo María Inés Portillo. E você?", perguntou-lhe. Evelyn mostrou sua carteira. Seu novo nome era Pilar Saravia.

Uma vez fora da Guatemala, passariam por mexicanos, não havia como recuar e deveriam obedecer às instruções do coiote sem reclamar. Evelyn seria estudante de uma suposta escola de freiras para crianças surdas-mudas de Durango. Os outros passageiros aprenderam o hino nacional do México e várias palavras de uso comum que eram diferentes nos dois países. Isso os ajudaria a passar por mexicanos autênticos se fossem detidos pela Imigração. O coiote os proibiu de usar o tratamento que se falava na Guatemala. Com qualquer autoridade ou pessoa uniformizada, usava-se "senhor", por precaução e respeito, e com os demais se empregava a linguagem informal. Evelyn, como surda-muda, ficaria calada e, se as autoridades lhe fizessem perguntas, Berto lhes mostraria um certificado da escola fictícia. Foram orientados a vestir suas melhores roupas e usar sapatos ou tênis, nada de chinelos. Assim pareceriam menos suspeitos. As mulheres se sentiriam mais confortáveis se viajassem com calças, mas nada desses jeans rasgados que estavam na moda. Precisariam de tênis, roupa de baixo e um casaco leve: era tudo o que cabia na bolsa ou na mochila. "No deserto é preciso caminhar. Lá não vão conseguir carregar nenhum peso. Vamos trocar os quetzais que tiverem por pesos mexicanos. As despesas de transporte estão cobertas, mas terão de pagar pela comida."

O padre Benito entregou a Evelyn um envelope de plástico à prova d'água com sua certidão de nascimento, cópias dos atestados médico e de bons antecedentes e uma carta atestando sua condição moral. Alguém lhe dissera que, com isso, poderia conseguir asilo como refugiada nos Estados Unidos, uma possibilidade que parecia muito remota, mas não queria falhar por omissão. Também fez Evelyn decorar o número do telefone de sua mãe em Chicago e o de seu próprio celular. Ao abraçá-la, entregou-lhe algumas notas, tudo o que tinha.

Concepción Montoya tentou manter a calma ao se despedir da neta, mas as lágrimas de Evelyn fizeram sua intenção cair por terra e também acabou chorando.

— Estou muito triste com a sua partida — soluçou a mulher. — Você é o anjo da minha vida e não vou voltar a vê-la, minha filha. Esta é a última dor que me faltava sofrer. Se Deus me deu este destino, por alguma coisa será.

E então Evelyn pronunciou a primeira frase completa que dissera em várias semanas e a última que diria nos próximos meses.

— Assim como estou partindo, mãezinha, assim voltarei.

# Lucía

*Canadá*

Lucía Maraz tinha acabado de completar 19 anos e se matricular na faculdade de jornalismo quando começou sua vida como refugiada. Sua família nunca mais teve notícias de seu irmão Enrique; com o passar do tempo, depois de muita procura, seria mais um daqueles desaparecidos sem deixar rastros. A jovem ficou dois meses na embaixada da Venezuela em Santiago, esperando um salvo-conduto que lhe permitisse deixar o país. As centenas de hóspedes, como insistia em chamá-los o embaixador para minimizar a humilhação de serem asilados, dormiam deitados onde coubessem e se revezavam para ir aos poucos banheiros da casa. Várias vezes por semana, outros perseguidos davam um jeito de pular o muro, apesar da vigilância militar na rua. Com Lucía, fora diferente: entregaram-lhe um recém-nascido escondido em uma cesta de verduras — sua missão seria cuidar dele até que seus pais conseguissem asilo — e entraram na embaixada em um carro diplomático.

A superlotação e a angústia coletiva eram propícias a conflitos, mas rapidamente os novos hóspedes aceitaram as regras de convivência e aprenderam a cultivar a paciência. O salvo-conduto de Lucía demorou mais do que o habitual para uma pessoa sem antecedentes políticos ou policiais, mas, assim que chegou às mãos do embaixador, pôde partir. Antes de ser levada, acompanhada por dois diplomatas, à porta do avião e dali para Caracas, conseguiu entregar o bebê a seus pais, que finalmente puderam asilar-se. Também chegou a se despedir de sua mãe por telefone, prometendo voltar em breve. "Não volte antes da democracia", respondeu Lena, com voz firme.

À Venezuela, país rico e generoso, começavam a chegar centenas de chilenos, que logo seriam milhares e milhares, aos quais se somariam os fugitivos da guerra suja que acontecia na Argentina e no Uruguai. A crescente colônia de refugiados do sul do continente se aglomerava em certos bairros, onde tudo, desde a comida até o sotaque espanhol, era desses países. Um comitê de ajuda aos exilados conseguiu um quarto no qual Lucía poderia viver de graça durante seis meses e um emprego de recepcionista em uma elegante clínica de cirurgia plástica. Não chegou a ocupar o quarto por mais de quatro meses, porque conheceu outro exilado chileno, um atormentado sociólogo de extrema-esquerda, cujas perorações lhe recordavam, com dolorosa intensidade, seu irmão. Era bonito e esbelto como um toureiro, com cabelos longos e oleosos, mãos finas e lábios sensuais de expressão indiferente. Não fazia nada para dissimular seu mau gênio nem sua arrogância. Anos depois, Lucía haveria de recordá-lo com perplexidade, sem entender como pôde ter-se apaixonado por um sujeito tão desagradável. A única explicação podia ser que era muito jovem e estava muito sozinha. O homem ficava chocado com a alegria natural dos venezuelanos, na sua opinião era um sinal incontestável de decadência moral, e convenceu Lucía a emigrarem juntos para o Canadá, onde ninguém bebia champanhe no café da manhã nem se aproveitava do menor pretexto para dançar.

Em Montreal, Lucía e seu deselegante guerrilheiro teórico foram recebidos de braços abertos por outro comitê de pessoas boas que os instalou em um apartamento com móveis, utensílios de cozinha e até roupa adequada no guarda-roupa. Era pleno janeiro e Lucía pensou que o frio se instalara em seu esqueleto para sempre; vivia encolhida, tiritando, enfiada em suéteres, suspeitando que o inferno não era uma fogueira dantesca, mas sim o inverno de Montreal. Sobreviveu os primeiros meses procurando refúgio nas lojas, nos ônibus com calefação, nos túneis subterrâneos que conectavam os edifícios, em seu trabalho, em qualquer lugar, menos no que compartilhava com seu companheiro, onde a temperatura era adequada, mas o ar podia ser cortado com uma faca.

Maio chegou com uma primavera exuberante e, então, a história pessoal do guerrilheiro evoluíra até se transformar em uma aventura hiperbólica. O fato é que não havia saído da embaixada de Honduras em um avião e com um salvo-conduto, como achava Lucía; havia passado pela Villa Grimaldi, o infame centro de tortura, de onde saíra com o corpo e a alma feridos, e escapara por perigosos caminhos da cordilheira, indo do sul do Chile até a Argentina, onde se salvou por um triz de ser mais uma vítima da guerra suja daquele país. Com um passado tão doloroso, era normal que o pobre homem estivesse traumatizado e fosse incapaz de trabalhar. Por sorte, contava com a absoluta compreensão do comitê de ajuda aos exilados, que lhe deu meios para fazer uma terapia em seu próprio idioma e dispor de tempo para escrever a memória de seus sofrimentos. Enquanto isso, Lucía aceitou imediatamente dois empregos, porque não achava que merecesse a caridade do comitê: havia outros refugiados em condições mais urgentes. Trabalhava doze horas por dia e chegava em casa para cozinhar, limpar, lavar roupa e levantar o ânimo do companheiro.

Lucía aguentou essa situação estoicamente vários meses, até que, uma noite, chegou meio morta de cansaço ao apartamento e o encontrou na penumbra, cheirando a calabouço e vômito. O homem havia passado o dia na cama, bebendo gim e deprimido até à inércia, porque continuava parado no primeiro capítulo de suas memórias. "Você trouxe alguma coisa para comer?

Não tem nada aqui, estou morrendo de fome", murmurou o aspirante a escritor quando ela acendeu a luz. Então, Lucía descobriu, finalmente, como era grotesca aquela convivência. Pediu uma pizza pelo telefone e começou a tarefa diária de cuidar da desordem deixada pela batalha em que definhava o guerrilheiro. Naquela mesma noite, enquanto ele dormia profundamente sob o efeito do gim, empacotou suas coisas e partiu em silêncio. Tinha algumas economias e ouvira dizer que em Vancouver começava a florescer uma colônia de exilados chilenos. No dia seguinte pegou o trem que a levaria através do continente à costa ocidental.

Lena Maraz visitava Lucía uma vez por ano e ficava com ela por três ou quatro semanas, nunca mais do que isso, porque continuava procurando Enrique. Com o passar dos anos, sua investigação desesperada se transformou em um modo de vida e dava sentido à sua existência. Pouco depois do golpe militar, o cardeal abriu uma agência, o Vicariato da Solidariedade, para ajudar os perseguidos e suas famílias, onde Lena aparecia a cada semana, sempre em vão. Ali conheceu outras pessoas na mesma situação, fez amizade com os religiosos e voluntários e aprendeu a se movimentar pela burocracia da dor. Manteve contato com o cardeal até onde foi possível, porque o prelado era a pessoa mais ocupada do país. O governo suportava de má vontade as mães e depois as avós que desfilavam com retratos de seus filhos e netos grudados no peito e se instalavam em silêncio diante dos quartéis e centros de detenção com cartazes clamando por justiça. Aquelas velhas teimosas se negavam a entender que as pessoas que reclamavam nunca haviam sido presas. Teriam ido a outro lugar ou jamais existiram.

Ao amanhecer de uma terça-feira invernal, uma patrulha chegou ao apartamento de Lena Maraz e a notificou de que seu filho fora vítima de um acidente fatal. Poderia recolher seus restos no dia seguinte no endereço que lhe deram, depois de adverti-la de que deveria comparecer exatamente às sete da manhã em um veículo de tamanho apropriado para transportar um ataúde. Os joelhos de Lena falharam; desabou no chão. Esperara durante anos por uma notícia de Enrique e, ao ser confrontada com o fato de que o encontrara, embora morto, perdeu a respiração.

Não se atreveu a ir ao Vicariato, por temer que qualquer intervenção arruinasse essa oportunidade única de recuperar seu filho, mas supôs que talvez a Igreja ou o cardeal em pessoa tivessem obrado aquele milagre. Procurou sua irmã, porque não teve coragem de ir sozinha, e seguiram juntas, vestidas de luto, até o endereço informado. Em um pátio quadrado cercado de muros rachados por uma pátina de umidade e pelo tempo, foram recebidas por uns homens que lhes apontaram um caixão de tábuas de pinho e as instruíram para enterrá-lo antes das seis da tarde. Estava fechado. Indicaram-lhes que era terminantemente proibido abri-lo, entregaram-lhes um atestado de óbito para os trâmites no cemitério e pediram para Lena assinar um recibo no qual constava que o procedimento estava de acordo com a lei. Deram-lhe uma cópia do recibo e a ajudaram a colocar o ataúde no caminhão que as mulheres haviam alugado no mercado.

Lena não foi diretamente ao cemitério, conforme a ordem que recebera, mas à casa de sua irmã, situada em um pequeno terreno nos arredores de Santiago. Com a ajuda do caminhoneiro, desceram o ataúde, colocaram-no em cima da mesa da sala de jantar e, quando ficaram sozinhas, cortaram a tira metálica do lacre. Não reconheceram o corpo; não era Enrique, embora o certificado indicasse seu nome. Lena sentiu um misto de horror diante do estado em que estava aquele jovem e de alívio porque não era seu filho. Poderia manter a esperança de encontrá-lo vivo. Por insistência de sua irmã, decidiu correr o risco de sofrer represálias e ligou para um de seus amigos do Vicariato, um sacerdote belga, que chegou de motocicleta uma hora depois, trazendo uma câmera fotográfica.

— Tem alguma ideia de quem pode ser esse pobre rapaz, Lena?

— Não é meu filho, é tudo o que posso lhe dizer, padre.

— Vamos comparar sua foto com as dos nossos arquivos para ver se conseguimos identificá-lo e avisar à sua família — replicou o sacerdote.

— Entretanto, vou enterrá-lo como se deve, porque foi o que me ordenaram e não quero que venham e o levem — decidiu Lena.

— Posso ajudá-la com isso, Lena?

— Obrigada, mas posso me virar sozinha. Por enquanto este rapaz poderá descansar em um nicho ao lado do meu marido no Cemitério Católico. Quando o senhor encontrar sua família, poderão levá-lo para onde quiserem.

As fotografias que tiraram naquele dia não correspondiam a nenhuma das que estavam nos arquivos do Vicariato. Como disseram a Lena, talvez aquele jovem nem sequer fosse chileno, poderia ter chegado de outro país, talvez da Argentina ou do Uruguai. Na Operação Condor, desenvolvida pelos serviços de inteligência e repressão das ditaduras do Chile, Argentina, Paraguai, Bolívia e Brasil, com um saldo de sessenta mil mortos, às vezes aconteciam confusões no transporte de prisioneiros, corpos e documentos de identidade. O retrato do jovem desconhecido ficou na parede da agência, para ver se alguém o reconhecia.

Passariam várias semanas até que ocorresse a Lena que o jovem que enterrara poderia ser o meio-irmão de Enrique e Lucía, o filho que seu marido tivera com a outra esposa. Essa possibilidade se transformou em um tormento que não a deixava em paz. Entrou em ação para localizar a mulher que rechaçara anos antes, arrependida até os ossos por tê-la tratado mal, porque nem ela nem seu filho eram culpados; eles também haviam sido vítimas do mesmo engano. Pela lógica do desespero, convenceu-se de que em algum lugar havia outra mãe abrindo um caixão lacrado no qual estava Enrique. Acreditou-se que, se ela encontrasse a mãe do jovem que enterrara, alguém a procuraria no futuro para lhe revelar o destino de seu próprio filho. Como seus esforços e os do Vicariato foram inúteis, contratou um detetive particular especializado em pessoas desaparecidas, como dizia seu cartão de visita, mas ele também não conseguiu encontrar rastros daquela mulher ou de seu filho. "Devem ter ido para o estrangeiro, senhora. Pelo visto, muita gente viajava naquele tempo...", disse o detetive.

Depois disso, Lena envelheceu de repente. Aposentou-se do banco no qual havia trabalhado por muitos anos, trancou-se em sua casa e só saía para retomar a busca. Às vezes ia ao cemitério e se plantava diante do nicho do jovem desconhecido para lhe contar suas penas e pedir-lhe que, se seu filho andasse por aqueles lados, lhe dissesse que ela precisava de uma mensagem ou de um sinal qualquer para parar de procurá-lo. Com o tempo, chegou a incorporá-lo à sua família, como um espírito discreto. O cemitério, com seu silêncio, suas avenidas sombrias e seus pombos indiferentes, lhe oferecia consolo e paz. Ali havia colocado seu marido, mas em todos aqueles anos nunca o visitara. Agora, sob o pretexto de rezar pelo rapaz, também rezava por ele.

Lucía Maraz passou os anos de seu exílio em Vancouver, uma cidade amável, com clima melhor do que o de Montreal, onde se estabeleceram centenas de exilados do cone sul em comunidades tão fechadas que alguns viviam como se nunca tivessem saído de seus países, sem se misturar com os canadenses além do indispensável. Não foi o caso de Lucía. Com a perseverança herdada de sua mãe, aprendeu inglês, que falava com sotaque chileno, estudou jornalismo e trabalhou fazendo reportagens investigativas para revistas políticas e canais de televisão. Adaptou-se ao país, fez amigos, adotou uma cadela chamada Olivia, que haveria de acompanhá-la por quatorze anos, e comprou um minúsculo apartamento, porque era mais conveniente do que alugar. Quando se apaixonava, o que aconteceu mais de uma vez, sonhava em se casar e deixar raízes no Canadá, mas, assim que a paixão esfriava, voltava, do nada, à nostalgia do Chile. Seu lugar estava ali, ao sul do sul, naquele país longo e estreito que a reclamava. Voltaria, tinha certeza. Vários exilados haviam voltado e levavam uma vida desprovida de confusão, sem ser incomodados. Sabia que até seu primeiro amor, o guerrilheiro melodramático de cabelos oleosos, voltara ao Chile em sigilo e estava trabalhando em uma companhia de seguros sem que ninguém se lembrasse ou soubesse de seu passado. Mas talvez ela tivesse menos sorte, porque participara sem descanso da campanha internacional contra o governo militar. Havia jurado à sua mãe que não tentaria voltar, porque para Lena Maraz a possibilidade de que sua filha também se transformasse em vítima da repressão era intolerável.

As viagens de Lena ao Canadá tornaram-se menos frequentes, mas a correspondência com a filha se intensificou; começou a lhe escrever diariamente e Lucía o fazia várias vezes por semana. As cartas se cruzavam no ar como em uma conversa de surdos, mas nenhuma das duas esperava pela resposta para escrever. Essa abundante correspondência era o diário das duas vidas, o registro do cotidiano. Com o tempo, as cartas chegaram a ser indispensáveis para Lucía: aquilo que não escrevia para sua mãe era como se nunca tivesse existido, vida esquecida. Nesse eterno diálogo epistolar, uma em Vancouver, a outra em Santiago, desenvolveram uma amizade tão profunda que quando Lucía voltou ao Chile se conheciam melhor do que se tivessem convivido desde sempre.

Em uma de suas viagens, falando do jovem que lhe entregaram no lugar de seu Enrique, Lena resolveu contar à sua filha a verdade sobre seu pai, que havia ocultado durante tantos anos.

— Se o jovem que me entregaram no caixão não é seu meio-irmão, em algum lugar vive um homem mais ou menos da sua idade que tem seu sobrenome e seu sangue — disse.

— Como se chama? — perguntou Lucía, tão surpresa com a notícia de que seu pai era bígamo que mal conseguiu falar.

— Enrique Maraz, como seu pai e seu irmão. Tentei localizá-lo, Lucía, mas ele e sua mãe desapareceram. Preciso saber se o jovem que está no cemitério é o filho de seu pai com essa outra mulher.

— Não importa, mamãe. A probabilidade de que seja meu meio-irmão é nula, isso só acontece nas novelas. O mais provável é o que lhe disseram no Vicariato, que acontecem confusões com a identidade das vítimas. Não se atormente procurando esse jovem. Você vive há anos obcecada com o paradeiro de Enrique; aceite a verdade, por mais espantosa que seja, antes de ficar louca.

— Estou perfeitamente lúcida, Lucía. Aceitarei a morte de seu irmão quando tiver alguma evidência, nunca antes disso.

Lucía lhe confessou que na infância nem ela nem Enrique acreditaram piamente na versão de que seu pai morrera em um acidente, tão cercada de mistério que parecia ficção. Como poderiam acreditar, se nunca viram nenhuma expressão de dor ou visitaram um túmulo: tiveram de se conformar com uma explicação sucinta e um silêncio cauteloso. Inventavam versões alternativas: que o pai estava vivo em outro lugar, que havia cometido um crime e estava fugindo ou caçando crocodilos na Austrália. Qualquer explicação parecia mais razoável do que a oficial: morreu e pronto, não perguntem mais.

— Vocês eram muito pequenos, Lucía, não podiam compreender a finalidade da morte, minha obrigação era preservá-los dessa dor. Achei que seria mais saudável se esquecessem seu pai. Sei, pequei por soberba. Quis substituí-lo, ser o pai e a mãe de meus filhos.

— Você fez muito bem, mamãe, mas eu me pergunto se teria agido dessa maneira se ele não tivesse sido bígamo.

— Certamente não, Lucía. Nesse caso, talvez o tivesse idealizado. Fui motivada pelo rancor, antes de tudo, e pela vergonha. Não quis contaminar vocês com a feiura do que aconteceu. Por isso falei dele depois, quando tinham idade para entender. Sei que lhes fez falta ter um pai.

— Menos do que você imagina, mamãe. É verdade que teria sido melhor ter um pai, mas você se virou muito bem para nos criar.

— A falta de um pai deixa um buraco no coração de uma mulher, Lucía. Uma menina precisa se sentir protegida, precisa da energia masculina para desenvolver a confiança nos homens e mais tarde se entregar ao amor. Qual é a versão feminina do complexo de Édipo? Electra? Você não o teve. Com razão é tão independente e vive pulando de um amor a outro, sempre procurando a segurança de um pai.

— Por favor, mãe! Isso é puro jargão freudiano. Não procuro meu pai em meus amantes. E também não ando pulando de cama em cama. Sou monógama em série e meus amores duram muito, a menos que o sujeito seja um imbecil sem remédio — disse Lucía, e começaram a rir, pensando no guerrilheiro abandonado em Montreal.

# Lucía e Richard

*Brooklyn*

Depois de Evelyn Ortega ter identificado Kathryn Brown, amarraram de novo a tampa do porta-malas e voltaram para casa. Já que estavam do lado de fora, Richard pegou a pá e afastou a neve da frente da porta do porão, para que Lucía resgatasse o resto de sua caçarola, a comida de Marcelo e os demais produtos de higiene. Na cozinha de Richard, dividiram a suculenta sopa e prepararam mais café. Distraído com tantos sobressaltos, Richard repetiu a sopa, embora flutuassem pedaços de carne no meio das batatas, vagens e abóbora. Havia conseguido controlar as alfinetadas de seu sistema digestivo levando uma vida disciplinada. Não comia glúten, era alérgico à lactose e não bebia álcool por uma razão muito mais séria do que a úlcera. Seu ideal seria nutrir-se de plantas, mas precisava de proteínas e havia incorporado à sua dieta alguns produtos do mar livres de mercúrio, seis ovos orgânicos e cem gramas de queijo firme, não pastoso, por semana. Estabelecia um plano de quinze dias, dois menus fixos por mês, e assim comprava exatamente o necessário e cozinhava a partir de uma ordem preestabelecida para que nada fosse perdido. Aos domingos, improvisava com produtos frescos que encontrava no mercado, um dos poucos voos da imaginação a que se permitia. Não tocava na carne de mamíferos pela decisão moral de não comer animais que não estaria disposto a matar, nem aves, pelo horror aos frigoríficos industriais e também porque não seria capaz de torcer o pescoço de um frango. Gostava de cozinhar e às vezes, quando achava algum prato especialmente saboroso, nutria a fantasia de compartilhá-lo com alguém, com Lucía Maraz, por exemplo, que era mais interessante do que os inquilinos anteriores do porão. Pensava nela com cada vez mais frequência e estava feliz de tê-la em sua casa, embora fosse com o incrível pretexto oferecido por Evelyn Ortega. Na verdade, estava muito mais feliz do que as circunstâncias permitiam; algo estranho estava acontecendo com ele, precisava ter cuidado.

— Quem é Kathryn? — perguntou Richard a Evelyn.

— A fisioterapeuta de Frankie. Atendia às segundas e quintas-feiras, e me ensinou a fazer alguns exercícios com o menino.

— Ou seja, é uma pessoa conhecida da casa. Como disse que se chamam seus patrões?

— Cheryl e Frank Leroy.

— E parece que Frank Leroy é responsável...

— Por que supõe isso, Richard? Não pode dar nada como certo até ter provas — interveio Lucía.

— Se essa mulher tivesse morrido de morte natural, não estaria no porta-malas do carro de Frank Leroy.

— Pode ter sido um acidente.

— Por exemplo, enfiou a cabeça no porta-malas, se envolveu em um tapete, fechou a porta, morreu de inanição e ninguém percebeu. Pouco provável. Sem dúvida, alguém a matou, Lucía, e planejava se desfazer do corpo quando limpassem a neve. Agora deve estar se perguntando que diabos aconteceu com seu carro e seu cadáver.

— Veja, Evelyn, pense um pouco. Como você acha que essa jovem foi parar no porta-malas? — perguntou Lucía.

— Não sei, não sei.

— Quando a viu pela última vez?

— Vinha às segundas e quintas-feiras — repetiu a garota.

— Apareceu na quinta-feira passada?

— Sim, chegou às oito da manhã, mas foi embora quase em seguida, porque a glicose de Frankie se alterou. A senhora estava muito irritada. Disse a Kathryn que saísse e não voltasse.

— Discutiram?

— Sim.

— O que a senhora Leroy tinha contra essa mulher?

— Dizia que era atrevida e vulgar.

— Na cara dela?

— Dizia a mim. E a seu marido.

Evelyn lhes contou que Kathryn Brown tratava de Frankie havia, um ano. Desde o começo não se dera bem com Cheryl Leroy, que a achava indecente, porque vestia camisetas decotadas, com a metade dos seios expostos, uma descarada ordinária com maneiras de sargento de pelotão, dizia; além disso, não via sinais de que Frankie estivesse progredindo. Instruíra Evelyn para estar sempre presente quando Kathryn Brown estivesse trabalhando com o menino e avisá-la imediatamente se percebesse qualquer abuso. Não confiava nela, achava que era muito rude quando fazia exercícios com o menino. Quis demiti-la em algumas ocasiões, mas seu marido se opôs, como se opunha a todas as suas iniciativas. Segundo ele, Frankie era um pirralho mimado e Cheryl tinha ciúmes da fisioterapeuta porque era jovem e bonita, isso era tudo. Por sua vez, Kathryn Brown também falava da senhora pelas costas; achava que tratava o filho como se fosse um bebê e dizia que as crianças precisam de autoridade. Frankie já devia estar comendo sozinho; se conseguia usar o computador, poderia segurar uma colher e escovar os dentes, mas como iria aprender com aquela mãe alcoólatra e drogada, que passava o dia na academia, como se com isso pudesse evitar a velhice? Seu marido iria deixá-la. Tinha certeza.

Evelyn ouvia as confidências das duas com a mente vazia, sem repetir nada. Sua avó esfregara a boca de seus irmãos com sabão e água sanitária por dizer palavrões e a dela por ter espalhado uma fofoca. Ficava sabendo das brigas de seus patrões porque as paredes da casa não guardavam segredos. Frank Leroy, tão frio com os empregados e com seu filho, tão controlado até mesmo quando o menino tinha um ataque ou uma raiva passageira, perdia as estribeiras com sua mulher por qualquer motivo. Naquela quinta-feira, Cheryl, angustiada com a hipoglicemia de Frankie e suspeitando que fora causada pela fisioterapeuta, desafiou as ordens do marido.

— Às vezes o senhor Leroy ameaçava a senhora — disse Evelyn. Uma vez, enfiou uma pistola em sua boca. Eu não estava espiando, juro. A porta estava entreaberta. Disse que ia matá-la, ela e o Frankie.

— Ele bate na mulher? No Frankie? — perguntou Lucía.

— Não se mete com o menino, mas Frankie sabe que seu pai não gosta dele.

— Você não me respondeu se bate na mulher.

— Às vezes a senhora aparece com manchas roxas no corpo, nunca no rosto. Diz que caiu.

— E você acredita?

— Cai por causa dos comprimidos ou do uísque. Então tenho que levantá-la do chão e levá-la para a cama. Mas os hematomas são resultado das brigas com o senhor Leroy. Tenho pena da senhora, não é nem um pouco feliz.

— Como poderia ser com esse marido e esse filho...

— Adora Frankie. Diz que com carinho e reabilitação vai melhorar.

— Isso é impossível — disse Richard, murmurando.

— Que eu saiba, Frankie é a única alegria da senhora. Se amam tanto! Se vocês vissem como Frankie fica feliz quando sua mãe está com ele. Passam horas brincando. A senhora dorme muitas noites com ele.

— Deve viver angustiada com a saúde do filho — comentou Lucía.

— Sim, Frankie é muito delicado. Poderíamos ligar de novo para ela? — perguntou Evelyn.

— Não, Evelyn. É muito arriscado. Já sabemos que a mãe estava com ele ontem à noite. Podemos supor que, como você não está, ela cuidará do Frankie. Voltemos ao problema mais urgente, nos livrarmos da evidência — recordou Lucía.

Richard cedeu com tamanha prontidão que mais tarde ficaria surpreso com sua própria volubilidade. Pensando bem, talvez estivesse havia anos temendo qualquer mudança que colocasse sua segurança em risco. Embora talvez não se tratasse de medo, mas de antecipação; talvez abrigasse o desejo oculto de que uma intervenção divina alterasse sua vida perfeita e monótona. Evelyn Ortega, com um cadáver nas costas, era uma resposta radical a esse desejo latente. Tinha de ligar para seu pai, porque naquele dia não poderia levá-lo para almoçar, como fazia todos os domingos. Por um momento se sentiu tentado a contar o que iam fazer, certo de que o velho Joseph o aplaudiria com vigor em sua cadeira de rodas. Contaria mais adiante e pessoalmente para ver sua expressão de entusiasmo. De qualquer forma, aceitou os argumentos de Lucía com resistência mínima e foi buscar um mapa e uma lupa. A ideia de se livrar do corpo, que rechaçara imediatamente um pouco antes, de repente lhe pareceu inevitável, a única solução lógica para um problema que subitamente também era seu.

Examinando o mapa, Richard se lembrou do lago ao qual ia com Horacio Amado-Castro, onde não estivera nos últimos dois anos. Seu amigo tinha ali uma cabana rústica que, antes de se mudar para a Argentina, ocupava no verão com sua família e no inverno com ele, quando iam pescar fazendo buracos no gelo. Evitavam os lugares mais procurados, onde se reuniam centenas de trailers em ruidosos festivais populares, porque para eles aquele era um esporte meditativo, uma ocasião de especial silêncio, de solidão e de fortalecer uma amizade de quase quarenta anos. Aquela parte do lago era de difícil acesso e não atraía as hordas invernais. Entravam com uma caminhonete 4x4 na superfície congelada com o indispensável para passar o dia: uma serra e outras ferramentas para perfurar o gelo, varas e anzóis, baterias, lâmpadas, aquecedor a querosene, combustível e provisões. Faziam buracos na superfície e pescavam, com infinita paciência, trutas minúsculas que, depois de assadas, eram pura pele e espinhas.

Horacio fora para a Argentina quando seu pai morreu, pensando em voltar em algumas semanas, mas já passara muito tempo e continuava ocupado com os negócios da família. Só visitava os Estados Unidos duas vezes por ano.

Richard sentia sua falta. Na sua ausência, cuidava dos assuntos do amigo: tinha a chave da cabana do lago, que ficava desocupada, e usava seu automóvel, um Subaru Legacy com bagageiro no teto e suporte para esquis e bicicletas, que Horacio não queria vender. Richard ingressara na Universidade de Nova York por insistência de Horacio; havia sido professor assistente durante três anos e professor associado nos três seguintes. Foi promovido a professor titular, com os benefícios que isso implicava e, quando Horacio deixou seu posto de diretor, ele o substituiu. Também comprou sua casa do Brooklyn por uma pechincha. Tal como dizia, a única forma de pagar ao amigo tudo o que lhe devia seria lhe doar em vida os pulmões para um transplante. Horacio fumava cigarros, como seu pai e seus irmãos, e vivia tossindo.

— Naquela região há florestas impenetráveis, ninguém anda por ali no inverno e duvido que alguém apareça no verão — disse Richard a Lucía.

— Como vamos nos organizar? Teríamos que alugar um carro para voltar.

— Isso significaria deixar um rastro. Não podemos chamar a atenção. Levaremos o Subaru para voltar. Poderíamos ir e voltar em um dia, mas com este clima demoraremos dois.

— E os gatos?

— Deixo comida e água para eles. Estão habituados a ficar sozinhos por alguns dias.

— Podem acontecer imprevistos.

— Como, por exemplo, que terminemos presos ou assassinados por Frank Leroy? — perguntou Richard com um sorriso dissimulado. — Nesse caso, minha vizinha cuidaria deles.

— Temos que levar Marcelo — disse Lucía.

— De maneira nenhuma!

— O quer que eu faça com ele?

— Podemos deixá-lo com a minha vizinha.

— Os cachorros não são como os gatos, homem. Sofrem de ansiedade com as separações. Ele tem de vir com a gente.

Richard respondeu com um gesto teatral. Tinha dificuldade de entender a dependência humana dos animais em geral e menos ainda de um como aquele chihuahua disforme. Seus gatos eram independentes e ele podia viajar durante várias semanas com a certeza de que não sentiriam sua falta. A única que o recebia com carinho quando voltava era Dois, os outros nem percebiam sua ausência.

Lucía seguiu-o a um dos aposentos desocupados do primeiro andar, onde ficavam suas ferramentas e uma mesa de carpintaria. Era a última coisa que esperava dele; achava que era incapaz de pregar um prego, como todos os homens de sua vida, mas era evidente que Richard gostava dos trabalhos manuais. As ferramentas estavam organizadas em painéis de cortiça na parede; traçara o perfil de cada uma com giz sobre a cortiça para perceber imediatamente se alguma estivesse faltando. A ordem era tão rigorosa quanto aquela que Lucía apreciara na despensa, onde cada artigo tinha seu lugar exato. O único caos naquela casa eram os papéis e os livros, que invadiam a sala e a cozinha, embora talvez o caos fosse apenas aparente e estivessem classificados de acordo com um sistema secreto que só Richard entendia. "Este homem deve ser virginiano", concluiu.

Reconfortados pela caçarola chilena, voltaram à rua, onde Richard estudou durante longos minutos a fechadura quebrada do porta-malas, enquanto Lucía o protegia da neve que caía lentamente com um guarda-

-chuva preto. "Não consigo consertar isso, vou prender a porta com arame", decidiu. Embaixo das luvas descartáveis de plástico, suas mãos estavam azuis e os dedos endurecidos, mas trabalhava com a precisão de um cirurgião. Vinte e cinco minutos depois, pintara de vermelho a lâmpada traseira, pois a proteção de plástico se quebrara na batida; havia amarrado a tampa do porta-malas com tal habilidade que o arame estava invisível. Voltaram tiritando de frio para casa, onde os esperava o café ainda quente.

— O arame aguentará a viagem e não lhe dará problemas — disse Richard a Lucía.

— A mim? Não, Richard. Você vai dirigir o Lexus. Sou um pouco desajeitada e mais ainda quando estou nervosa. Posso ser parada pela polícia.

— Então que Evelyn dirija. Eu irei na frente com o Subaru.

— Evelyn não tem documentos.

— Não tem licença?

— Já lhe perguntei. Tem licença em nome de outra pessoa. Falsa, naturalmente. Não vamos correr mais riscos do que os necessários. Você dirigirá o Lexus, Richard.

— Por que eu?

— Você é homem e branco. Nenhum policial vai pedir seus documentos, mesmo que um pé humano apareça do lado de fora do porta-malas. No entanto, duas latinas dirigindo na neve são automaticamente suspeitas.

— Se os Leroy denunciaram o desaparecimento do automóvel, vamos ter problemas.

— Por que iriam fazer isso?

— Para receber o seguro.

— Como lhe ocorre uma coisa dessas, Richard? Um dos dois é o assassino, a última coisa que faria seria fazer qualquer denúncia.

— E o outro Leroy?

— Você sempre imagina o pior dos casos!

— Não gosto nada da ideia de cruzar o estado de Nova York em um carro roubado.

— Eu também não, mas não há alternativa.

— Ouça, Lucía, você já pensou que pode ter sido Evelyn quem matou essa mulher?

— Não, Richard, não pensei porque essa é uma suposição idiota. Você acha que essa infeliz é capaz de matar uma mosca? E por que viria à sua casa com a vítima?

Richard lhe mostrou no mapa os dois caminhos para o lago, um mais curto, mas com dois pedágios onde poderia haver controle, e o outro cheio de curvas e menos usado. Optaram pelo segundo, com a esperança de que já tivessem tirado a neve.

# Evelyn

*México*

Berto Cabrera, o coiote mexicano contratado para levar Evelyn Ortega ao norte, marcou com seus clientes às oito da manhã, na padaria. Quando o grupo ficou completo, fizeram um círculo, deram-se as mãos e o coiote rezou uma oração. "Somos peregrinos de uma Igreja sem fronteiras; Lhe rogamos, Deus, que possamos viajar sob Sua divina proteção contra assaltantes e guardas igualmente. Pedimos isso em nome de Seu filho, Jesus Nazareno. Que assim seja." Todos os passageiros disseram "Amém", menos Evelyn, que continuava chorando calada. "Guarde essas lágrimas, Pilar Saravia, pois precisará delas mais adiante", aconselhou-a Cabrera. Entregou uma passagem de ônibus a cada um, proibiu-os de trocar olhares ou palavras entre eles, fazer amizade com outros passageiros e sentar-se ao lado da janela; os principiantes sempre faziam isso e despertavam a atenção dos guardas. "E você, menina, venha comigo, de agora em diante sou seu tio. Fique bem calada; com esse seu rosto de garota, ninguém vai suspeitar de você. Certo?". Evelyn assentiu, em silêncio.

Uma caminhonete da padaria os transportou no primeiro trecho da viagem. O destino era Tecún Umán, cidade fronteiriça, separada do México pelo rio Suchiate. No rio e na ponte que unia as duas margens, havia tráfico constante de gente e comércio. Era uma fronteira permeável. Os federais mexicanos procuravam interceptar, sem muito zelo, drogas, armas e outros contrabandos, mas ignoravam os emigrantes, desde que não chamassem muito a atenção. Assustada com a multidão apressada, o caos de bicicletas e triciclos e o estrondo das motocicletas, Evelyn se aferrou ao braço do coiote, que havia orientado os outros a se dirigirem separados ao hotel Cervantes. Ele e Evelyn subiram em um dos táxis locais, uma bicicleta com um reboque e um toldo para os passageiros, o meio de transporte mais usado na região, e logo se uniram ao restante do grupo em um humilde hotel de pernoite, onde descansaram naquela noite.

No dia seguinte, Berto Cabrera levou-os até o rio, onde se enfileiravam botes e balsas feitas com alguns pneus de caminhão e algumas tábuas. Assim transportavam mercadorias de todo tipo, animais e passageiros. Cabrera contratou duas balsas, que eram puxadas por rapazes através de uma corda amarrada na cintura e conduzidas por outro que ficava em cima dela com uma longa vara nas mãos. Em menos de dez minutos, estavam no México. Um ônibus os levou ao centro de Tapachula.

Cabrera explicou aos seus clientes que estavam no estado de Chiapas, a parte mais perigosa para viajantes que não contassem com a proteção de um coiote, porque ficavam à mercê de bandidos, assaltantes e homens uniformizados que poderiam roubar seus pertences, desde o dinheiro até os tênis. Era impossível enganá-los, conheciam todos os esconderijos possíveis, e até inspecionavam os orifícios mais íntimos das pessoas. Quanto à extorsão policial, quem não pudesse pagá-la iria parar em um calabouço, recebia uma surra e era deportado. O maior risco eram as "madrinhas", disse o coiote, civis voluntários que, sob o pretexto de auxiliar as autoridades, violavam e torturavam; eram uns selvagens. Em Chiapas, pessoas desapareciam. Não deviam confiar em ninguém, nem nos civis nem nas autoridades.

Passaram diante de um cemitério, onde reinavam uma solidão e um silêncio mortais; de repente, ouviram o resfolegar de um trem preparando-se para partir; subitamente o lugar reviveu e revelou dúzias de emigrantes que esperavam escondidos. Adultos e crianças surgiram do meio dos túmulos e arbustos e começaram a correr, cruzando um canal de esgoto e pulando sobre rochas que sobressaíam da água imunda, em direção aos vagões. Berto Cabrera lhes disse que o trem se chamava A Besta, O Verme de Ferro ou O Trem da Morte; aquelas pessoas subiam em mais de trinta trens e cruzavam o México.

— Nem vou lhes contar quantos caem e as rodas passam por cima — advertiu Cabrera. Minha prima, Olga Sánchez, transformou uma fábrica de tortilhas abandonada em refúgio para pessoas que chegavam com os braços e as pernas amputados pelo trem. Salvou muitas vidas em seu albergue, o Jesus, o Bom Pastor. Minha prima Olga é uma santa. Se tivéssemos mais tempo, iríamos visitá-la. Vocês são viajantes de luxo, não vão ficar pendurados em trens, mas aqui também não podemos pegar um ônibus. Estão vendo aqueles caras que andam com cachorros checando documentos e revistando bagagens? São os federais. Os cães farejam drogas e são capazes de saber se as pessoas estão com medo.

O coiote os levou até o caminhão de um amigo que, por um preço combinado previamente, acomodou-os no meio de caixotes de eletrodomésticos. No fundo do veículo, havia um espaço estreito no meio da carga, onde os passageiros se instalaram, encolhidos. Não podiam esticar as pernas nem ficar de pé. Iam às escuras, com pouco ar e um calor infernal, dando guinadas que ameaçavam derrubar as caixas em cima deles. O coiote, sentado confortavelmente na cabine, se esquecera de lhes dizer que ficariam presos ali durante horas; no entanto, advertiu-os de que racionassem a água e segurassem a urina, porque não haveria nenhuma parada onde pudessem se aliviar. Os homens e Evelyn se revezaram para abanar María Inés com um pedaço de cartolina e lhe deram parte de suas cotas de água, já que precisava amamentar seu filho.

O caminhão levou-os sem maiores incidentes a Fortín de las Flores, no estado de Veracruz, onde foram instalados por Berto Cabrera em uma casa abandonada nos arredores da cidade, com barris de água, pão, mortadela, queijo e biscoitos. "Esperem aqui, volto logo", disse, e desapareceu. Dois dias depois, quando a comida já havia acabado e continuavam sem notícias do coiote, o grupo se dividiu: os homens estavam convencidos de que haviam sido abandonados; María Inés, por sua vez, achava que deviam dar mais tempo a Cabrera, bem recomendado pelos evangélicos. Evelyn se absteve de opinar e, além disso, ninguém a consultou. Durante aqueles poucos dias em que estavam viajando juntos, os quatro homens viraram protetores da mãe, da criança e da estranha garota magra que vivia no mundo da lua. Sabiam que não era realmente surda-muda, já a haviam ouvido dizer algumas palavras soltas, mas respeitavam seu silêncio, que talvez fosse uma promessa religiosa ou seu último refúgio. As mulheres comiam primeiro, deram-lhes o melhor lugar para dormir, o único aposento protegido por um teto. À noite os homens se revezavam; enquanto um ficava de guarda, os outros descansavam.

Ao anoitecer do segundo dia, três dos homens foram comprar comida, reconhecer o terreno e averiguar como poderiam continuar a viagem sem Cabrera, enquanto o outro ficou cuidando das mulheres. O bebê de María Inés recusara seu seio no dia anterior e tinha dificuldade de respirar de tanto chorar e tossir, para angústia da mãe, incapaz de acalmá-lo. Evelyn se lembrou dos remédios de sua avó em casos semelhantes; empapou algumas camisetas em água fria e envolveu o menino até que sua febre cedeu, enquanto María Inés chorava e dizia que queria voltar para a Guatemala. Passeando com a criança, Evelyn a embalava com um canto inventado, sem palavras conhecidas, com sons de pássaros e vento, que tiveram o poder de adormecê-la.

Naquela noite, os três homens voltaram com salsichas, tortilhas, feijão e arroz, cervejas para os homens e refrigerantes para as mulheres. Depois do banquete se sentiram mais animados e começaram a fazer planos para continuar até o norte. Haviam descoberto que existiam casas de emigrantes ao longo da rota e várias igrejas que ofereciam ajuda; também podiam contar com os Grupos Beta, funcionários do Instituto Nacional de Migração cuja missão não era impor a lei, mas ajudar os viajantes com informações humanitárias, resgate e primeiros socorros em caso de acidentes. E, o mais curioso, faziam aquilo de graça e não era preciso suborná-los, disseram, ou seja, não estavam totalmente desamparados. Contaram o dinheiro comum, dispostos a compartilhá-lo, e prometeram que ficariam juntos.

No dia seguinte, viram que o menino acordara com apetite, embora continuasse respirando com dificuldade, e decidiram que, assim que o calor diminuísse, começariam a andar. Nem pensar em pegar um ônibus; era muito caro, mas podiam pedir carona a caminhoneiros e, em último caso, subir nos trens de carga.

Já haviam acomodado seus pertences e a comida que sobrara nas mochilas quando Berto Cabrera chegou, muito alegre, cheio de bolsas, em uma caminhonete alugada. Foi recebido com uma saraivada de críticas, que ele dissipou amavelmente, explicando que fora obrigado a alterar os planos originais porque os ônibus estavam sob severa vigilância e alguns contatos haviam falhado. Em outras palavras, era necessário distribuir mais propina. Tinha conhecidos nos controles das estradas e lhes pagava determinada quantia por passageiro; o chefe ficava com a metade, e o restante era dividido por seus subordinados; dessa forma, todos saíam ganhando naquele negócio de formigas. Era necessário ter cuidado com essa manobra, porque poderia aparecer uma patrulha rabugenta e acabariam deportados; o risco de isso acontecer era muito maior com guardas desconhecidos.

Teriam feito a viagem até a fronteira em poucos dias, mas o bebê de María Inés voltou a ter febre e tiveram de levá-lo a um hospital de San Luis Potosí. Entraram em uma fila, pegaram uma senha e esperaram horas em uma sala lotada de pacientes até que por fim foram chamados. A essa altura, o menino estava muito fraco. Foram atendidos por um médico com olheiras de cansaço e roupa amassada, que diagnosticou coqueluche, receitou antibióticos e o deixou internado. O coiote armou uma confusão, porque isso estragava seus planos, mas o médico foi firme: a criança tinha uma infecção muito séria nas vias respiratórias. Cabrera teve de ceder. Garantiu à desconsolada mãe que voltaria para buscá-los ao cabo de uma semana e ela não perderia o dinheiro do adiantamento. María Inés aceitou soluçando, mas o restante do grupo se recusou a seguir sem ela. "Primeiro, por Deus, que a criancinha não morra, mas, se for assim, María Inés vai precisar de companhia na dor", foi a decisão unânime.

Passaram a noite em um hotel horroroso, mas o coiote protestou tanto pela despesa extra que acabaram dormindo no pátio de uma igreja ao lado de dúzias de outros como eles. Ali recebiam um prato de comida, podiam tomar uma ducha e lavar roupa, mas às oito da manhã os colocavam para fora sem permissão para voltar antes do pôr do sol. Os dias eram muito longos; ficavam vagando pela cidade, sempre em estado de alerta, prontos para começar a correr. Os homens trataram de ganhar alguns pesos lavando carros ou carregando material de construção sem chamar a atenção da polícia, que andava por todos os lados. Segundo Cabrera, os gringos estavam passando milhões de dólares ao governo mexicano para que detivesse os emigrantes antes que chegassem à fronteira. A cada ano, eram deportadas do México mais de cem mil pessoas no chamado Ônibus das Lágrimas.

Como a voz de Evelyn não saía nem para mendigar e, além disso, poderia cair nas mãos de qualquer um dos muitos rufiões que caçavam garotas sozinhas, Cabrera ficou com ela em seu carro. Calada e invisível, Evelyn esperava na caminhonete enquanto ele fazia alguns negócios duvidosos pelo celular e farreava em botecos insalubres com mulheres de aluguel. Ao amanhecer, chegava cambaleando e com os olhos vidrados e a descobria dormindo enroscada no assento e compreendia que a garota havia passado o dia e a noite sem comer nem beber água. "Como sou filho da puta", resmungava, e partia com ela à procura de algum lugar aberto no qual pudesse ir ao banheiro e comer até se fartar.

— É culpa sua, garota. Se não falar, vai morrer de fome na porcaria deste mundo. Como vai se virar sozinha no norte? — censurava-a com um tom involuntário de ternura.

Em quatro dias, o hospital deu alta ao bebê de María Inês, mas o coiote decidiu que de maneira alguma poderiam se arriscar a continuar com ele, pois poderia morrer pelo caminho. Faltava o mais difícil, cruzar o rio Grande e depois o deserto. Disse para María Inés escolher entre ficar no México por um tempo, trabalhando no que pudesse, o que seria difícil, porque ninguém a empregaria com uma criança nos braços, ou voltar para a Guatemala. A mulher optou por voltar e se despediu de seus companheiros de viagem, que eram a sua família.

Depois de deixar María Inés e seu menino em um ônibus, Berto Cabrera levou seus clientes a Tamaulipas. Contou-lhes que em uma viagem anterior havia sido assaltado na porta de um hotel por dois sujeitos de terno e gravata, com pinta de funcionários públicos, que tomaram o seu dinheiro e o celular. Desde então, tinha cuidado com os hotéis de trânsito, onde frequentemente ficavam os coiotes com seus passageiros, porque estavam na mira da Migração, dos federais e dos detetives da polícia civil.

Passaram a noite na casa de um conhecido de Cabrera, deitados no chão, um ao lado do outro, apertados, em cima das mantas que levavam na caminhonete. Pela manhã seguiram viagem até Nuevo Laredo, a última etapa no México, e poucas horas depois estavam na praça Hidalgo, em pleno centro da cidade, ao lado de centenas de emigrantes mexicanos e latino-americanos, junto com traficantes de toda índole que ofereciam seus serviços. Nove grupos organizados de contrabandistas operavam em

Nuevo Laredo, e cada um deles contava com mais de cinquenta coiotes. Tinham péssima reputação, roubavam, violentavam e alguns estavam ligados a gangues de assaltantes ou de cafetões.

— Não são pessoas honestas como eu. Durante todo o tempo que estou nesta profissão ninguém nunca pôde dizer nada de ruim a meu respeito. Eu cuido da minha honra, sou responsável — disse-lhes Cabrera.

Compraram cartões de telefone e conseguiram falar com suas famílias para avisá-las de que estavam na fronteira. Evelyn ligou para o padre Benito, mas gaguejava tanto que Cabrera tomou o seu telefone.

— A garota está bem, não se preocupe, disse que manda saudações à sua avó. Daqui a pouco vamos pular para o outro lado. Faça-me o favor de ligar para sua mãe e dizer que esteja preparada — pediu-lhe.

Levou-os para comer *tacos* e *burritos*, tradicionais pratos mexicanos, em um quiosque e dali à paróquia de São José para pagar a promessa que fizera ao padre Leo. Disse-lhes que o sacerdote era tão santo quanto Olga Sánchez; não dormia, pois cuidava dia e noite da interminável fila de emigrantes e outros necessitados com água, comida, primeiros socorros, telefone e o consolo espiritual que lhes oferecia em forma de piadas e histórias edificantes inventadas na hora. A cada viagem, Berto Cabrera passava pela paróquia para lhe dar cinco por cento do que recebia, descontadas suas despesas, em troca de sua bênção e de algumas orações pelo bem de seus passageiros; era seu seguro de trabalho, a cota que pagava ao céu pela proteção, como dizia, gargalhando. É claro que também pagava uma taxa aos piores facínoras, os Zetas, para evitar que sequestrassem seus clientes. Se isso acontecesse, os Zetas cobrariam um resgate por cabeça que os familiares deviam pagar para salvar suas vidas. Chamavam aquilo de sequestro expresso. Enquanto Cabrera contasse com as orações do santo e pagasse aos Zetas, ficava mais ou menos tranquilo. Sempre fora assim.

Encontraram o sacerdote descalço, com as calças arregaçadas e uma camiseta imunda, escolhendo frutas e verduras utilizáveis nas caixas de produtos muito amadurecidos que lhe davam no mercado. No chão, uma grande poça de suco de frutas atraía as moscas com sua adocicada podridão. O padre Leo recebeu Cabrera agradecido por sua contribuição financeira e porque o homem se encarregava de convencer outros coiotes de que comprassem aquele estupendo respaldo do céu.

Evelyn e seus companheiros descalçaram os tênis, enfiaram-se na poça de frutas e verduras decompostas e ajudaram a recuperar o que poderia ser usado na cozinha da igreja, enquanto o padre descansava um pouco à sombra e atualizava seu amigo Cabrera sobre os novos inconvenientes inventados pelos ianques, que, além de lentes de visão noturna e aparelhos para detectar a temperatura corporal, haviam semeado no deserto sensores sísmicos que registravam os passos na terra. Comentaram os últimos acontecimentos, eufemismo para se referir aos assaltos. Também não usavam os termos "gangue" ou "tráfico". Era preciso ter cuidado com a linguagem.

Da paróquia de São José, Berto Cabrera levou-os a um dos acampamentos montados às margens do rio Grande; era um povoado miserável de papelão, toldos, colchões, cheio de vira-latas, ratos e dejetos, lar temporário de mendigos, delinquentes, drogados e emigrantes à espera de uma oportunidade. "Ficaremos aqui até chegar o momento de pularmos para o outro lado", disse-lhes. Seus passageiros ousaram insinuar que esse não era o acordo. A senhora da padaria lhes dissera que dormiriam em hotéis.

— Já se esqueceram dos hotéis em que estivemos? Aqui na fronteira é preciso se acomodar. Quem não gostar, que volte por onde veio — replicou o coiote.

Do acampamento, podiam ver o lado norte-americano, vigiado dia e noite por câmeras, luzes, agentes em veículos militares, lanchas e helicópteros. Advertiam por alto-falantes àqueles que se aventuravam na água que estavam em território americano e deviam voltar. Nos últimos anos haviam reforçado a fronteira com milhares de agentes equipados com a mais recente tecnologia, mas os desesperados sempre encontravam uma maneira de burlar a vigilância. Ao perceber que seus clientes ficaram muito assustados ao ver o leito largo e agitado daquele rio de águas esverdeadas, Cabrera lhes disse que só se afogavam os estúpidos que tentavam passar nadando ou agarrando uma corda. Assim morriam centenas todos os anos, e seus corpos inchados ficavam presos nas rochas, espetados nos juncos da margem ou iam parar no golfo do México. A diferença entre a vida e a morte era a informação: saber onde, como e quando cruzar. No entanto, o mais perigoso não era o rio, advertiu-os, mas o deserto, com temperaturas infernais, que derretiam as pedras, sem água, atacados por escorpiões, gatos-montanheses e coiotes famintos. Perder-se no deserto significava morrer em questão de um ou dois dias. As serpentes — cascavéis, cobras-coral, da água e as velozes índigos — caçavam à noite, quando os emigrantes começavam a andar, porque de dia o calor era mortal. Não poderiam usar lanternas, pois os delatariam; deviam confiar nas orações e na boa sorte. Repetiu-lhes que eles eram viajantes de luxo e não ficariam atirados no deserto à mercê das víboras. Sua própria missão terminava quando cruzassem o rio Grande, mas nos Estados Unidos estaria seu sócio, pronto para conduzi-los a um lugar seguro.

A contragosto, os viajantes se instalaram no acampamento, sob um improvisado teto de papelão, que lhes oferecia um pouco de sombra no calor sufocante do dia e a ilusão de segurança à noite. Diferente de outros emigrantes, que dormiam enrolados em sacos de plástico, comiam uma vez por dia em alguma paróquia ou ganhavam alguns pesos trabalhando no que pudessem conseguir, eles dispunham de uma quantia que o coiote lhes entregava diariamente para comprar comida e garrafas de água; entretanto, Cabrera foi procurar um conhecido, que supunha estar drogado em algum lugar, para que os levasse ao outro lado. Antes de partir, deu-lhes instruções para que se mantivessem juntos e não deixassem a garota sozinha nem por um instante; estavam cercados de gente sem escrúpulos, especialmente os viciados, capazes de matar para ficar com suas mochilas ou tênis. No acampamento faltava comida, mas sobravam bebida, maconha, crack, heroína e uma variedade de comprimidos soltos sem nome, que, misturados com álcool, poderiam ser letais.

# Richard

*Nova York*

Nas viagens que Richard Bowmaster fizera durante anos com Horacio Amado-Castro, costumavam ir a lugares bem remotos, onde chegavam primeiro no Subaru e depois seguiam de bicicleta com uma barraca de campanha nas costas. A ausência do amigo era como uma pequena morte, havia deixado um vazio no espaço e no tempo de sua existência; gostaria de poder compartilhar com ele muitas coisas. Teria ocorrido a Horacio uma solução exata e razoável para o problema do cadáver no Lexus e ele a teria colocado em prática sem vacilar e morrendo de rir. Ele, por sua vez, sentia as picadas ameaçadoras da úlcera, um pássaro assustado em seu estômago. "Qual é o sentido de pensar no futuro? As coisas seguem seu curso e você não tem controle de nada; relaxe, irmão", era o conselho cem vezes repetidos por seu amigo. Acusava-o de viver em perpétuo diálogo consigo mesmo, resmungando, arrependendo-se, planejando. Dizia que só os seres humanos viviam concentrados em si mesmos, escravos de seu ego, observando-se, na defensiva, mesmo quando não estavam sendo ameaçados por nenhum perigo.

Lucía dizia algo parecido e dava como exemplo o chihuahua, que vivia eternamente grato e no presente, aceitando o que viesse sem se antecipar a uma possível desgraça, semelhante a outras que haviam acontecido em sua vida de cachorro abandonado. "Muita sabedoria zen para um animal tão pequeno", respondeu Richard quando ela enumerou essas virtudes. Admitia ser viciado em pensamento negativo, como afirmava Horacio. Aos 7 anos, já o preocupava que o sol se apagasse e terminasse com toda forma de vida no planeta. Era alentador que isso não houvesse acontecido. Horacio, por sua vez, nem sequer se preocupava com o aquecimento global; quando os polos derretessem e os continentes fossem submersos, seus bisnetos teriam morrido de velhos ou adquirido guelras de peixe. Achou que Horacio e Lucía se dariam bem, com seu insensato otimismo e inexplicável tendência à felicidade. Ele se sentia mais confortável em seu razoável pessimismo.

Quando viajava com Horacio, levava em consideração cada grama, porque deviam carregá-lo, e calculava cada caloria que seria necessária para mantê-los até que voltassem para casa. Horacio, improvisador nato, zombava dos preparativos obsessivos de Richard, mas a experiência demonstrara que eram extremamente úteis. Certa vez, esqueceram-se de levar fósforos e, depois de passar uma noite congelados e famintos, tiveram de voltar. Descobriram que fazer fogo esfregando pedaços de madeira era uma fantasia de escoteiros.

Com o mesmo cuidado que adotava ao planejar as viagens com seu amigo, Richard se organizou para a curta viagem ao lago. Fez uma lista exaustiva do que poderiam precisar em uma situação de emergência, desde a comida até sacos de dormir e baterias de reserva para as lanternas.

— A única coisa que lhe falta é um banheiro portátil, Richard. Não estamos indo para a guerra, há restaurantes e hotéis em todos os lugares — disse Lucía.

— Não podemos nos exibir em lugares públicos.

— Por quê?

— As pessoas e os carros não desaparecem de repente, Lucía. É bem provável que haja uma investigação policial. Podem nos identificar se deixarmos rastros.

— Ninguém presta atenção em ninguém, Richard. E nós parecemos um casal maduro em uma viagem de férias.

— Na neve? Em dois carros? Com uma menina chorona e um cachorro vestido de Sherlock Holmes? E você com esses cabelos coloridos? É claro que chamamos a atenção, mulher.

Colocou a complexa bagagem no porta-malas do Subaru, deixou comida suficiente para os gatos. Antes de dar a ordem de partir, ligou para a clínica, perguntando por Três, cujo estado era estável e devia continuar sob observação por mais alguns dias, e para sua vizinha, para avisar que estaria ausente por uns dias e pedir que desse uma olhada nos outros felinos. Confirmou mais uma vez que o arame do porta-malas do Lexus cumpria sua função e raspou o gelo dos vidros dos dois carros. Supunha que os documentos do automóvel estavam em ordem, mas quis ter certeza. No porta-luvas, encontrou o que procurava, mais um controle remoto e um chaveiro com uma única chave.

— Imagino que o controle serve para abrir a garagem dos Leroy.

— Sim — disse Evelyn.

— E a chave deve ser de sua casa.

— Não é da casa.

— Você sabe de onde é? Já a viu antes?

— A senhora Leroy me mostrou.

— Quando foi isso?

— Ontem. A senhora passou a sexta-feira na cama, estava muito deprimida, disse que todo o seu corpo doía; às vezes acontece, não consegue se levantar. Além disso, aonde iria com a tormenta? Mas ontem se sentiu melhor e resolveu sair. Disse que a chave estava no bolso do terno do senhor Leroy. Estava muito nervosa. Talvez pelo que acontecera com o pequeno Frankie na quinta-feira. Me pediu para medir sua taxa de açúcar de duas em duas horas.

— E?

— A tormenta da sexta-feira assustou Frankie, mas ontem ele estava bem. O açúcar estava estável. No carro também há uma pistola.

— Uma pistola? — Richard se sobressaltou.

— O senhor Leroy a tem para se proteger. Por causa de seu trabalho, diz.

— Qual é o seu trabalho?

— Não sei. A senhora me disse que seu marido nunca se divorciaria, porque ela sabe muitas coisas de seu trabalho.

— Um casal ideal, pelo visto. Suponho que era uma arma legal. Mas aqui não há nenhuma pistola, Evelyn. Melhor assim, menos um problema — comentou Richard depois de revistar o porta-luvas pela segunda vez.

— Esse Frank Leroy deve ser um bandido cuidadoso — resmungou Lucía.

— É melhor sairmos logo, Lucía. Iremos em caravana. Dentro do possível, tente não me perder de vista, mas com distância suficiente para frear a tempo, pois o chão está escorregadio. Deixe as lanternas acesas para você poder ver e para serem vistas pelos outros motoristas. Se estivermos em uma fila de veículos, ligue o pisca- alerta para avisar aqueles que vêm atrás...

— Dirijo há meio século, Richard.

— Sim, mas mal. Mais uma coisa. O gelo fica pior nas pontes, porque faz mais frio do que na terra — acrescentou e, com um gesto de relutante conformidade, estava pronto para partir.

Lucía se instalou ao volante do Subaru com Evelyn e Marcelo de copilotos e a rota traçada com lápis vermelho no mapa, porque não confiava muito no GPS e temia perder Richard de vista pelo caminho. Tinha instruções de se encontrar com ele em vários pontos caso se perdessem de vista e contavam com os celulares para se manter em contato; era uma viagem difícil, mas segura, disse a Evelyn para tranquilizá-la. Saiu do Brooklyn seguindo Richard de perto; não havia trânsito, mas a neve era um empecilho. Sentiu falta de suas músicas preferidas, como as de Judy Collins e Joni Mitchell, mas notou que Evelyn rezava à meia-voz e achou que seria desrespeitoso distraí-la. Marcelo, pouco habituado a andar de carro, gemia no colo da garota.

Richard, por sua vez, estava meio assustado e muito ansioso, apesar do comprimido verde que ingerira antes de partir. Se a polícia o parasse e revistasse o carro, estaria perdido. Qual explicação razoável poderia dar? Estava em um carro alheio, possivelmente roubado, com a infeliz Kathryn Brown, que nunca vira na vida, no porta-malas. O corpo estava ali havia muitas horas, mas, dada a temperatura abaixo de zero, certamente seguia em *rigor mortis*. Em tese, queria ver seu rosto para recordá-la depois e examiná-la para descobrir como morrera, mas na prática nem ele nem Lucía, e menos ainda Evelyn, quiseram voltar a abrir o porta-malas. Quem era de fato a mulher que viajava com ele no carro? Pelo que Evelyn havia contado sobre os Leroy, a jovem poderia ter sido assassinada para ficar de boca fechada, caso tivesse descoberto alguma coisa que incriminasse Frank Leroy. As atividades misteriosas daquele homem e seu comportamento violento, como contara Evelyn, eram propícios a sinistras suposições. Era razoável perguntar como conseguira documentos falsos para Evelyn; devia contar com recursos ilegais. Lucía lhe dissera que a garota tinha documentos de uma tribo de nativos americanos.

Precisava ligar para seu pai; gostaria de lhe pedir conselhos, ou melhor, de se exibir um pouco, provar que não era um homem insignificante, que era capaz de se atirar em uma loucura como aquela. Mas seria imprudente contar a história pelo telefone. Já imaginava a surpresa e a felicidade do velho Joseph quando lhe contasse. Certamente vai querer conhecer Lucía; aqueles dois se dariam muito bem. "Tudo isso supondo que sairemos com vida... Estou ficando paranoico, como diz Lucía. Ajude-nos, Anita; ajude-nos, Bibi", pediu em voz alta, como costumava fazer quando estava sozinho. Era uma forma de se sentir acompanhado. "Agora preciso mais de proteção do que de companhia", acrescentou.

Sentiu a presença de Anita tão claramente que se virou para ver se por acaso ela não estava no assento ao seu lado. Não seria a primeira vez que ela aparecia, mas sempre chegava e partia tão fugazmente que ele ficava duvidando de suas próprias faculdades. Era pouco inclinado a arroubos de fantasia, achava-se rigoroso no raciocínio e exigente na comprovação dos fatos, mas Anita sempre escapara a esses parâmetros. Aos 60 anos, envolvido em uma missão demente, meio paralisado pelo frio, porque o aquecimento do automóvel estava desligado para preservar o cadáver do porta-malas e o quebra-vento entreaberto para evitar que o vidro ficasse embaçado, Richard examinou mais uma vez seu passado e concluiu que os anos mais felizes haviam sido os que vivera ao lado de Anita, antes que a desgraça os atingisse.

Aquela foi a época em que esteve realmente vivo. Apagaram-se de sua mente os problemas cotidianos, os mal-entendidos provocados pelas diferenças de idioma e cultura, a constante intromissão de seus sogros e cunhados, a chatice dos amigos que se instalavam em sua casa a qualquer hora sem terem sido convidados, os rituais de Anita que ele considerava pura superstição e, sobretudo, as manifestações explosivas dela quando ele bebia além da conta. Não recordava suas crises, quando seus olhos dourados ficavam da cor do alcatrão, nem seus ciúmes frenéticos ou seus ataques de loucura, nem quando tinha de segurá-la na porta com atitudes de carcereiro para impedir que o abandonasse. Só se lembrava dela em seu estado original, apaixonada, vulnerável e generosa. Anita, a do amor férreo e da ternura fácil. Eram felizes. As brigas duravam pouco e as reconciliações se prolongavam por dias e noites inteiros.

Richard foi uma criança estudiosa e tímida, eternamente doente do estômago, o que o salvou de participar dos esportes brutais das escolas norte-americanas e o conduziu inevitavelmente à vida acadêmica. Estudou ciências políticas e especializou-se em questões brasileiras porque falava português; na infância passara muitas férias com seus avós maternos em Lisboa. Sua tese de doutorado foi sobre as manobras da oligarquia brasileira e seus aliados, que levaram, em 1964, à derrubada do carismático presidente esquerdista João Goulart e ao fim de seu modelo político-econômico. Goulart fora deposto por um golpe militar apoiado pelos Estados Unidos com base na Doutrina de Segurança Nacional, que objetivava combater o comunismo, como tantos outros governos do continente, antes e depois do Brasil. Foi substituído por sucessivas ditaduras militares que durariam 21 anos, com períodos de repressão cruel, encarceramento de opositores, censura à imprensa e à cultura, tortura e desaparecimentos.

Goulart morreu em 1976, depois de ter ficado mais de uma década exilado no Uruguai e na Argentina. A versão oficial atribuiu sua morte a um ataque do coração, mas o rumor popular dizia que fora envenenado por inimigos políticos, temerosos de que voltasse do desterro para sublevar os despossuídos. Como não foi feita uma autópsia, a suspeita carecia de fundamento, mas anos depois serviria a Richard de pretexto para entrevistar Maria Thereza, viúva de Goulart, que voltara ao seu país e aceitou recebê-lo para uma série de entrevistas. Richard se viu diante de uma dama com a elegância e a segurança que a beleza outorga quando se é de nascimento. A viúva respondeu às suas perguntas, mas não pôde dirimir as dúvidas sobre a morte de seu marido. Aquela mulher, representante de um ideal político e de uma época que já faziam parte da História, provocou em Richard um fascínio incurável pelo Brasil e sua gente.

Richard Bowmaster chegou ao país em 1985, quando ia completar 29 anos. Na época, a ditadura estava mais branda, haviam sido restaurados alguns direitos políticos, havia um programa de anistia para pessoas acusadas de delitos políticos, e a censura era menor. Mais importante, o governo aceitara a vitória da oposição nas eleições parlamentares de 1982.

Richard testemunhou a eleição indireta de um presidente civil. A população manifestou seu repúdio ao governo militar e aos seus partidários comemorando a vitória do candidato da oposição; mas, em uma trapaça da história, ele morreu antes de assumir o cargo. Coube a seu vice-presidente, José Sarney, um proprietário de terras próximo aos militares, inaugurar a "Nova República" e consolidar a transição para a democracia. O momento era fascinante para um estudioso de política como Richard. O país enfrentava problemas muito graves de todo tipo, tinha a maior dívida externa do mundo, estava parado em uma recessão, o poder econômico se concentrava em poucas mãos, e o restante da população sofria inflação, desemprego, pobreza e desigualdade, que condenava muitos a uma permanente miséria. Havia material de sobra para o que ele queria pesquisar e os artigos que pensava em publicar, mas, ao lado desses desafios intelectuais, havia a forte tentação de aproveitar ao máximo sua juventude no ambiente hedonista em que aterrissara.

Instalou-se no Rio de Janeiro, em um pequeno apartamento destinado a estudantes, trocou o duro sotaque de Portugal pelo doce brasileiro, aprendeu a beber caipirinha, que lhe caía como ácido de bateria no estômago, e se aventurou com certa cautela pela vida alvoroçada da cidade. Como as garotas mais atraentes estavam nas praias e nas pistas de dança, propôs-se a aprender a nadar e dançar. Até aquele momento jamais pensara em dançar. Alguém lhe recomendou a academia de Anita Farinha, onde se matriculou com o objetivo de aprender samba e outros ritmos da moda, mas tinha o esqueleto rígido de tantos homens brancos e um extremo senso de ridículo. Era o pior aluno da academia, mas seu esforço valeu a pena; ali conheceu o único amor de sua vida.

A remota herança africana de Anita Farinha se manifestava na exuberância de seu corpo; cintura fina, pernas robustas e um traseiro redondo que ondulava a cada passo sem que tivesse a menor intenção de seduzir ninguém. Carregava a música e a graça no sangue. Em sua academia, ficava evidente o esplendor de sua natureza, mas Anita fora dela era uma jovem formal, retraída, de conduta impecável e apegada à sua extensa e ruidosa família. Praticava, sem fanatismo, sua própria religião, uma salada de crenças católicas e animistas, temperada com mitologia feminina. De vez em quando, ia com suas irmãs a cerimônias de candomblé, a religião dos escravos africanos, que no passado era limitada aos negros, mas ia ganhando adeptos entre os brancos da classe média. Anita tinha seu orixá protetor, seu guia divino na realização de seu destino: Iemanjá, deusa da maternidade, da vida e dos oceanos — explicou isso a Richard na única vez que a acompanhou a uma cerimônia e ele achou que era brincadeira. Esse paganismo, como tantos outros costumes de Anita, lhe parecia exótico e encantador. Ela também riu, porque acreditava mais ou menos; era preferível acreditar em tudo a não acreditar em nada, assim corria menos risco de irritar os deuses, no caso de existirem.

Richard perseguiu-a com uma determinação insana, inesperada em uma pessoa tão sensata quanto ele, até que conseguiu se casar com ela, uma vez que foi aceito, depois de um sem-fim de visitas de cortesia, pelos 37 membros da família Farinha. Seu pai viajou especialmente ao Brasil para testemunhar o casamento. Seu filho seria malvisto se aparecesse sozinho. Joseph Bowmaster estava vestido de luto dos pés à cabeça pela morte recente de Cloé, a mulher que mais amara, mas colocara uma flor vermelha na casa do botão da lapela. Richard teria preferido uma cerimônia privada, mas apenas os parentes e amigos íntimos de Anita somavam mais de duzentos convidados. Por parte do noivo, só estavam presentes seu pai, seu amigo Horacio Amado-Castro, que chegara dos Estados Unidos de surpresa, e Maria Thereza Goulart, que adquirira certo afeto maternal pelo belo estudante norte-americano.

A viúva do presidente, ainda jovem e bela — era 21 anos mais jovem do que seu marido —, chamou a atenção dos presentes e, para

Richard, foi um valioso respaldo diante do espantoso clã de Anita. Foi ela quem o fez ver o óbvio: ao se casar com Anita, casava-se também com sua família. O casamento não ficou sob a responsabilidade dos noivos, mas sim da mãe, das irmãs e das cunhadas de Anita, mulheres tagarelas e afetuosas que viviam em permanente comunicação, esmiuçando cada detalhe de suas vidas. Elas cuidaram dos detalhes, desde o menu do banquete até o véu de grinalda da cor de manteiga que Anita teve de usar porque pertencera à sua falecida bisavó. Os homens da família tinham um papel mais decorativo; exerciam seu poder, se é que o tivessem, fora de casa. Todos tratavam Richard com tamanha cordialidade que ele demorou muito para perceber que todos os Farinha desconfiavam dele. Nada disso o afetava, porque o amor que compartilhava com Anita era a única coisa que realmente lhe importava. Não podia ter adivinhado o domínio que a família Farinha iria exercer em seu casamento.

A felicidade do casal se multiplicou quando nasceu Bibi. A filha chegou no segundo ano do casamento, tal como Iemanjá anunciara no jogo de búzios, e foi um presente tão excessivo que Anita temia o preço que a deusa lhe cobraria pela preciosa menina. Richard ria das pulseiras de cristal de quartzo destinadas a protegê-la do mau-olhado e de outras precauções tomadas pela mulher. Anita o proibiu de se gabar da felicidade; era perigoso despertar a inveja.

Os melhores momentos desse período, que muitos anos depois ainda tinham o poder de acelerar as batidas de seu coração, eram quando Anita se aninhava em seu peito com a mansidão de um gato ou se sentava em seus joelhos e afundava o nariz em seu pescoço, ou quando Bibi dava seus primeiros passos com a graça de sua mãe e um sorriso nos dentes de leite. Anita de avental cortando frutas no verão; Anita em sua academia ondulando como uma enguia ao som de um violão; Anita ronronando adormecida em seus braços depois de fazer amor; Anita pesada, com sua barriga de melancia, apoiando-se nele para subir a escada; Anita na cadeira de balanço com Bibi grudada no peito, cantando baixinho na luz alaranjada da tarde.

Nunca ousou duvidar de que aqueles anos também foram os melhores de Anita.

# Lucía e Richard

*Norte de Nova York*

Pararam pela primeira vez em um posto de gasolina, meia hora depois de terem saído do Brooklyn, e compraram correntes para as rodas do Lexus. Richard Bowmaster tinha pneus de neve no Subaru desde os tempos em que ia pescar com Horacio no lago congelado. Advertira Lucía sobre o perigo do gelo que cobria o pavimento, responsável pela maioria dos acidentes graves no inverno. "Mais uma razão para manter a calma. Relaxe, homem", respondeu ela, repetindo, sem saber, o conselho de Horacio. Tinha instruções de esperá-lo a meio quilômetro de distância em um desvio, enquanto ele comprava as correntes.

Richard foi atendido por uma velha senhora grisalha, única alma viva no posto, que foi hábil e mais forte do que seria possível presumir com um simples olhar. Ela mesma colocou as correntes em menos de vinte minutos, sem aparentar estar sentindo frio, enquanto lhe contava aos gritos que era viúva e tocava sozinha o negócio, dezoito horas por dia e sete dias por semana, inclusive em um domingo como aquele, quando ninguém se atrevia a sair de casa. Não tinha peças de reposição para o farol traseiro.

— Aonde vai com este clima? — perguntou a anciã ao cobrar.

— A um funeral — respondeu ele com um calafrio.

Pouco depois, os dois carros deixaram a rodovia federal e avançaram dois quilômetros por uma estrada vicinal, mas tiveram de voltar porque chegaram a um ponto intransponível; os veículos de limpar neve estavam sem passar por ali havia vários dias. Cruzaram com poucos veículos e com nenhum dos enormes caminhões ou ônibus que ligavam Nova York ao Canadá, pois haviam acatado a ordem de evitar as estradas até segunda-feira, quando o trânsito estaria normalizado. As florestas de pinheiros encharcados se perdiam no branco infinito do céu, e o caminho era apenas um traço de grafite entre colinas de neve. A cada tantos quilômetros, precisavam parar para raspar o gelo do para-brisas; a temperatura era de vários graus abaixo de zero e continuava caindo. Richard invejou as mulheres, que iam no Subaru com a calefação a todo vapor. Vestira um gorro de esqui e estava tão vestido que mal conseguia dobrar os cotovelos e os joelhos.

Com o passar das horas, os comprimidos que Richard tomara surtiram efeito e a profunda angústia que sentira antes de partir foi se dissipando. As interrogações sobre Kathryn Brown perderam a urgência; tudo fazia parte de um romance alheio cujas páginas haviam sido escritas por outros. Sentia certa curiosidade pelo futuro imediato, desejo de saber como acabaria a novela, mas não se sentia pressionado a chegar a seu destino. Chegaria mais cedo ou mais tarde e cumpriria sua missão. Dizendo melhor, cumpriria a missão preconizada por Lucía. Ela estava no comando, ele só devia obedecer a ela. Flutuava.

A paisagem era imutável, o tempo passava na esfera do relógio e os quilômetros se somavam, mas ela não avançava, estava parado no mesmo lugar, submerso em um espaço branco, hipnotizado pela monotonia. Nunca dirigira em um inverno tão rigoroso quanto aquele. Tinha consciência dos perigos do caminho, como o advertira Lucía, e do risco mais iminente de ser vencido pelo sono, que já lhe pesava nas pálpebras. Ligou o rádio, mas a péssima sintonia e a estática o irritaram: optou por continuar em silêncio. Esforçou-se para voltar à realidade, ao carro, à estrada, à viagem. Bebeu alguns goles do café morno da garrafa térmica, pensando que na próxima cidade precisaria ir ao banheiro e tomar um café forte e bem quente com duas aspirinas.

Pelo espelho retrovisor, vislumbrava ao longe os faróis do Subaru, que desapareciam nas curvas e reapareciam pouco depois, e temeu que Lucía estivesse tão cansada quanto ele. Tinha dificuldade de se situar no momento presente, seus pensamentos se enredavam, misturados com imagens do passado.

No Subaru, Evelyn continuava rezando aos sussurros por Kathryn Brown, como faziam em seu povoado pelos mortos. A alma da jovem não pudera voar ao céu, porque a morte a pegara de repente, quando menos esperava, e ficou presa no meio do caminho. Certamente ainda estava presa no porta-malas. Isso era um sacrilégio, uma imperdoável falta de respeito. Quem se despediria de Kathryn com os rituais apropriados? Uma alma penada é a coisa mais lamentável do mundo. Ela era a responsável. Se não tivesse pegado o carro para ir à farmácia, nunca teria ficado sabendo da morte de Kathryn Brown, mas, ao fazê-lo, as duas ficaram amarradas. Seriam necessárias muitas orações para liberar sua alma e nove dias de luto. Pobre Kathryn, ninguém havia chorado por ela nem se despedira dela. Em seu povoado, sacrificavam um galo para que acompanhasse o falecido ao outro lado e se bebia rum para brindar sua viagem ao céu.

Evelyn rezava e rezava, um rosário atrás do outro, enquanto Marcelo, cansado de gemer, adormecera com a língua de fora e os olhos entreabertos, porque as pálpebras só os cobriam pela metade. Lucía acompanhou Evelyn por um tempo na ladainha de pais-nossos e ave-marias que aprendera na infância e conseguia recitar sem vacilação, embora não tivesse rezado ao longo de quarenta e tantos anos. A repetição monótona lhe deu sono e, para se distrair um pouco, começou a contar a Evelyn parte de sua vida e a perguntar sobre a dela. Haviam conquistado confiança mútua, e a garota gaguejava menos.

Começou a escurecer e voltou a nevar, tal como Richard temia, sem que tivessem chegado ao povoado, onde planejavam ir ao banheiro e comer alguma coisa. Tiveram que reduzir a velocidade. Tentou se comunicar com Lucía pelo celular, mas, como não havia sinal, parou na beira da estrada com as luzes piscando. Lucía parou atrás e, então, limparam o gelo dos vidros, borrifaram *spray* anticongelante neles e compartilharam uma garrafa térmica de chocolate quente e sonhos. Precisaram convencer Evelyn de que não era o momento apropriado para jejuar por Kathryn, bastavam as orações. A temperatura dentro do Lexus era semelhante à do lado de fora e, por mais roupa que Richard vestisse, estava tremendo de frio. Aproveitou para estirar as pernas dormentes e aquecer-se um pouco com pulos e palmadas. Checou se tudo estava em ordem nos dois carros, mostrou o mapa a Lucía mais uma vez e deu ordem para continuar.

— Quanto falta? — perguntou ela.

— Bastante. Não teremos tempo para comer.

— Estamos dirigindo há seis horas, Richard.

— Eu também estou cansado e estou morrendo de frio, vou ter uma pneumonia, já a estou sentindo nos ossos, mas temos que chegar à cabana ainda com a luz do dia. Fica isolada e, se não conseguirmos ver a entrada, podemos passar por ela.

— E o GPS?

— Ele não indica a saída da estrada. Sempre fiz o trajeto de memória, mas preciso de visibilidade. O que aconteceu com o chihuahua?

— Nada.

— Parece morto.

— Fica assim quando dorme.

— Que animal feio!

— Que não o ouça, Richard. Preciso fazer xixi.

— Terá que ser aqui mesmo. Cuidado para não ficar com o traseiro congelado.

As duas mulheres se acocoraram ao lado do Subaru; Richard urinou atrás do Lexus. Marcelo levantou o nariz quando se viu abandonado, deu uma olhada para fora e resolveu aguentar. Ninguém o convenceria a pisar na neve.

Retomaram a viagem e, 27 quilômetros depois, se aproximaram de um pequeno povoado, apenas uma rua principal com as lojas habituais, um posto de gasolina, dois bares e casas térreas. Richard compreendeu que de maneira nenhuma conseguiriam chegar ao lago ainda claro e decidiu que passariam a noite ali. O vento e o frio se intensificavam e ele precisava se aquecer, sua mandíbula estava endurecida de tanto os dentes baterem uns contra os outros. A ideia de passar a noite em um hotel o preocupava, não queria chamar atenção, mas pior seria seguir em frente na escuridão e se perder. Os celulares estavam com sinal e deu para avisar Lucía da mudança de planos. Tinha pouca esperança de encontrar um lugar decente, mas passaram por um motel, que tinha uma vantagem: os quartos davam diretamente para o estacionamento e poderiam passar despercebidos. Na recepção, impregnada de cheiro de creosoto, lhe avisaram que o motel estava sendo reformado e só havia um quarto disponível. Richard pagou 49,90 dólares em espécie e depois foi chamar as mulheres.

— É tudo o que há. Vamos ter que compartilhar o quarto — anunciou.

— Finalmente você vai dormir comigo, Richard! — exclamou Lucía.

— Hum... Estou preocupado em deixar Kathryn no carro — disse ele, mudando de assunto.

— Quer dormir com ela?

O aposento cheirava como a recepção e tinha o aspecto provisório de uma péssima cenografia teatral. O pé-direito era mínimo, os móveis estavam em péssimo estado, tudo coberto pela pátina lúgubre das coisas ordinárias. Havia duas camas, uma televisão velha, um banheiro com manchas indeléveis e um gotejar permanente no lavatório, mas havia um fogareiro elétrico para ferver água, chuveiro quente e boa calefação. De fato, fazia um calor sufocante no quarto e, em poucos minutos, o frio de Richard passou e começou a tirar as camadas de roupa grossa. O tapete da cor de café e as colchas com quadrados pretos e azuis precisavam com urgência de uma limpeza profunda, mas os lençóis e as toalhas, embora gastos, estavam limpos. Marcelo correu para o banheiro e urinou longamente em um canto diante do olhar divertido de Lucía e o espantado de Richard.

— E agora, o que vamos fazer? — perguntou Richard.

— Imagino que, no meio dos apetrechos de guerra que você empacotou, tem toalhas de papel. Irei buscá-las, você já pegou muito frio.

Pouco depois, Richard, já recuperado do medo de pegar uma pneumonia, disse que iria procurar comida, porque, com aquele clima, jamais conseguiriam que entregassem uma pizza, e o motel não tinha cozinha, só um bar, no qual a única coisa comestível eram azeitonas e batatas fritas envelhecidas. Supôs que, por mais humilde que fosse o povoado, deveria haver um restaurante chinês ou mexicano. Ainda tinham provisões, mas preferiram deixá-las para o dia seguinte. Quarenta minutos depois, quando Richard voltou com comida chinesa e café em duas garrafas térmicas, encontrou Lucía e Evelyn vendo notícias sobre o temporal na televisão.

— Na sexta-feira foram registradas as temperaturas mais baixas desde 1869, no estado de Nova York. A tormenta durou quase três horas, mas vai continuar nevando mais uns dias. Provocou milhões de dólares de prejuízos. A tormenta tem um nome, se chama *Jonas* — informou-lhe Lucía.

— No lago será pior. Quanto mais ao norte, maior o frio — disse Richard, tirando o jaquetão, o colete, o cachecol, o gorro de esqui e as luvas.

Percebeu que uma mosca raquítica pousara na camiseta, mas, ao sacudi-la, o inseto desapareceu de um salto.

— Uma pulga! — exclamou, dando tapas em todo o corpo, desesperado.

Lucía e Evelyn mal levantaram os olhos da televisão.

— Pulgas! Há pulgas aqui! — repetia Richard, coçando-se.

— O que você esperava por 49,90 dólares, Richard? Elas não picam os chilenos — disse ela.

— Nem a mim — acrescentou Evelyn.

— Picam você porque seu sangue é fraco — diagnosticou Lucía.

As embalagens do restaurante chinês tinham um aspecto deprimente, mas o conteúdo era menos terrível do que esperavam. Embora o excesso de sal eliminasse o sabor dos outros ingredientes, devolveu o ânimo a todos. Até mesmo ao chihuahua, que era muito chato, porque tinha dificuldade de mastigar. Richard continuou se coçando por algum tempo, até que se resignou às pulgas e preferiu não pensar nas baratas que surgiriam de todos os lugares assim que apagassem as luzes. Sentiu-se abrigado e seguro naquele quarto triste de hotel, unido às mulheres pela aventura, tateando o terreno da amizade e emocionado por estar tão perto de Lucía. Estava tão pouco familiarizado com essa aprazível sensação de felicidade que não soube reconhecê-la.

Havia comprado uma garrafa de tequila Méndez, a única que encontrou no bar do hotel, como lhe pedira Lucía, para colocar no seu café e no de Evelyn. Pela primeira vez em muitos anos, sentiu vontade de tomar um trago, mais por camaradagem do que por necessidade, mas descartou. A experiência lhe havia inculcado muita cautela com o álcool; começava molhando os lábios e terminava enfiando a cabeça no vício. Dormir seria impossível, ainda era muito cedo, embora lá fora estivesse totalmente escuro.

Como não conseguiram chegar a um acordo em relação aos programas de televisão e a única coisa que se esqueceram de incluir na bagagem foram livros, terminaram falando de suas vidas, como haviam feito na noite anterior, sem a magia do biscoito, mas com a mesma leveza e confiança. Richard quis saber do casamento fracassado de Lucía, porque conhecera seu marido, Carlos Urzúa, na universidade. Admirava-o, mas não disse isso a ela, porque supôs que o homem não devia ser tão admirável no plano pessoal.

# Lucía

*Chile*

Ao longo dos vinte anos de seu casamento, Lucía Maraz teria sido capaz de apostar que o marido era fiel, porque achava que ele era muito ocupado para navegar pelas estratégias dos amores secretos, mas nisso, como em tantas outras coisas, o tempo iria demonstrar que estava enganada. Orgulhava-se de lhe ter dado um lar estável e uma filha maravilhosa. A participação dele nesse projeto foi forçada a princípio e negligente depois, não por maldade, mas por fraqueza de caráter, como passou a afirmar Daniela quando teve idade para julgar seus pais sem condená-los. Desde o começo, o papel de Lucía foi amá-lo e o dele, o de se deixar amar.

Conheceram-se em 1990. Lucía havia voltado ao Chile depois de quase dezessete anos de exílio e conseguira um emprego de produtora de televisão com muita dificuldade; milhares de jovens mais qualificados do que ela estavam em busca de trabalho. Havia pouca simpatia por aqueles que regressavam: a esquerda acusava-os de terem partido por covardia e a direita dizia que eram comunistas.

A capital mudara tanto que Lucía não reconhecia as ruas onde passara sua juventude, cujos nomes, de santos e flores, haviam sido substituídos pelos de militares e heróis de guerras passadas. A cidade brilhava com a limpeza e a ordem dos quartéis, os murais inspirados no realismo socialista haviam desaparecido e, em seu lugar, havia muros brancos e árvores bem-cuidadas. Nas margens do rio Mapocho, haviam criado parques para as crianças e ninguém se lembrava do lixo e dos corpos que certa vez aquelas águas haviam arrastado. No centro, os edifícios cinzentos, o tráfego de ônibus e motocicletas, a pobreza maldissimulada dos funcionários dos escritórios, as pessoas cansadas e as crianças fazendo malabarismo nos semáforos para mendigar alguns pesos contrastavam com os centros comerciais do bairro alto, iluminados como circos, onde era possível satisfazer desejos extravagantes: caviar do Báltico, chocolate de Viena, chá da China, rosas do Equador, perfumes de Paris... Tudo ao alcance de quem pudesse pagar. Havia duas nações compartilhando o mesmo espaço, a pequena nação da afluência e das pretensões cosmopolitas e a grande nação de todos os demais. Nos bairros de classe média, respirava-se um ar de modernidade a crédito e, nos da classe alta, de refinamento importado de outros lugares. Ali, as vitrines eram semelhantes às da Park Avenue e as mansões protegidas por cercas eletrificadas e cães de guarda. Perto do aeroporto e ao longo da autoestrada, no entanto, havia bairros miseráveis ocultos da vista dos turistas por muralhas e enormes cartazes publicitários com garotas loiras de calcinha e sutiã.

Aparentemente, restava pouco do Chile modesto e esforçado que Lucía conhecia. A ostentação estava na moda. No entanto, bastava afastar-se da cidade para recuperar um pouco do velho país; as vilas de pescadores, os mercados populares, as pensões com sopa de peixe e pão recém-assado, as pessoas simples e hospitaleiras que falavam com a pronúncia antiga e riam tapando a boca com a mão. Ela gostaria de viver na província, afastada do barulho, mas só poderia fazer seu trabalho investigativo na cidade.

Sabia que era forasteira em sua terra, estava desconectada da rede de relações sociais sem a qual praticamente nada era possível, perdida nos vestígios de um passado que não se ajustava ao Chile apressado do presente.

Não entendia as senhas nem os códigos, até o humor havia mudado, o idioma estava infestado de eufemismos e cautela, porque ainda restava o sabor da censura dos tempos duros. Ninguém lhe perguntou sobre os anos em que estivera ausente, ninguém quis saber onde estivera nem como fora sua vida. Esse parêntese de sua vida se apagara por completo.

Vendera sua casa de Vancouver e economizara algum dinheiro, o que lhe permitiu instalar-se em um apartamento pequeno, mas bem situado, em Santiago. Sua mãe achou ofensivo que não quisesse morar com ela, mas, aos 36 anos, Lucía precisava de independência. "Esse deve ser o costume no Canadá, mas aqui as filhas solteiras vivem com os pais", insistia Lena. O salário lhe permitia manter-se a duras penas, enquanto preparava seu primeiro livro. Pensara em terminá-lo em um ano, mas logo compreendeu que fazer as pesquisas necessárias seria muito mais difícil do que imaginara. O governo militar terminara há poucos meses, derrotado em um plebiscito, e uma democracia limitada e cautelosa dava seus primeiros passos em um país ferido pelo passado. Respirava-se um ar de prudência, e o tipo de informação que ela procurava fazia parte da história secreta.

Carlos Urzúa era um advogado famoso e polêmico que colaborava com a Comissão Interamericana de Direitos Humanos. Lucía foi entrevistá-lo para o livro depois de ter tentado marcar um encontro por várias semanas, pois ele vivia viajando e era muito ocupado. Seu escritório, instalado em um edifício sem graça do centro de Santiago, consistia de três salas cheias de escrivaninhas e arquivos metálicos com pastas que transbordavam das gavetas, livros jurídicos, fotografias em preto e branco de pessoas, quase todas jovens, pregadas com tachas em um painel e um quadro--negro com datas e prazos. Os únicos sinais de modernidade eram dois computadores, um fax e uma copiadora Xerox. Em um canto, teclando em ritmo de pianista em uma máquina de escrever elétrica, estava

Lola, sua secretária, uma mulher corpulenta e rosada, com a aparência inocente de uma freira. Carlos recebeu Lucía atrás de sua escrivaninha, na terceira sala, que só se distinguia das outras por uma árvore plantada em um cachepô, milagrosamente viva nas sombras tenebrosas daquele escritório. Estava impaciente.

O advogado completara 51 anos e irradiava a vitalidade de um atleta. Era o homem mais atraente que Lucía já vira e provocou nela uma paixão instantânea e devastadora, um calor primitivo e desmedido, que logo se transformaria em fascínio por sua personalidade e o trabalho que fazia. Passou alguns minutos desorientada, tentando se concentrar em suas perguntas, enquanto ele esperava batendo na escrivaninha com um lápis, exasperado. Temendo que a despachasse sob algum pretexto, Lucía ficou com os olhos cheios de água e explicou que havia muitos anos estava fora do Chile e sua obsessão por investigar a história dos desaparecidos era muito pessoal, porque seu irmão era um deles. Desconcertado com a mudança da situação, ele empurrou para Lucía uma caixa de lenços de papel e lhe ofereceu um café. Ela assoou o nariz, envergonhada por ter perdido o controle diante daquele homem que, sem dúvida, vira milhares de casos semelhantes aos dela.

Lola levou café instantâneo para ela e um saquinho de chá para ele. Ao entregar a xícara a Lucía, a mulher colocou uma mão em seu ombro e a deixou ali por alguns segundos. Esse inesperado gesto de bondade desencadeou outra crise de choro, que abrandou Carlos.

Então, conseguiram conversar. Lucía deu um jeito para prolongar aquelas xícaras exageradamente; Carlos tinha informações que não conseguiria obter sem a sua ajuda. Durante mais de três horas, ele respondeu às suas perguntas, tentando explicar o inexplicável e, por fim, quando os dois estavam exaustos e já anoitecera, colocou à sua disposição o material de seus arquivos. Lola havia saído um pouco antes, mas Carlos disse a Lucía que voltasse; sua secretária lhe daria acesso às informações que desejava.

A situação não tinha nada de romântica, mas o advogado percebeu a impressão que havia causado naquela mulher e, como a achara atraente, resolveu acompanhá-la até a sua casa, embora, por princípio, se abstivesse de se relacionar com mulheres complicadas e menos ainda com as choronas. Os traumas emocionais e as desgraças com as quais era obrigado a se envolver diariamente em seu trabalho eram suficientes. No apartamento de Lucía, aceitou provar sua receita de pisco sour. Em tom de brincadeira, sempre afirmaria que ela o aturdira com o álcool e o seduzira com ares de bruxa. A primeira noite transcorreu na nebulosidade do pisco e a mútua surpresa de se verem juntos na cama. No dia seguinte, ele saiu muito cedo, despedindo-se com um beijo casto, e ela não soube mais dele. Carlos não ligou para ela nem retornou seus telefonemas.

Três meses depois, Lucía Maraz apareceu de surpresa no escritório de Urzúa. Lola, a secretária, que estava à sua mesa teclando com a mesma fúria da primeira vez, reconheceu-a de imediato e lhe perguntou quando iria examinar o material dos arquivos. Lucía não lhe disse que Carlos não retornara seus telefonemas, pois supôs que ela já soubesse. Lola levou-a à sala do chefe, deu-lhe uma xícara de café instantâneo e pediu que tivesse paciência, pois ele estava nos tribunais, mas, em menos de meia hora, Carlos chegou com o colarinho desabotoado e o paletó na mão. Lucía o recebeu de pé e anunciou, sem preâmbulos, que estava grávida.

Teve a impressão de que ele não se lembrava nem um pouco dela, mas Carlos lhe garantiu que não era verdade, que logicamente sabia quem era e tinha as melhores recordações daquela noite de pisco sour, que demorara a reagir por causa da supressa. Quando ela lhe disse que aquela era, provavelmente, sua última oportunidade de ser mãe, ele pediu, secamente, que fizesse um exame de DNA. Lucía esteve prestes a ir embora, decidida a criar a filha sozinha, mas foi detida pela recordação de sua própria infância sem pai e aceitou. O exame comprovou a paternidade de Carlos; não havia a menor possibilidade de dúvida, e, então, sua atitude de desconfiança e irritação desapareceu, substituída por um entusiasmo genuíno. Anunciou que se casariam, porque aquela também era sua última chance de superar o terror do casamento e queria ser pai, embora tivesse idade para ser avô.

Lena prognosticou que o casamento só duraria alguns meses, devido aos quinze anos de diferença de idade. Disse que, assim que a criança nascesse, Carlos Urzúa sairia correndo; um solteirão maníaco como ele não iria suportar os berros de um recém-nascido. Lucía se preparou para essa eventualidade com filosófico senso de realidade. No Chile, não havia lei de divórcio — que só seria promulgada em 2004 —, mas existiam maneiras de conseguir anular um casamento através de testemunhos falsos e juízes complacentes. O método era tão comum e eficiente que se contavam nos dedos os casais que permaneciam unidos a vida inteira. Propôs ao futuro pai que, depois que a criança nascesse, se separassem e continuassem amigos. Estava apaixonada, mas compreendeu que, se Carlos se sentisse aprisionado, acabaria a odiando. Ele rechaçou na hora a proposta, dizendo que era imoral, e ela pensou que, com o tempo e o hábito da intimidade, ele também poderia chegar a amá-la. Decidiu fazer com que isso acontecesse a qualquer preço.

Instalaram-se em uma casa malcuidada que Carlos herdara dos pais e ficava em um bairro que se desvalorizara desde que Santiago começara a se expandir em direção às colinas, onde as classes mais ricas preferiam viver, longe da névoa tóxica que costumava afogar a cidade. Por conselho da mãe, Lucía adiou as pesquisas para seu livro, pois o tema era tão mórbido que podia afetar a psique da criança durante a gestação. "Não convém a ninguém começar a vida no ventre de uma mulher que anda procurando cadáveres", disse Lena. Era a primeira vez que se referia aos desaparecidos nesses termos; era como colocar uma lápide em cima de seu filho.

Carlos concordou com a teoria da sogra e foi firme em sua decisão: só ajudaria Lucía a escrever o livro depois do parto. Aqueles meses de espera deveriam ser de alegria, doçura e repouso, disse, mas a gravidez de Lucía se manifestou com radiante energia e, em vez de tecer sapatinhos, pintou a casa por dentro e por fora. Fez cursos práticos e acabou forrando os móveis da sala e substituindo o encanamento da cozinha. O marido chegava do trabalho e a encontrava segurando um martelo com a boca cheia de pregos, ou arrastando a barriga embaixo da pia com um maçarico na mão. Atacou, com o mesmo entusiasmo, o quintal abandonado havia uma década e, com uma pá e uma picareta, transformou-o em um jardim desordenado, onde roseiras conviviam com alfaces e cebolas. Estava envolvida em um de seus projetos de alvenaria quando a bolsa amniótica rompeu, molhando suas calças. Achou que havia urinado sem perceber, mas sua mãe, que a visitava, chamou um táxi e a levou voando para a maternidade.

Daniela nasceu de sete meses, e Carlos atribuiu a precocidade ao comportamento irresponsável de Lucía. Alguns dias antes, enquanto pintava nuvens brancas no teto azul celeste do quarto da menina, caíra da escada. Daniela passou três semanas em uma incubadora e mais dois meses em observação na clínica. Aquela criatura pequenina, com a aparência de um macaco sem pelos, conectada a sondas e monitores, produzia no estômago de seu pai um vazio semelhante a náuseas, mas, quando, por fim, a menina foi instalada em seu berço na casa e agarrou seu dedo mindinho com determinação, conquistou-o para sempre. Daniela chegaria a ser a única pessoa à qual Carlos Urzúa conseguia submeter-se, a única que seria capaz de amar.

A profecia pessimista de Lena Maraz não se cumpriu, e o casamento de sua filha durou duas décadas. Durante quinze desses anos, Lucía manteve o romance vivo sem que houvesse algum esforço de seu marido, uma proeza de imaginação e perseverança. Antes de se casar, Lucía tivera quatro amores importantes; o primeiro foi o suposto guerrilheiro exilado que conhecera em Caracas, dedicado à luta teórica pelo sonho socialista de igualdade, que não incluía as mulheres, como ela haveria de descobrir muito em breve, e o último, um músico africano com músculos sinuosos e tranças decoradas com contas de plástico, que confessou que tinha duas esposas legítimas e vários filhos no Senegal. Lena chamava de "síndrome de árvore de Natal" a tendência de sua filha de decorar o objeto de sua fantasia com virtudes inventadas. Lucía escolhia um pinheiro ordinário e o adornava com enfeites e guirlandas douradas, que, com o tempo, iam caindo até ficar no chão como o esqueleto de uma árvore seca. Lena atribuía isso ao carma; superar a loucura da árvore de Natal era uma das lições que sua filha devia aprender nesta reencarnação, para evitar repetir o mesmo erro na próxima. Era católica fervorosa, mas adotara a ideia do carma e da reencarnação com a esperança de que seu filho Enrique voltasse a nascer e chegasse a cumprir uma vida completa.

Durante anos, Lucía atribuiu a indiferença de seu marido às imensas pressões de seu trabalho, sem suspeitar que gastava boa parte de sua energia e de seu tempo com amantes ocasionais. Conviviam amavelmente, cada um em suas atividades, em seu mundo e em seu próprio quarto. Daniela dormiu na cama da mãe até os 8 anos. Lucía e Carlos faziam amor quando ela ia ao quarto dele na ponta dos pés para não acordar a menina, humilhada porque a iniciativa quase sempre era dela.

Conformava-se com migalhas de carinho, orgulhosa de não pedir; virava-se sozinha, e ele lhe era grato.

# Richard

*Norte de Nova York*

As últimas horas do domingo poderiam ter sido eternas para Richard, Lucía e Evelyn, trancados no quarto do motel, sentindo o cheiro de creosoto e comida chinesa, mas passaram voando, contando suas vidas. Os primeiros a serem vencidos pelo sono foram Evelyn e o chihuahua. A garota ocupava um espaço minúsculo na cama que compartilhava com Lucía, mas Marcelo tomara conta do resto, esticado e com as patas rígidas.

— Como estarão os gatos? — perguntou Lucía a Richard por volta das dez horas, quando finalmente começaram a bocejar.

— Bem. Liguei para minha vizinha do restaurante chinês. Não quis usar o celular porque podem localizar a chamada.

— A quem vai interessar o que você disser, Richard? Além do mais, não podem vigiar os celulares.

— Já discutimos isso, Lucía. Se encontrarem o carro...

— Há bilhões e bilhões de chamadas se cruzando no espaço — interrompeu ela. Desaparecem milhares e milhares de veículos todos os dias, são abandonados, roubados, desmontados, suas peças são vendidas, acabam transformados em ferro-velho, são contrabandeados para a Colômbia...

— E também são usados para jogar cadáveres no fundo de um lago.

— Esta decisão o incomoda?

— Sim, mas é tarde para me arrepender. Vou tomar um banho — anunciou Richard, e foi para o banheiro.

"Lucía acha de fato que fica bem com esses cabelos de louca e suas botas de neve", pensou Richard enquanto a água fervente queimava suas costas, um remédio perfeito para o cansaço do dia e para as picadas das pulgas. Discutiam por detalhes, mas se davam bem; gostava daquela sua mistura de rudeza e carinho, da forma como se atirava na vida sem medo, de sua expressão entre divertida e irônica, de seu sorriso travesso. Em comparação, ele era um zumbi aos tropeços com a terceira-idade, mas com ela revivia. Seria bom envelhecerem juntos, de mãos dadas, pensou. Sentia marteladas no coração ao imaginar como estariam os cabelos pintados de Lucía sobre seu travesseiro e suas botas ao lado da cama, seu rosto tão perto do seu que poderia se perder em seus olhos de princesa turca. "Perdoe-me, Anita", murmurou. Havia muito tempo que estava sozinho, havia esquecido aquela ternura áspera, aquele desamparo na boca do estômago, aquela pressa do sangue, aquelas lufadas de desejo. "Será amor isso que está acontecendo comigo? Se for, não saberei o que fazer. Estou enredado." Culpou o cansaço; com a luz da manhã, sua mente estaria tranquila. Depois de se livrar do carro e de Kathryn Brown, iriam se despedir de Evelyn Ortega e, então, Lucía voltaria a ser apenas a chilena do porão. Mas não queria que esse momento chegasse, queria que os relógios parassem e nunca tivessem de se despedir.

Depois do banho, vestiu uma camiseta e calças porque não teve coragem de pegar o pijama que estava na mochila. Lucía zombara da imensa bagagem que preparara para apenas dois dias e acharia ridículo que tivesse trazido um pijama. E, pensando bem, era mesmo. Voltou animado para o quarto, consciente de que teria dificuldade para dormir; qualquer alteração de sua rotina lhe causava insônia e mais ainda se lhe faltasse seu travesseiro contra alergia de desenho ergonômico. Melhor não mencionar jamais seu travesseiro a Lucía, resolveu. Encontrou-a deitada nos poucos centímetros que o cachorro deixara livre.

— Tire-o da cama, Lucía — disse, aproximando-se com a intenção de afastar o animal.

— Nem pense nisso, Richard. Marcelo é muito sentimental, ficaria ofendido.

— Dormir com animais é perigoso.

— Por quê?

— É prejudicial à saúde, para começar. Quem sabe quais doenças podem...

— O que faz mal à saúde é viver lavando as mãos, como você faz. Boa noite, Richard.

— Como quiser. Boa noite.

Uma hora e meia depois, Richard começou a sentir os primeiros sintomas. Seu estômago estava pesado e sentia um gosto estranho na boca. Trancou-se no banheiro e abriu todas as torneiras para dissimular o barulho de suas tripas em ebulição. Abriu a janela para afastar o cheiro que ficara ali, tiritando diante da pia, maldizendo a hora em que provara a comida chinesa e perguntando-se como era possível que fosse o único doente dos três. Os espasmos do ventre fizeram com que suasse frio. Pouco depois, Lucía bateu à porta.

— Você está bem?

— A comida estava estragada — murmurou.

— Posso entrar?

— Não!

— Abra, Richard, deixe-me ajudá-lo.

— Não! Não! — gritou ele, com a pouca força de que dispunha.

Lucía forçou a porta, mas ele havia passado o ferrolho. Odiou-a naquele momento; a única coisa que queria era morrer ali mesmo, sujo de cocô e picado por pulgas, sozinho, completamente sozinho, sem testemunhas de seu flagelo, que Lucía e Evelyn desaparecessem, que o Lexus e Kathryn virassem fumaça, que os espasmos do ventre se acalmassem, expulsar de uma vez por todas a porcaria, começar a gritar de impotência e raiva. Lucía lhe disse através da porta que a comida não estava estragada, que não fizera mal a ela e a Evelyn, que aquilo iria passar, eram apenas os nervos, e se ofereceu para lhe fazer um chá. Não respondeu, sentia tanto frio que sua mandíbula havia congelado. Em dez minutos, como se ela tivesse invocado um milagre, seus intestinos se tranquilizaram, conseguiu ficar de pé, examinar seu rosto pálido no espelho e tomar outro longo banho quente, que acalmou seu tremor convulsivo. Um frio de quebrar os ossos entrava pela janela, mas não se atreveu a fechá-la nem a abrir a porta, enojado pelo cheiro. Ficaria ali tanto quanto fosse possível, mas compreendeu que a ideia de passar a noite no banheiro era pouco prática. Com os joelhos moles e ainda tiritando, finalmente saiu, fechando a porta às suas costas, e se arrastou até a cama. Lucía, descalça, descabelada e com uma camiseta branca que chegava aos joelhos, lhe trouxe uma xícara fumegante. Richard pediu perdão pelo cheiro, humilhado até à medula.

— Do que você está falando? Eu não senti nada, e Evelyn e Marcelo também não, os dois estão dormindo — respondeu ela, colocando a xícara em suas mãos. — Agora você vai descansar e amanhã estará como novo. Chega pra lá, vou dormir aqui.

— O que disse?

— Que se apresse, vou dormir na sua cama.

— Lucía... Você não poderia ter escolhido um momento pior, estou doente.

— Como você se faz de difícil, homem! Começamos mal. Caberia a você tomar a iniciativa e, em vez disso, me ofende.

— Perdoe, quis dizer que...

— Pare com estas frescuras. Eu não incomodo nem um pouco, durmo sem me mexer a noite inteira.

E, sem mais, enfiou-se no meio dos lençóis e se acomodou com três sacudidelas, enquanto Richard, sentado na cama, soprava e bebia o chá, demorando o máximo possível, desconcertado, sem saber como interpretar o que estava acontecendo. Por fim, deitou-se quieto ao seu lado, sentindo-se fraco, dolorido e maravilhado, completamente consciente da imensa presença daquela mulher, da forma de seu corpo, seu calor reconfortante, seu estranho cabelo branco, o contato inevitável, seu quadril, seu pé. Lucía dissera a verdade: dormia de costas, com os braços cruzados sobre o peito, solene e silenciosa como um cavaleiro medieval talhado na pedra de seu sarcófago. Richard achou que não ia grudar os olhos nas horas seguintes, que ficaria acordado, aspirando o aroma desconhecido e doce de Lucía, mas, antes de concluir a ideia, adormeceu. Feliz.

A segunda-feira amanheceu tranquila. A tormenta havia, finalmente, se dissolvido milhas adentro no oceano, e a neve cobria a paisagem como um manto de espuma, amortecendo todos os sons. Lucía dormia ao lado de Richard na mesma postura da noite anterior, enquanto Evelyn dormia na outra cama com o chihuahua enroscado no travesseiro. Ao despertar, Richard notou que ainda havia cheiro de comida chinesa no quarto, mas já não o incomodava como antes. Passara a noite inquieto, a princípio por falta de hábito de conviver e menos ainda de dormir com uma mulher, mas o sono o surpreendeu rapidamente e partiu flutuando sem gravidade no espaço sideral, um abismo vazio e infinito. No passado, quando bebia muito, costumava cair em estado semelhante, mas aquele era um estupor pesado muito diferente da abençoada paz dessas últimas horas no motel com Lucía ao seu lado. Viu no celular que já eram oito e quinze da manhã e se surpreendeu por ter dormido tantas horas depois do vergonhoso episódio do banheiro. Levantou-se com cuidado e foi buscar café fresco para Lucía e Evelyn; precisava espairecer e repassar os acontecimentos do dia e da noite anteriores, sentia-se agitado por dentro, sacudido por um ciclone de novas emoções. Acordara com o nariz no pescoço de Lucía, um braço atravessado sobre a sua cintura e uma ereção de adolescente. O calor íntimo daquela mulher, sua respiração tranquila, sua cabeça descabelada, tudo era melhor do que imaginara e o provocou com um misto de intenso erotismo e insuportável doçura de avô.

Pensou vagamente em Susan, com quem se encontrava regularmente em um hotel de Manhattan; aqueles encontros eram uma medida profilática. Davam-se bem e, uma vez satisfeitas as necessidades dos corpos, conversavam sobre tudo, mas não falavam de sentimentos. Nunca haviam dormido juntos, mas, quando tinham tempo, iam comer em um restaurante marroquino muito discreto e depois se separavam como bons amigos. Quando se cruzavam por acaso em algum dos prédios da universidade, cumprimentavam-se com amável indiferença, que não era uma fachada para encobrir a relação clandestina, mas o que ambos de fato sentiam. Estimavam-se, mas a tentação de se apaixonar jamais havia surgido.

O que sentia por Lucía não podia ser comparado; era o oposto. Com ela, apagaram-se décadas do calendário de Richard e ele voltou a se sentir com 18 anos. Acreditava que era imune e de repente se viu transformado em um garoto vitimado pelos hormônios. Se ela chegasse a suspeitar, zombaria dele sem piedade. Naquelas felizes horas da noite, esteve acompanhado pela primeira vez em 25 anos, muito próximo dela, respirando juntos. Foi muito simples dormir com ela, mas era muito complicado o que acontecia agora com ele, uma mistura de felicidade e terror, de antecipação e vontade de sair fugindo, a urgência do desejo.

"Isto é uma loucura", decidiu. Queria conversar com ela, esclarecer tudo, ver se ela sentia as mesmas coisas, mas não iria se precipitar, poderia assustá-la e pôr tudo a perder. Além do mais, com Evelyn ali, era muito pouco o que poderiam dizer. Devia esperar, mas a espera estava se tornando impossível. Talvez no dia seguinte já não estivessem mais juntos e teria passado o momento de lhe dizer o que devia dizer. Caso se atrevesse, soltaria ali mesmo, sem preâmbulos, que a amava, que na noite anterior desejara abraçá-la e não largá-la mais. Se ao menos tivesse um sinal do que ela pensava, ele lhe diria. O que poderia lhe oferecer? Carregava uma imensa bagagem; em sua idade, todo mundo tinha bagagem, mas a dele pesava como granito.

Pela segunda vez podia observá-la adormecida. Parecia uma menina, não percebera que ele havia levantado, como se fossem um velho casal que tivesse compartilhado uma cama durante anos. Queria acordá-la aos beijos, pedir que lhe desse uma oportunidade, convidá-la para invadi-lo, que se instalasse em sua casa, que ocupasse até o último resquício de sua vida com seu carinho irônico e mandão. Nunca estivera tão seguro a respeito de alguma coisa. Imaginou que, se Lucía viesse a amá-lo, seria um milagre. Perguntou-se como esperara tanto para se dar conta desse amor que o afogava, que preenchia cada fibra de seu ser, em que estivera pensando. Havia perdido quatro meses como um puro idiota. Essa torrente de amor não podia ser produto do momento, tinha de ter crescido desde setembro, quando ela chegara. Seu peito doía de medo, como uma ferida deliciosa. "Bendita seja, Evelyn Ortega — pensou —, graças a você aconteceu este milagre. Milagre, não há outra definição para isto que estou sentindo."

Havia aberto a porta à procura de ar frio, de oxigênio e de calma, pois estava se afogando na avalanche súbita e incontrolável dos sentimentos. Richard não conseguiu dar nem um passo para fora, porque se viu cara a cara com um alce. O susto o atirou para trás com um grito que acordou Lucía e Evelyn. Sem compartilhar sua surpresa, o animal se agachou para enfiar a cabeça no quarto, mas os imensos chifres o detiveram. Evelyn se encolheu, aterrorizada, nunca vira um monstro semelhante, enquanto Lucía procurava às pressas o celular para tirar uma foto. Possivelmente o alce teria se instalado no quarto, mas Marcelo interveio e se encarregou do problema com seu vozeirão rouco de cão de guerra. O alce recuou, sacudindo os alicerces do edifício de madeira ao bater com os chifres no umbral, e se afastou trotando, enxotado por um coro de risos nervosos e latidos furibundos.

Suando pela descarga de adrenalina, Richard disse que ia buscar café enquanto elas se vestiam, mas não conseguiu chegar muito longe. O alce depositara, a poucos passos da porta, uma montanha de excrementos frescos, dois quilos de bolinhas suaves, onde ele enfiou a bota até o tornozelo. Xingou e foi saltando em um pé até a recepção, que, por sorte, tinha uma janelinha que dava para o estacionamento, e pediu uma mangueira para se lavar. Tivera tanto cuidado para que ninguém reparasse neles nem pudesse recordá-los durante sua peregrinação temerária, e aquele animal, com sua desfaçatez, havia jogado suas precauções por terra. "Se há alguma coisa memorável, é um idiota encharcado de merda", concluiu Richard. Péssimo augúrio para o resto da viagem. Ou seria um bom augúrio? "Não pode acontecer nada de ruim" — decidiu —, "estou protegido por esta criancice de ter me apaixonado." E começou a rir, porque, se não fosse pela descoberta do amor, que pintava o mundo com cores ardentes, se acharia vítima de uma maldição. Como se o assunto da infeliz Kathryn Brown não fosse suficiente, havia o péssimo tempo, pulgas, comida estragada, úlcera e excrementos próprios e de um alce.

# Evelyn

*Fronteira do México e Estados Unidos*

Os dias pareciam intermináveis para Evelyn Ortega, mergulhada no tédio e no calor sufocante do acampamento de Nuevo Laredo, mas, assim que chegava o frescor da noite, o lugar se transformava em uma ratoeira de atividades clandestinas e de vícios. Cabrera dissera a Evelyn e a seus outros passageiros que não deviam se misturar com ninguém e evitar exibir dinheiro, mas não foi possível. Estavam cercados de emigrantes como eles, porém muito mais necessitados. Alguns estavam havia meses passando por penúria, haviam tentado cruzar o rio várias vezes sem conseguir ou haviam sido presos no outro lado e deportados para o México, porque enviá-los a seus países de origem sairia mais caro. A maioria não podia pagar aos coiotes. Os que mais comoviam eram as crianças que viajavam sozinhas, nem o mais mesquinho poderia abster-se de ajudá-las. O grupo de Evelyn compartilhou comida e água limpa com dois irmãos que andavam sempre de mãos dadas, um menino de 8 anos e uma menina de 6. Haviam fugido um ano antes da casa de uns tios que os maltratavam em El Salvador, haviam vagado pela Guatemala vivendo da caridade e estavam havia meses andando de um lado para outro do México, unindo-se a outros emigrantes que os adotavam temporariamente. Queriam encontrar sua mãe nos Estados Unidos, mas não sabiam em qual cidade.

À noite, as pessoas do grupo de Cabrera se revezavam para dormir, pois, se não o fizessem, lhes roubariam até a alma. No segundo dia desabou um aguaceiro que molhou os papelões, e ficaram à intempérie, como o resto da lamentável população itinerante. Assim chegou a noite do sábado e, então, o acampamento pareceu despertar de sua letargia, como se todos tivessem esperado por aquele céu sem lua. Quando vários emigrantes estavam se preparando para enfrentar o rio, bandidos e guardas municipais entraram em ação.

No entanto, Cabrera já havia negociado salvo-condutos para seu grupo com as gangues e os uniformizados; na noite seguinte, quando o céu ficou nublado e nem mesmo as estrelas brilhavam, apareceu o conhecido de Cabrera, um homem baixo, só ossos e de pele amarelada, com o olhar vago de um viciado endurecido, que se apresentou como El Experto. Cabrera lhes assegurara que, apesar de seu aspecto suspeito, ninguém era mais qualificado do que ele; na terra, era um pobre-diabo, mas na água era de absoluta confiança, conhecia as correntezas e os redemoinhos como ninguém. Quando estava sóbrio, passava a vida estudando o movimento das patrulhas e das poderosas luzes noturnas; sabia escolher o momento de entrar na água, cruzar com duas passadas o raio de luz e chegar a um lugar exato no meio do mato para não serem vistos. Cobrava em dólares e por pessoa, uma despesa inevitável para o coiote, porque, sem a sua perícia e a sua audácia, seria muito difícil deixar seu grupo em solo americano. "Vocês sabem nadar?", perguntou-lhes El Experto. Nenhum deles pôde dar uma resposta afirmativa. Indicou-lhes que não podiam levar nada, só documentos de identidade e dinheiro, se é que lhes restava algum. Mandou que tirassem as roupas e os tênis, e os colocassem em sacos de lixo de plástico preto, depois os amarrou no pneu de caminhão que lhes serviria de balsa. Mostrou-lhes como se segurar com um braço e nadar com o outro, sem espernear, para não fazer barulho. "Aquele que se soltar estará perdido", disse a eles.

Berto se despediu do grupo com abraços e suas últimas recomendações. Dois de seus passageiros, de cuecas, foram os primeiros a entrar no rio; aferraram-se ao pneu e partiram guiados por El Experto. Perderam-se de vista na escuridão das águas. Quinze minutos depois, o homem voltou caminhando pela margem, arrastando o pneu. Havia deixado os dois em uma ilhota no meio do rio, escondidos entre os bambus, esperando o restante do grupo. Berto Cabrera deu um último abraço em Evelyn com pena, pois duvidava de que aquela infeliz conseguisse sobreviver aos obstáculos de seu destino.

— Não acho que você seja capaz de andar 150 quilômetros no deserto, menina. Obedeça ao meu sócio, ele saberá o que fazer com você.

O rio era mais perigoso do que parecia quando observado da margem, mas ninguém vacilou, porque dispunham de poucos segundos para driblar os raios de luz. Evelyn entrou na correnteza de calcinha e sutiã, com seus companheiros dos dois lados, dispostos a ajudá-la se fraquejasse. Temia se afogar, mas temia mais que, por sua culpa, todos fossem descobertos. Engoliu um grito de susto ao se atirar na água gelada e constatar que o leito era lodoso e passavam por ela, roçando-a, galhos, lixo e talvez cobras aquáticas. A circunferência de borracha molhada era escorregadia, seu braço saudável mal conseguia rodeá-la e apertava o outro contra o peito; em poucos segundos, não tocava mais o fundo com os pés, e a correnteza a sacudiu. Afundava e reaparecia na superfície engolindo água e tentando desesperadamente não se soltar. Um dos homens conseguiu segurá-la pela cintura antes que a correnteza a arrastasse. Indicou-lhe que usasse os dois braços para se segurar, mas Evelyn sentia uma dor insuportável no ombro deslocado, que não tivera tempo de curar, e não lhe respondiam nem o braço nem a mão. Seus companheiros a levantaram e a colocaram de boca para cima sobre o pneu, ela fechou os olhos e se deixou levar, entregue à sua sorte.

O trajeto durou muito pouco, apenas alguns minutos, e chegaram à ilhota, onde se reuniram com os outros dois viajantes. Agachados na vegetação sobre um solo arenoso, imóveis, observaram a margem norte-americana, tão próxima que podiam ouvir a conversa de um par de patrulheiros que montavam guarda ao lado de um veículo equipado com um potente holofote dirigido ao lugar onde eles estavam. Passou mais de uma hora sem que El Experto desse mostras de impaciência; na verdade, parecia ter adormecido, enquanto eles tremiam de frio, com os dentes batendo e conscientes dos insetos e répteis que caminhavam sobre seus corpos. Por volta da meia-noite, El Experto sacudiu o sono, como se tivesse um alarme interno, e nesse exato instante o veículo apagou o holofote e o ouviram se afastar.

— Temos menos de cinco minutos antes que chegue a nova patrulha. Nesse trecho, a correnteza é mais fraca, vamos todos juntos batendo as pernas, mas no outro lado não podem fazer o menor ruído — ordenou.

Entraram de novo no rio, aferrados ao pneu, que, com o peso de seis pessoas, afundou até ficar no mesmo nível da água, e o impulsionaram em linha reta. Pouco depois tocaram o fundo e, segurando as varas, subiram a ladeira pantanosa da outra margem, todos ajudando Evelyn. Haviam chegado aos Estados Unidos.

Alguns instantes depois, ouviram o motor de outro veículo, mas já estavam protegidos pela vegetação, fora do alcance das luzes de reconhecimento. El Experto conduziu-os terra adentro. Avançaram tateando, em fila indiana, de mãos dadas, para não se perder na escuridão, afastando os bambus, e chegaram a uma pequena clareira, onde o guia acendeu uma lanterna apontando para o chão, entregou-lhes suas bolsas e indicou, com gestos, que se vestissem. Tirou a camiseta molhada e, com ela, voltou a prender o braço de Evelyn, que havia perdido a bandagem no rio contra seu peito. Nesse momento, deu-se conta de que o envelope de plástico com os papéis que o padre Benito lhe dera desaparecera. Procurou no chão à luz tênue da lanterna com a esperança de que tivesse caído ali mesmo, mas, como não o encontrou, entendeu com preocupação que a correnteza o levara quando seu companheiro a resgatou segurando-a pela cintura

Nessa manobra, desprendera-se a cinta com o envelope. Havia perdido a imagem benzida pelo Papa, mas ainda trazia no pescoço o amuleto da deusa jaguar que deveria protegê-la do mal.

Estavam acabando de se vestir quando apareceu do nada, como um espectro na noite, o sócio de Cabrera, um mexicano com tantos anos de Estados Unidos que falava espanhol com um acento arrevesado. Ofereceu-lhes garrafas térmicas de café quente misturado com uma bebida alcoólica, que beberam em silêncio, agradecidos, enquanto El Experto partia em sigilo, sem se despedir.

Sussurrando, o sócio ordenou aos homens que o seguissem em fila e a Evelyn que caminhasse sozinha na direção contrária. A menina quis protestar, mas não conseguiu emitir um único som, muda e horrorizada diante do fato de ter chegado até ali e ser traída.

— Berto me disse que sua mãe está aqui. Entregue-se ao primeiro guarda ou patrulha que encontrar no caminho. Não vão deportá-la porque é menor de idade — disse-lhe o sócio, certo de que ninguém daria à menina mais de 12 anos. Evelyn não acreditou, mas seus companheiros haviam ouvido dizer que assim era a lei norte-americana. Deram-lhe um rápido abraço e seguiram o sócio, desaparecendo imediatamente na escuridão.

Quando Evelyn conseguiu reagir, só lhe ocorreu encolher-se tremendo no meio do mato. Tentou rezar murmurando, mas nenhuma das muitas orações de sua avó lhe veio à memória. Passou assim uma hora, talvez três, perdeu a noção do tempo e a capacidade de se mover, tinha o corpo retesado e uma dor surda no ombro. Em algum momento percebeu um longo esvoaçar por cima de sua cabeça e pressupôs que eram morcegos voando à procura de comida, como acontecia na Guatemala. Afundou-se ainda mais na vegetação, aterrorizada, porque todo mundo sabia que eles chupavam o sangue humano. Para não pensar em vampiros, serpentes ou escorpiões, concentrou-se em inventar algum plano para sair dali. Certamente viriam outros grupos de emigrantes aos quais poderia unir-se, só era uma questão de esperar acordada. Invocou a mãe jaguar e a mãe de Jesus, como lhe indicara Felicitas, mas nenhuma das duas apareceu para socorrê-la; aquelas mães divinas perdiam seus poderes nos Estados Unidos. Estava totalmente abandonada.

Restavam poucas horas de escuridão, mas que se prolongaram eternamente. Pouco a pouco, seus olhos se habituaram à noite sem lua, que no começo parecia impenetrável, e ela conseguiu enxergar a vegetação ao seu redor, pastos altos e secos. A noite foi um longo tormento para Evelyn, até que finalmente se anunciou a luz do alvorecer, que chegou de repente. Ao longo de todas aquelas horas, não havia percebido ninguém por perto, nem emigrantes nem guardas. Assim que começou a ficar claro, atreveu-se a dar uma olhada em volta. Seu corpo estava dormente. Teve dificuldade de ficar de pé e dar alguns passos, sentia fome e muita sede, mas seu braço parara de doer. Sentiu uma antecipação do calor do dia pelo vapor que se elevava do chão como um véu de noiva. A noite havia sido silenciosa, interrompida apenas pelas advertências dos alto-falantes ao longe, mas, ao amanhecer, a terra despertou com o zumbido de insetos, galhos rangendo sob as patinhas de roedores, o queixume de bambus na brisa e um ir e vir de pardais no ar. Aqui e ali, via manchas coloridas nos arbustos, um pássaro príncipe de peito vermelho, um rouxinol amarelo, um gaio verde de cabeça azul, aves modestas em comparação com as da sua terra. Havia crescido no meio da algaravia de pássaros, plumas de mil cores, setecentas espécies, paraíso de ornitólogos, segundo o padre Benito. Prestou atenção nas severas advertências em espanhol dos alto--falantes e tentou em vão calcular a distância em que estavam os postos fronteiriços, as torres de controle e as estradas, se é que existiam. Não tinha a menor ideia de onde estava. Voltaram em ondas as histórias que circulavam de boca em boca entre os emigrantes sobre os perigos do norte, o deserto impiedoso, os fazendeiros que disparavam sem clemência em quem pisasse em suas propriedades à procura de água, os guardas armados para travar batalhas, os cachorros bravos treinados para farejar o cheiro do suor do medo, as prisões nas quais se podia passar muito tempo sem que ninguém soubesse de nada. Se fossem como as da Guatemala, ela preferiria morrer a ser trancafiada em uma daquelas celas.

O dia se arrastou de hora em hora, minuto a minuto, com uma lentidão atroz. O sol se movimentou no céu, incendiando a terra com um calor seco de brasas ardentes, muito diferente do que Evelyn conhecia. Sua sede era tanta que parou de sentir fome. Sem a sombra de uma árvore, escavou a terra com uma vara no meio da mata para espantar as cobras, e ali se protegeu como pôde, depois de cravar a vara no chão para que o deslocamento da sombra lhe indicasse o transcurso do tempo, como vira sua avó fazer. Ouviu, a intervalos regulares, a passagem de veículos e de helicópteros voando baixo, mas, ao compreender que sempre faziam o mesmo percurso, parou de lhes dar atenção. Estava confusa, sentia a cabeça cheia de algodão, os pensamentos se atropelavam em sua mente. Pela vara, deduziu que era meio-dia e foi essa a hora em que apareceram as primeiras alucinações, as formas e cores da ayahuasca, tatus, os filhotes de jaguar sem mãe, o cachorro preto de Andrés, morto havia quatro anos, que chegou em perfeita saúde para visitá-la. Dormiu aos poucos, agoniada pela canícula incandescente, aturdida pelo cansaço e a sede.

A tarde foi caindo calmamente sem que a temperatura baixasse. Uma víbora preta, longa e grossa passou por cima de uma perna de Evelyn como uma terrível carícia. Petrificada, a menina esperou sem respirar, sentindo o peso do réptil, o contato de sua pele acetinada, a ondulação de cada músculo daquele corpo de mangueira deslizando sem pressa. Não se parecia com nenhuma das cobras de sua terra. Quando o réptil se afastou, ficou de pé em um salto e aspirou o ar a lufadas, nauseada por um enorme golpe de terror, com o coração galopando. Precisou de algumas horas para se recompor e baixar a guarda; não teve força para passar o dia inteiro de pé, esquadrinhando o chão. Seus lábios estavam partidos, sangravam, a língua inchada como um molusco na boca seca, a pele ardendo de febre.

Por fim, a noite caiu e começou a refrescar. Evelyn estava exausta, já não se importava mais com as serpentes, os morcegos, os guardas com seus fuzis nem os monstros de pesadelo, só sentia a necessidade inadiável de beber água e descansar. Enroscada no chão, entregou-se à desgraça e à solidão, querendo morrer logo, morrer dormindo e jamais despertar.

Ao contrário do que esperava, a menina não morreu nessa segunda noite passada em território norte-americano. Acordou ao amanhecer na mesma postura em que se deitara sem lembrar o que acontecera desde que deixara o acampamento de Nuevo Laredo. Estava desidratada e precisou tentar várias vezes até que conseguiu esticar as pernas, ficar de pé, acomodar o braço na tipoia e dar poucos passos de anciã. Doía cada fibra de seu corpo, mas a dor mais presente era a sede. Antes de mais nada, precisava encontrar água. Não conseguia focar a vista nem pensar, mas sempre vivera na natureza, e a experiência lhe indicou que havia águas nas proximidades; estava cercada de juncos e matagais, sabia que crescem onde há umidade. Impulsionada pela sede e a angústia, começou a caminhar sem rumo, apoiada na mesma vara que lhe servira antes para determinar a hora.

Conseguiu avançar uns cinquenta metros ziguezagueando, até que foi detida pelo barulho muito próximo de um motor. Instintivamente, atirou-se de bruços no chão e ficou esmagada entre os altos pastos. O veículo passou muito perto e ouviu a voz de um homem falando em inglês e outra voz rouca, como de um rádio ou telefone, respondendo. Permaneceu imóvel muito tempo depois de o motor ter-se afastado e, por fim, a sede a obrigou a seguir engatinhando entre os ervaçais à procura do rio. Espinhos arranhavam seu rosto e o pescoço, um galho cortou sua camiseta, e as pedras abriram chagas em suas mãos e joelhos.

Continuou agachada, tateando, sem se atrever a levantar a cabeça para se orientar. A manhã mal começara, mas a reverberação da luz já era cegante.

De repente, ouviu o som do rio com a clareza de outra alucinação e isso lhe deu ânimo para apressar o passo, abandonando qualquer precaução. Primeiro sentiu o barro nos pés e depois, afastando os ervaçais, viu-se diante do rio Grande. Com um grito atirou-se na água até a cintura, bebendo com as mãos desesperadamente. A água fria a percorreu por dentro como uma bênção, bebeu e bebeu em goles profundos, sem pensar na sujeira e nos animais mortos que flutuavam naquelas águas. Ali o rio não era profundo e conseguiu se agachar e submergir por completo, sentindo o prazer infinito da água na pele rachada, no braço deslocado, no rosto arranhado, enquanto seus longos cabelos pretos flutuavam como algas ao seu redor.

Acabara de sair do rio e estava deitada na margem, voltando aos poucos à vida, quando foi descoberta pelos patrulheiros.

A agente da imigração designada para atender Evelyn Ortega quando foi detida na fronteira se viu, em um dos cubículos, diante de uma menina cabisbaixa, encolhida e trêmula, que não tocara o suco de frutas nem os biscoitos que colocara em cima da mesa para conquistar sua confiança. Para tranquilizá-la, acariciou levemente sua cabeça, mas só conseguiu assustá-la ainda mais. Fora advertida de que a garota tinha problemas mentais e pediu um pouco mais de tempo para a entrevista. Muitos dos menores de idade que passavam por ali estavam traumatizados, mas, sem uma ordem oficial, era impossível conseguir uma avaliação psicológica. Devia confiar em sua intuição e experiência.

Diante do silêncio obstinado da menina, achou que não entendia espanhol. Talvez só falasse maia, e gastou preciosos minutos até se dar conta de que entendia sem dificuldade, mas sofria de um impedimento da fala. Então lhe deu papel e lápis para anotar suas respostas, rogando que soubesse escrever; a maioria das crianças que chegavam ao Centro de Detenção nunca havia frequentado uma escola.

— Como você se chama? De onde vem? Tem algum parente aqui?

Evelyn escreveu com boa caligrafia seu nome, o de seu povoado e país, o nome de sua mãe e um número. A agente suspirou, aliviada.

— Isso facilita muito as coisas. Vamos ligar para sua mãe e pedir que venha buscá-la. Você poderá ficar temporariamente com ela, até que um juiz decida seu caso.

Evelyn passou três dias no Centro de Detenção sem falar com ninguém, embora estivesse cercada de mulheres e crianças provenientes da América Central e do México. Muitas eram da Guatemala. Faziam duas refeições por dia, leite e fraldas para as crianças menores, camas de campanha e cobertores militares, muito necessários, porque o ar-condicionado mantinha uma temperatura invernal, que provocava uma epidemia constante de tosse e resfriado. Era um lugar de passagem, ninguém ficava ali por muito tempo, os detidos eram transferidos o mais rápido possível para outras instalações. Os menores de idade com parentes nos Estados Unidos eram entregues sem muitas averiguações, porque faltavam tempo e pessoal para cuidar de cada caso.

Não foi Miriam quem apareceu para buscar Evelyn, mas um homem chamado Galileo León, que afirmou ser seu padrasto. Ela não sabia nada da sua existência e se manteve firme na decisão de não partir com ele, porque ouvira falar de cafetões e traficantes que atacavam menores. Um oficial teve de ligar para Miriam pedindo que esclarecesse a situação e, assim, Evelyn ficou sabendo que sua mãe tinha um marido. Muito depressa descobriria que, além do padrasto, tinha dois meios-irmãos, de 3 e 4 anos.

— Por que a mãe da menina não veio buscá-la? — perguntou o oficial de plantão a Galileo León.

— Perderia o trabalho. Não ache que isso é fácil para mim. Estou perdendo quatro dias de diárias por culpa dessa menina. Sou pintor, e meus clientes não esperam — replicou o homem em um tom humilde, que contrastava com suas palavras.

— Vamos lhe entregar a menina sob a presunção de temor justificado. Entende o que é isso?

— Mais ou menos.

— O juiz precisa decidir se são válidas as razões pelas quais a menina saiu de seu país. Evelyn terá que demonstrar um medo tangível e concreto, por exemplo, de ter sido agredida ou estar sob ameaça. O senhor a leva em liberdade sob palavra.

— É preciso pagar uma fiança? — perguntou o homem, alarmado.

— Não. É uma cifra nominal que é anotada em um livro, mas não é cobrada do imigrante. Será notificada pelo correio, na casa de sua mãe, a data em que deverá se apresentar a um tribunal de imigração. Antes da audiência, Evelyn será entrevistada por um oficial de asilo.

— Um advogado? Não poderíamos pagá-lo... — disse León.

— O sistema está um pouco emperrado, porque chegam muitas crianças pedindo asilo. A realidade é que nem a metade consegue um conselheiro, mas, em caso positivo, é de graça.

— Lá fora me disseram que por três mil dólares me conseguem um.

— São traficantes e vigaristas, não acredite neles. Espere a notificação do tribunal, é tudo o que tem a fazer no momento — acrescentou o oficial, dando por encerrado o trâmite.

Tirou uma cópia da carteira de motorista de Galileo León para anexá-la à ficha de Evelyn, uma providência quase inútil, porque o Centro não era capaz de seguir a pista de cada criança. Despediu-se às pressas de Evelyn; esperavam-no muitos outros casos naquele dia.

Galileo León nascera na Nicarágua, imigrara ilegalmente para os Estados Unidos aos 18 anos, e obtivera num documento que lhe permitia morar e trabalhar no país amparado pela Lei de Anistia promulgada em 1995. Por desleixo, não fizera os trâmites necessários para se tornar cidadão norte-americano. Era baixo, de poucas palavras e carrancudo; à primeira vista, não inspirava simpatia.

A primeira parada foi no Walmart, para comprar roupas e artigos de higiene pessoal. A menina achou que estava sonhando ao ver o tamanho da loja e a variedade infinita de produtos, cada qual de diferentes cores e tamanhos, um labirinto de corredores completamente cheios. Temendo se perder para sempre, aferrou-se ao braço do padrasto, que navegava como um explorador experiente, levando-a diretamente à seção adequada, dizendo que escolhesse roupa de baixo, camisetas, três blusas, duas calças, uma saia, um vestido e sapatos para sair. Embora estivesse prestes a completar 16 anos, seu tamanho correspondia ao de uma garota norte-americana de 10 ou 12. Confusa, Evelyn quis escolher o que era mais barato, mas não conhecia a moeda e demorava muito.

— Não ligue para os preços, aqui tudo é barato e sua mãe me deu dinheiro para vesti-la — disse Galileo.

Dali a levou a um McDonald's, onde comeu hambúrguer com batatas fritas e uma taça gigantesca de sorvete coroada por uma cereja, que na Guatemala teria sido suficiente para uma família inteira.

— Ninguém a ensinou a agradecer? — perguntou o padrasto com mais curiosidade do que vontade de criticá-la.

Evelyn assentiu, sem se atrever a olhá-lo, lambendo a última colherada de sorvete.

— Você por acaso tem medo de mim? Não sou nenhum ogro.

— Obri... obri... sou... — balbuciou ela.

— Você é tonta ou gaga?

— Ga... ga...

— Estou vendo, me perdoe — interrompeu-a Galileo. — Se você não pode falar como os cristãos, não sei como vai se virar em inglês. Que confusão! O que vamos fazer com você?

Passaram a noite na estrada em um motel de caminhoneiros. O quarto era seboso, mas tinha um chuveiro quente. Galileo mandou que tomasse banho, dissesse suas orações e se deitasse na cama da esquerda, porque sempre dormia perto da porta, era uma mania. "Vou sair para fumar e, quando voltar, quero que esteja dormindo", disse-lhe. Evelyn lhe obedeceu correndo. Tomou um banho rápido e se deitou vestida e com o tênis, coberta até o nariz com o cobertor, fingindo que dormia e planejando fugir se aquele homem a tocasse. Sentia-se muito cansada, seu ombro doía e o medo fechava seu peito, mas evocou sua avó e isso lhe deu coragem. Sabia que sua mãezinha fora à igreja acender velas por ela.

Galileo levou mais de uma hora para voltar. Tirou os sapatos, entrou no banheiro e fechou a porta. Evelyn ouviu a água correr e, pelo canto do olho, o viu voltar ao quarto de cuecas, camiseta e meias. Preparou-se para pular da cama. Seu padrasto pendurou as calças na única cadeira disponível e apagou a luz. Pelas cortininhas gastas da janela, entrava o reflexo azul de uma placa de néon com o nome do motel e, na penumbra, Evelyn o viu ajoelhar-se ao lado da cama dele. Murmurando, Galileo León rezou longamente. Quando, por fim, foi para a cama, Evelyn estava dormindo.

# Richard

*Rio de Janeiro*

Saíram do hotel às nove horas da manhã com apenas um café no corpo e sentindo fome. Lucía exigiu que fossem tomar o café da manhã em algum lugar, precisava de comida quente servida em um prato normal, nada de caixas e palitos chineses, disse. Acabaram em um Denny's, as mulheres diante de um banquete de panquecas com mel, enquanto Richard comia colheradas de uma aveia insípida. Ao sair do Brooklyn no dia anterior, haviam combinado que andariam separados em público, mas com o passar das horas a cautela foi se afrouxando; começavam a se sentir tão à vontade juntos que até Kathryn Brown havia sido incorporada ao grupo com naturalidade.

A estrada estava melhor do que na véspera. Nevara muito pouco durante a noite, e a temperatura continuava muitos graus abaixo de zero, mas parara de ventar e a neve fora afastada dos caminhos. Puderam andar mais depressa e, naquela velocidade, Richard calculou que chegariam à cabana por volta do meio-dia, com luz suficiente para resolver o problema do Lexus. No entanto, meia hora depois, ao fazer uma curva, viu-se a cem metros de luzes intermitentes, azuis e vermelhas, de vários carros de polícia que bloqueavam a estrada. Não havia nenhum desvio e, se desse meia-volta, chamaria a atenção.

Seu estômago subiu à garganta com o conteúdo do café da manhã e sua boca ficou cheia de bílis. A náusea e um reflexo fantasmagórico da diarreia da noite anterior o deixaram alarmado. Tateou o bolso superior do paletó, onde normalmente levava seus comprimidos cor-de-rosa, mas não os encontrou. Pelo espelho retrovisor, viu Lucía atrás dele, fazendo um sinal otimista com os dedos cruzados. Na frente havia vários carros parados, uma ambulância e um caminhão do corpo de bombeiros. Um patrulheiro lhe indicou que entrasse na fila. Richard tirou o gorro de esqui e perguntou-lhe o que estava acontecendo no tom mais tranquilo que foi capaz de articular.

— Batida múltipla.

— Alguma fatalidade, oficial?

— Não tenho como dar essa informação.

Com a testa apoiada nos braços sobre o volante, desorientado, Richard esperou com os demais motoristas, contando os segundos. Um incêndio se desencadeara em seu estômago e esôfago.

Não se lembrava de ter tido uma acidez tão feroz como aquela, temeu que sua úlcera tivesse arrebentado e estivesse sangrando por dentro. Era espantoso o terrível azar que sofria: enfrentar um engarrafamento justamente naquele momento, quando tinham um cadáver nas costas e precisava com urgência de um banheiro, com seus intestinos retorcendo--se. Não estaria com apendicite? A aveia tinha sido um erro, não lembrou que afrouxava as tripas. "Se a porra desses policiais não liberarem logo a estrada, vou fazer aqui mesmo, é a última coisa que me faltava. O que Lucía vai pensar? Que sou uma quinquilharia humana, um mentecapto com diarreia crônica", disse em voz alta.

Os minutos se arrastavam com a lentidão de um caracol no relógio do automóvel. Nisso, tocou o celular.

— Você está bem? Parece desmaiado. — A voz de Lucía chegou do céu.

— Não sei — respondeu, levantando a cabeça do volante.

— É psicossomático, Richard. Você está nervoso. Tome suas pílulas

— Estão na minha bolsa, no seu carro.

— Vou levá-las.

— Não!

Viu Lucía descer do Subaru por uma porta e Evelyn pela outra com Marcelo nos braços. Lucía se aproximou do Lexus com a maior naturalidade e bateu na janela com os nós dos dedos. Ele abaixou o vidro disposto a recebê-las aos gritos, mas ela lhe entregou depressa os comprimidos, no instante em que um dos patrulheiros se aproximava quase correndo.

— Miss! Permaneça dentro de seu carro! — ordenou.

— Me perdoe, seu guarda. Não teria um fósforo? — perguntou ela, fazendo o gesto universal de levar um cigarro aos lábios.

— Suba no carro! E você também! — gritou o homem para Evelyn.

Esperaram 35 minutos, o Subaru com o motor ligado para manter a calefação funcionando e o Lexus transformado em geladeira, antes que começassem a afastar os carros envolvidos no acidente. Assim que as ambulâncias e o caminhão dos bombeiros partiram, a polícia autorizou a passagem dos veículos alinhados nas duas direções. Ao passarem diante do acidente, viram uma caminhonete virada com as quatro rodas no ar, um automóvel irreconhecível, com a dianteira inteiramente queimada, que havia batido por trás, e um terceiro que montou nele. O dia estava claro, a tormenta havia passado, e nenhum dos três motoristas pensara na camada fina, quase transparente, de gelo.

Richard havia enfiado quatro antiácidos na boca. Ainda percebia a bílis e sentia as labaredas agitando seu estômago. Ia dobrado sobre o volante, banhado de suor frio, com a vista nublada de dor, a cada minuto mais convencido de que estava sangrando por dentro. Disse a Lucía pelo celular que não aguentava mais e parou na primeira curva da estrada que encontrou. Ela estacionou atrás no momento em que ele abria a porta e vomitava estrepitosamente no pavimento.

— Vamos procurar ajuda. Deve haver um hospital por aqui — disse Lucía, passando-lhe um guardanapo de papel e uma garrafa de água.

— Nada de hospital. Vai passar. Preciso de um banheiro...

Sem dar a Richard a oportunidade de contradizê-la, Lucía ordenou a Evelyn que dirigisse o Subaru e assumiu o volante do Lexus. "Vá devagar, Lucía. Você já viu o que pode acontecer se o carro patinar", disse Richard antes de ficar em posição fetal no assento traseiro. Pensou que exatamente naquela mesma postura, separada dele pelo encosto do assento e um pedaço de plástico, estava Kathryn Brown.

Quando vivia no Rio de Janeiro, Richard bebia sistematicamente; era uma obrigação social, parte da cultura, requisito indispensável em qualquer reunião, inclusive de trabalho, paliativo para uma tarde chuvosa ou um meio-dia quente, incentivo para discussões políticas, remédio para o resfriado, a tristeza, os amores contrariados ou o desencanto depois de uma partida de futebol. Richard passara muitos anos sem ir àquela cidade, mas imaginava que ainda seria assim. Certos hábitos levam várias gerações até se extinguir. Naquela época, ingeria tanto álcool quanto seus amigos e conhecidos, nada excepcional, acreditava. Raramente se embriagava até a inconsciência, era um estado muito pouco prazeroso; preferia a sensação de flutuar, de ver o mundo sem arestas, amável, morno. Não dera importância à bebida até que Anita começou a dizer que aquilo era um problema e começou a contar quanto bebia, a princípio discretamente e depois o humilhando com comentários em público. Tinha boa cabeça para as bebidas, podia jogar no corpo quatro cervejas e três caipirinhas sem consequências fatais; pelo contrário, sua timidez evaporava e achava que ficava encantador; mas continha-se para manter sua mulher tranquila e por causa da úlcera, que às vezes lhe dava surpresas desagradáveis. Nunca comentou com seu pai, a quem escrevia com frequência, a questão da bebida, porque Joseph era abstêmio e não o teria compreendido.

Depois de dar à luz Bibi, Anita engravidou três vezes e, em cada uma delas, sofreu um aborto espontâneo. Sonhava com uma família grande, como a dela; era filha caçula, tinha onze irmãos e incontáveis primos e sobrinhos. Cada gravidez frustrada aumentava seu desespero. Meteu na cabeça que era uma prova divina ou um castigo por alguma falta imprecisa e, pouco a pouco, foram desaparecendo sua força e sua alegria.

Sem essas virtudes fundamentais, a dança deixou de fazer sentido para ela, e acabou vendendo sua famosa academia. As mulheres da família Farinha, avó, mãe, irmãs, tias e primas, a apoiaram dia e noite, revezando-se para acompanhá-la. Como Anita não desgrudava de Bibi, tentaram distraí-la, e a puseram para escrever um livro com receitas de várias gerações dos Farinha, acreditando que nenhum mal seria capaz de resistir ao remédio do trabalho e ao consolo da comida. Fizeram com que organizasse cronologicamente oitenta álbuns de fotografia da família e, quando acabou, inventaram outros pretextos para mantê-la ocupada. A contragosto, Richard permitiu que levassem sua mulher e Bibi à fazenda dos avós por uns dois meses. O sol e o vento melhoraram o ânimo de Anita. Voltou do campo com quatro quilos a mais e arrependida de ter vendido a academia, porque queria voltar a dançar.

Voltaram a fazer amor como nos tempos em que não faziam mais nada. Iam ouvir música e dançar. Vencendo sua falta de jeito atávica, Richard dava voltas com ela na pista e, assim que percebia que todos os olhos estavam fixos em sua mulher, uns porque reconheciam a rainha da Academia Anita Farinha e outros por simples admiração ou desejo, a cedia galantemente a outros homens com pés mais ligeiros, enquanto ficava bebendo em sua mesa e observando-a com ternura, pensando vagamente na vida.

Tinha idade de sobra para planejar o futuro, mas era fácil postergar essa inquietude com um copo na mão. Concluíra o doutorado havia mais de dois anos e não o aproveitara nem um pouco, além de dois artigos que conseguira emplacar em publicações universitárias dos Estados Unidos: um sobre os direitos dos indígenas à terra inscritos na Constituição de 1988 e outro sobre a violência de gênero no Brasil. Ganhava a vida dando aulas de inglês. Por curiosidade, mais do que por ambição, respondia de vez em quando a alguma das ofertas de emprego que surgiam na *American Political Review*. Considerava que esse tempo no Rio de Janeiro era uma pausa gentil em seu destino, férias prolongadas; logo deveria começar a construir uma carreira profissional, mas isso podia esperar um pouco mais. Aquela cidade convidava ao prazer e ao ócio. Anita tinha uma casa pequena perto da praia, e o dinheiro que obtivera com a venda da academia, mais as aulas de inglês, bastava para viver.

Bibi estava prestes a completar 3 anos quando, por fim, as deusas ouviram as orações de Anita e das demais mulheres de sua família. "Devo isso a Iemanjá", disse Anita quando anunciou ao marido que estava grávida. "Ora, pensei que devia isso a mim", brincou ele, levantando-a em um abraço de ogro. A gravidez se desenvolveu sem problemas e chegou a termo em seu devido tempo, mas o parto apresentou complicações e no final foi necessário trazer a criança ao mundo através de uma cesariana. O médico advertiu Anita de que não deveria ter outros filhos, pelo menos por alguns anos, mas isso não a afetou muito, pois tinha nos braços Pablo, um bebê saudável e de apetite voraz, o irmãozinho que Bibi e a família esperavam.

Um mês depois, ao amanhecer, Richard se inclinou sobre o berço para tirar o menino e entregá-lo a Anita, achando estranho que não tivesse chorando de fome, como fazia a cada três ou quatro horas. Estava dormindo tão sossegado que vacilou ao levantá-lo. Uma onda de ternura o sacudiu até os ossos, picou seus olhos e fechou sua garganta com a gratidão espantosa que o invadia com frequência na presença de Bibi. Anita recebeu o recém-nascido com a camisa aberta e chegou a colocá-lo no peito antes de perceber que não respirava. Um grito visceral de animal torturado sacudiu a casa, o bairro, o mundo inteiro.

Foi até necessário fazer uma autopsia. Richard tentou ocultá-la de Anita, pois a ideia de que o pequeno Pablo seria cortado sistematicamente era bem atroz, mas precisavam investigar a causa da morte do bebê. O informe do patologista a atribuiu à síndrome de morte súbita, morte de berço, como dizia em letras maiúsculas, um acidente impossível de prever. Anita afundou em uma dor escura e profunda, uma caverna insondável da qual seu marido foi excluído. Richard se viu rechaçado por sua mulher e relegado ao último canto de seu lar como um estorvo pelo resto dos Farinha, que invadiram sua privacidade para cuidar de Anita e de Bibi e tomavam decisões sem consultá-lo. Os parentes se apoderaram de sua pequena família, achando que ele era incapaz de entender a magnitude daquela tragédia, porque sua sensibilidade era muito diferente da deles. No fundo, Richard se sentiu aliviado, porque, na verdade, era um forasteiro naquele território de dor. Passou a dar mais aulas, saía cedo de casa e voltava tarde com várias desculpas. Nessa época, bebia mais. O álcool, em quantidade suficiente, era uma distração necessária.

Eles estavam a poucos quilômetros do lago quando ouviram uma sirene e surgiu um carro de polícia, que esperava escondido atrás de arbustos. Lucía viu as luzes girando entre ela e o Subaru, que vinha atrás. Pensou seriamente em apertar com força o acelerador e arriscar a vida, mas um grito de Richard obrigou-a a mudar de plano. Avançou mais alguns metros até que conseguiu parar no acostamento. "Agora, sim, estamos fodidos", disse Richard, levantando-se com dificuldade. Lucía abriu a janela e esperou sem respirar enquanto o patrulheiro se plantava atrás. Ao seu lado, passou o Subaru, diminuindo a velocidade, e ela conseguiu fazer um sinal para Evelyn, indicando que continuasse sem parar. Um momento depois, um policial se aproximou.

— Seus documentos — exigiu.

— Cometi alguma infração, oficial?

— Seus documentos.

Lucía procurou no porta-luvas e lhe entregou os papéis do Lexus e sua carteira internacional de habilitação, pensando que poderia estar vencida, pois não recordava quando a havia tirado no Chile. O homem os examinou lentamente e observou Richard, que se sentara e estava ajeitando a roupa no assento traseiro.

— Desça do carro — ordenou para a Lucía.

Ela obedeceu. Suas pernas tremiam, mal a sustentavam. Passou por sua mente que era assim que se sentia um afro-americano quando a polícia o parava e que, se Richard estivesse dirigindo, o tratamento seria diferente Nesse momento, Richard abriu a porta e desceu, agachado.

— Espere no carro, senhor! — gritou o policial, aproximando a mão direita do coldre de sua arma.

Richard se acocorou sacudido por ânsias e vomitou o resto do prato de aveia nos pés do homem, que recuou, enojado.

— Está doente, sofre de úlcera — disse Lucía.

— Qual é a sua relação com ele?

— Sou... Sou... — balbuciou ela.

— Ela cuida da minha casa. Trabalha para mim — conseguiu balbuciar Richard entre duas ânsias de vômito.

O homem colocou automaticamente os estereótipos em seu lugar: a empregada latina levando seu patrão provavelmente a um hospital. O sujeito parecia mesmo doente. Curiosamente, a mulher tinha uma carteira de habilitação estrangeira; não era a primeira vez que via uma. Chile? Onde ficava isso? Esperou que Richard se levantasse e voltou a lhe indicar que subisse no automóvel, mas seu tom soava conciliador. Foi para trás do Lexus, chamou Lucía e apontou para o porta-malas.

— Sim, oficial, acabou de acontecer. Houve um engavetamento na estrada, talvez o senhor saiba. Um carro não conseguiu frear e me pegou, mas não foi nada, apenas um leve amassado e a lanterna. Pintei a lanterna com esmalte de unhas até que possa substituí-la.

— Tenho que notificá-la.

— Preciso levar o senhor Bowmaster ao médico.

— Dessa vez vou deixar passar, mas você tem que substituir a lanterna em no máximo 24 horas. Entendeu?

— Sim, senhor.

— Precisa de ajuda com o doente? Posso escoltá-la ao hospital.

— Muito obrigada, senhor. Não será necessário.

Lucía voltou ao volante com taquicardia, lutando para acalmar a respiração, enquanto o carro de polícia se afastava. "Vou ter um infarto", pensou, mas trinta segundos depois foi sacudida por um riso nervoso. Se a tivessem multado, sua identidade e os dados do automóvel teriam ficado registrados no boletim policial e, então, sim, as apreensões de Richard se cumpririam em todo o seu magnífico horror.

— Nos livramos por um triz — comentou, enxugando as lágrimas de riso, mas Richard não achou nada divertido.

O Subaru os esperava um quilômetro adiante e, pouco depois, Richard avistou a entrada para a cabana de Horacio, uma trilha quase invisível serpenteando entre pinheiros, coberta por alguns centímetros de neve. Avançaram lentamente pelo bosque, rogando para que os carros não atolassem, sem ver o menor sinal de vida humana por uns dez minutos, até que de repente apareceu o teto inclinado de uma cabana de conto de fadas, de onde pendiam estalactites semelhantes à decoração de Natal.

Richard, debilitado pelo vômito, mas com menos dor, abriu o cadeado do portão com sua chave, estacionaram os carros e desceram. Abriu a fechadura e teve de empurrar a porta com todo o peso do corpo para movê-la, porque a madeira se inchara com a umidade. Ao entrar, uma baforada nauseabunda bateu em seus rostos. Depois de correr para o banheiro, Richard lhes disse que a casa permanecera fechada por mais de dois anos e certamente os morcegos e outros animais se haviam apoderado dela.

— Quando vamos nos livrar do Lexus? — perguntou Lucía.

— Hoje mesmo, mas me dê meia hora para me recompor — disse ele, deitando de bruços no sofá desconjuntado da sala sem se atrever a lhe pedir que se deitasse com ele e o abraçasse para espantar o frio.

— Descanse, mas, se ficarmos muito tempo aqui, acabaremos congelados — disse Lucía.

— Precisamos ligar o gerador e alimentar os aquecedores com combustível. Há latas de querosene na cozinha. Os encanamentos devem estar congelados e suponho que alguns estão quebrados, mas verei isso na primavera. Vamos derreter neve para cozinhar. Não podemos usar a lareira, alguém poderia ver a fumaça.

— Você não está em condições de fazer nada. Vamos, Evelyn — disse Lucía, cobrindo Richard com uma manta corroída e dura como papelão, que encontrou em cima de uma cadeira.

Pouco depois as mulheres haviam ligado o aquecimento, mas não conseguiram fazer funcionar o agonizante gerador e nem Richard conseguiu, quando pôde, finalmente, ficar de pé. Na cabana havia um fogareiro a querosene, que usavam quando iam pescar no gelo, e Richard havia incluído na bagagem três lanternas, sacos de dormir e outras comodidades essenciais para explorar a Amazônia, além de alguns pacotes de comida vegetariana em conserva que levava em suas longas excursões de bicicleta. "Comida de burro", disse Lucía com bom humor, procurando ferver água no minúsculo fogareiro, que era quase tão inútil quanto o gerador. Uma vez embebida em água fervente, a comida de burro transformou-se em um jantar decente, que Richard foi incapaz de provar, limitando-se a um caldo e meia xícara de café para se manter hidratado; seu estômago não suportava nada além disso. Depois voltou a se deitar, vestido e coberto pela manta.

# Evelyn

*Chicago*

Miriam, a mãe de Evelyn Ortega, não via, havia mais de dez anos, os três filhos que deixara com a avó na Guatemala, mas reconheceu Evelyn assim que chegou a Chicago, pelas fotos e porque era igual à avó. "Não saiu a mim, teve sorte", pensou ao vê-la descer da caminhonete de Galileo León. O sangue da avó, Concepción Montoya, era misturado; tirara o melhor da raça maia e da branca, e havia sido muito bonita na adolescência, antes de ter sido violentada pelos soldados. Evelyn herdara seus traços finos, que pularam uma geração. Miriam, por sua vez, tinha feições brutas, tronco pesado e pernas curtas, provavelmente era parecida com o pai, o "estuprador que descera das colinas", como ela sempre dizia ao se referir ao seu progenitor. Sua filha ainda era uma menina; uma grossa trança negra descia até a sua cintura, e seu rosto era delicado. Miriam correu ao seu encontro e a abraçou com força, repetindo seu nome e chorando de felicidade por estar ali e de tristeza pelos filhos assassinados. Evelyn se deixou abraçar sem um gesto de retribuição à efusividade de sua mãe; a mulher gorda de cabelos amarelos era uma desconhecida.

Aquele primeiro encontro definiu o tom da relação entre mãe e filha. Evelyn falava o menos possível, para evitar a asfixia das palavras, que se enrolavam em sua boca, e Miriam sentia esse silêncio como uma reprovação. Embora Evelyn nunca tivesse tocado no assunto, Miriam aproveitava qualquer oportunidade para deixar claro que não havia abandonado seus filhos por vontade própria, mas, sim, por necessidade. Será que Evelyn não entendia que teriam passado fome se ela tivesse ficado em Monja Blanca del Valle fazendo pamonhas com sua avó? Quando chegasse seu dia de ser mãe, compreenderia a grandiosidade do sacrifício que ela fizera por sua família.

Outro tema que pairava no ar era o destino de Gregorio e Andrés. Miriam acreditava que, se tivesse ficado na Guatemala, teria criado seus filhos com mão firme, Gregorio não se teria desviado pelo caminho da delinquência e Andrés não teria sido morto por culpa de seu irmão. Nessas ocasiões, Evelyn encontrava voz para defender sua mãezinha, que lhes dera bons costumes: seu irmão se tornara ruim porque era fraco e não por falta de palmadas da avó.

A família León vivia em um bairro formado por trailers, duas dezenas de habitações idênticas, cada qual com um pequeno quintal, e eles tinham um papagaio e uma cadela grande e mansa. Deram a Evelyn um colchonete de espuma, que ela colocava à noite no chão da cozinha. Contavam com um banheiro mínimo e um tanque no quintal. Apesar de viverem apertados, todos se davam bem, em parte porque trabalhavam em horários diferentes. Miriam faxinava escritórios à noite e casas pela manhã; por isso ficava ausente da meia-noite ao meio-dia seguinte. Galileo não tinha horário fixo e, quando estava em casa, era discreto como se estivesse fora, para evitar o permanente mau humor de sua mulher. Uma vizinha cuidava das crianças por um preço razoável, mas, quando Evelyn chegou, deram a ela essa responsabilidade. Miriam passava as tardes em casa e isso permitiu a Evelyn frequentar, durante o primeiro ano, aulas de inglês, um dos benefícios para imigrantes oferecidos pela igreja, e depois começou a trabalhar com a mãe. Miriam e Galileo eram pentecostais, e suas vidas giravam em torno dos serviços e das atividades sociais de sua igreja.

Galileo disse a Evelyn que encontrara a redenção no Senhor e uma família em seus irmãos e irmãs de fé. "Vivi na marginalidade até que fui à igreja e lá o Espírito Santo desceu sobre mim. Isso foi há nove anos." A garota teve dificuldade de imaginar que aquele homem moralista tivesse sido delinquente. Segundo Galileo, um raio divino o levantou do chão durante um serviço religioso e, no meio de espasmos de transe, expulsou Satanás, enquanto a entusiasmada congregação cantava por ele a plenos pulmões. Desde então, sua vida tomara outro rumo, disse, havia conhecido Miriam, que era muito mandona, mas boa, e o ajudava a se manter no caminho da retidão. Deus lhe dera dois filhos. Sua relação com Deus era familiar, conversavam como pai e filho, bastava lhe pedir alguma coisa com o fervor de seu coração que lhe era outorgado. Dera testemunho público de sua fé e fora batizado por imersão em uma piscina local, tal como esperava que Evelyn fizesse, mas ela postergava esse momento por lealdade ao padre Benito e à sua avó, para quem mudar de igreja seria uma afronta.

A harmonia entre os habitantes do trailer periclitava nas raras visitas de Doreen, filha de Galileo, produto de uma rápida relação amorosa que tivera na juventude com uma imigrante da República Dominicana que vivia do contrabando e da leitura de cartas. Segundo Miriam, Doreen herdara da mãe a genialidade para enganar os imbecis, drogava-se e andava pelo mundo arrastando uma nuvem mortal; por isso, tudo o que tocava virava cocô de cachorro. Tinha 26 anos e aparentava 50, não havia trabalhado honradamente um único dia de sua vida, mas se gabava de manejar montanhas de dinheiro. Ninguém se atrevia a lhe perguntar como o obtinha, porque suspeitavam de que seus métodos seriam inconfessáveis, mas parecia que, assim como o ganhava, o perdia. Então procurava seu pai e exigia um empréstimo sem a menor intenção de pagá-lo. Miriam a detestava e Galileo a temia; diante dela, arrastava-se como um verme e lhe dava o que podia, sempre menos do que ela queria. Miriam dizia que tinha sangue ruim, sem definir o que isso significava, e a desprezava por ser negra, mas também não se atrevia a enfrentá-la. Nada no físico de Doreen podia impor temor, era magra, fraca, com olhos de roedor, dentes e unhas amarelos e encurvada pela debilidade dos ossos, mas irradiava uma raiva terrível e contida, como uma panela de pressão prestes a explodir. Miriam ordenou à sua filha que se mantivesse longe do radar daquela mulher; nada de bom poderia esperar dela.

A ordem da mãe foi desnecessária, porque Evelyn ficava sem ar quando Doreen estava por perto. A cadela começava a uivar no pátio avisando a sua chegada com vários minutos de antecipação e, assim, Evelyn ficava sabendo que devia escapulir, mas nem sempre conseguia sair a tempo. "Aonde está indo tão depressa, surda-muda retardada?", interceptava-a Doreen, ameaçadora. Era a única que a insultava; os outros se acostumaram a decifrar o significado das frases entrecortadas de Evelyn antes que as concluísse. Galileo León se apressava em dar dinheiro à filha para que fosse logo embora e sempre que tinha uma oportunidade rogava que ela fosse com ele à igreja, mesmo que fosse só uma vez. Mantinha a esperança de que o Espírito Santo se dignaria a descer sobre ela para salvá-la de si mesma, como acontecera com ele.

Passaram-se mais de dois anos sem que Evelyn tivesse recebido a notificação da Justiça mencionada no Centro de Detenção. Miriam vivia atenta ao correio, embora fosse provável que o processo de sua filha estivesse perdido em um escaninho qualquer do Serviço de Imigração e, portanto, poderia viver sem documentos pelo resto de seus dias sem ser importunada. Evelyn fizera o último ano da escola secundária e se diplomara com toga e barrete, como o restante de sua turma, sem que ninguém lhe pedisse papéis para provar sua existência.

A crise econômica dos últimos anos agravara o antigo ressentimento contra os latinos; milhões de norte-americanos, ludibriados por financeiras e bancos, haviam perdido suas casas e empregos, e transformaram os imigrantes em bodes expiatórios. "Vamos ver se algum americano de qualquer cor vai trabalhar pela miséria que pagam para a gente", dizia Miriam. Ganhava menos de um salário mínimo e fazia horas extras para enfrentar as despesas; os preços subiam, mas os salários estavam congelados. Evelyn ia com ela e outras duas mulheres faxinar escritórios à noite. Era uma equipe formidável, que chegava em um Honda Accord com material de limpeza e um rádio de pilha para ouvir pregadores evangélicos e música mexicana. Elas tinham por norma trabalhar juntas, pois, assim, se protegiam dos perigos noturnos, desde assaltos nas ruas até assédio sexual nos edifícios fechados. Conquistaram a reputação de amazonas depois de terem dado uma surra com vassouras, baldes e rodos em um auxiliar de escritório idiota que tentara se aproveitar de Evelyn em um banheiro. O guarda de segurança, outro latino, se fez de surdo por um bom tempo e, quando finalmente interveio, o galã parecia ter sido atropelado por um caminhão, mas não quis ir à polícia denunciar as agressoras daquela equipe; preferiu suportar a humilhação calado.

Miram e Evelyn trabalhavam lado a lado, dividiam as tarefas domésticas, educavam as crianças, cuidavam do papagaio e da cadela, faziam compras e os demais afazeres inevitáveis, mas lhes faltava a intimidade fácil de mãe e filha, pareciam estar sempre de visita. Miriam não sabia como tratar aquela filha silenciosa. Oscilava entre deixá-la de lado ou demonstrar-lhe seu carinho com presentes. Evelyn era uma alma solitária, não travara amizade com ninguém, nem na escola nem na igreja. Miriam achava que nenhum garoto se interessaria por ela, pois continuava com o aspecto de uma criança desnutrida. Os imigrantes chegavam com os ossos bem à vista e, em poucos meses, estavam a caminho da obesidade com a dieta de comida rápida e barata, mas Evelyn não tinha apetite por natureza. A gordura e o açúcar a repugnavam e tinha saudades do feijão de sua avó. Miriam não sabia que qualquer um que se aproximasse a menos de um metro deixava Evelyn em brasa; o trauma do estupro estava gravado a fogo em sua memória e em seu corpo, associava contato físico a violência, sangue e, sobretudo, ao seu irmão Andrés degolado. Sua mãe sabia o que ocorrera, mas ninguém lhe contara os detalhes e Evelyn nunca pôde falar disso. O isolamento convinha à garota, porque a poupava do esforço de falar.

Miriam não tinha queixas, a filha cumpria suas obrigações a tempo e nunca estava de braços cruzados, obedecendo ao preceito de sua avó, para quem o ócio era a mãe de todos os vícios. Só relaxava com seus dois irmãos, que lhe ensinaram a lidar com o computador, e com as crianças da igreja, que não a julgavam. Enquanto os pais assistiam ao serviço, ela cuidava de dezenas de crianças em uma sala adjacente. Assim, evitava o longo sermão do pastor, um mexicano exaltado que conseguia galvanizar a congregação até o ponto da histeria. Evelyn inventava jogos para entreter as crianças, cantava, ensinava-as a dançar com o auxílio de um pandeiro e era capaz de lhes contar histórias sem vacilar muito, desde que não houvesse adultos como testemunhas. O pastor da igreja aconselhou-a a estudar para ser professora; estava claro que o Senhor lhe dera esse talento, e desperdiçá-lo seria cuspir no céu. Havia prometido ajudá-la a obter seus documentos de residência, mas sua influência, tão poderosa nas esferas celestiais, era ineficaz nos áridos escritórios do Serviço de Imigração.

O encontro com o juiz teria sido postergado indefinidamente se não fosse a intervenção de Doreen. A filha de Galileo León se deteriorara naqueles poucos anos e não restava quase nada de sua arrogância, mas a raiva permanecia intacta. Costumava aparecer coberta de manchas roxas que atestavam seu caráter feroz; qualquer provocação lhe servia como pretexto para brigar. Tinha uma cicatriz nas costas, fruto de uma punhalada, que mostrava às crianças como um sinal de honra, proclamando, vaidosa, que a haviam abandonado, achando que estava morta, em um beco, no meio de latas de lixo. Evelyn a encarara em raras ocasiões, porque sua estratégia de fuga normalmente era bem-sucedida. Quando estava sozinha com as crianças, saía correndo com elas assim que a cadela começava a uivar. Naquele dia, no entanto, seu plano falhou, porque os meninos estavam com escarlatina. A febre começara três dias antes com dor de garganta e estavam cobertos de manchas; era impossível tirá-los da cama em um dia frio do começo de outubro. Doreen chegou chutando a porta e ameaçando envenenar a maldita cadela. Evelyn se preparou para a ladainha de insultos que choveria em cima dela assim que a mulher percebesse que seu pai não estava e que não havia dinheiro na casa.

Do pequeno quarto das crianças, Evelyn não podia ver o que a outra fazia, mas a ouvia se revolver e xingar impacientemente. Temendo sua reação se não encontrasse o que procurava, armou-se de coragem e foi à cozinha com a intenção de interceptá-la antes que chegasse ao lugar em que estavam as crianças. Para dissimular, começou a preparar um sanduíche, mas Doreen não lhe deu tempo. Arremeteu como um touro de briga e, antes que Evelyn conseguisse ver o que vinha em cima dela, a pegou pelo pescoço, sacudindo-a com a força do vício. "Onde está o dinheiro? Fale, retardada, ou eu te mato!" Evelyn tentou inutilmente se soltar daquelas garras fortes. Aos gritos de Doreen, apareceram as crianças assustadas e começaram a chorar no momento em que a cadela, que raramente entrava na casa, pegava a agressora pelo casaco e começava a puxar, grunhindo. Doreen empurrou Evelyn e se virou para dar um pontapé no animal. A garota escorregou, caiu de costas e bateu com a nuca no canto da mesa da cozinha. Doreen distribuiu pontapés na cadela e em Evelyn, mas, no meio de sua demência, teve um lampejo de sanidade, percebeu o que fizera e saiu correndo, proferindo um rosário de palavrões. Uma vizinha, atraída pela confusão, encontrou Evelyn no chão e as duas crianças desconsoladas. Chamou Miriam, Galileo e a polícia, nessa ordem.

Galileo León chegou pouco depois da polícia e, naquele momento, Evelyn tentava se levantar, sustentada por uma mulher uniformizada.

O mundo girava em turbilhão, uma chuva de manchas negras turvava sua vista, e a dor lhe partia o crânio de tal maneira que tinha dificuldade de explicar o que acontecera, mas seus irmãozinhos repetiam entre choros e soluços o nome de Doreen. Galileo não pôde impedir que levassem Evelyn em uma ambulância ao hospital e que fizessem um boletim de ocorrência relatando o que acontecera.

No pronto-socorro, costuraram o couro cabeludo de Evelyn com vários pontos, deixaram-na em observação por algumas horas e a mandaram para casa com um frasco de analgésicos e a recomendação de descansar, mas o incidente continuaria afetando-a, pois já existia um boletim de ocorrência. No dia seguinte, a polícia foi buscá-la e a interrogaram sobre sua relação com Doreen durante duas horas e depois a liberaram. Voltaram dois dias depois e a levaram de novo, mas dessa vez as perguntas foram sobre como entrara nos Estados Unidos e os motivos que a haviam levado a abandonar seu país. Vacilando, aterrorizada, Evelyn tentou contar o que acontecera com sua família, mas os agentes mal a entendiam e foram perdendo a paciência. Na sala estava um homem sem uniforme que fazia anotações e nem abriu a boca para dizer seu nome.

Como Doreen tinha sido acusada de porte de drogas e outros delitos, chegaram à casa deles três agentes com um cão treinado e revistaram até o último canto sem encontrar nada que lhes interessasse. Galileo León deu um jeito de desaparecer e coube a Miriam a vergonha de vê-los arrancar o linóleo do chão e cortar seus colchões procurando drogas. Vários vizinhos apareceram para xeretar, e depois que os agentes partiram com o cachorro, ficaram rondado à espera do segundo ato do drama. Tal como supunham, quando Galileo voltou, sua mulher partiu para cima dele, enfurecida. Tudo era culpa dele e daquela sua filha da puta, quantas vezes lhe repetira que não queria vê-la em sua casa, era um pobre-diabo, débil de caráter, com razão ninguém o respeitava, e dá-lhe com uma discussão épica que começou na casa, continuou no quintal e na rua e terminou na igreja, onde o casal chegou escoltado por várias testemunhas para consultar o pastor. Ao cabo de algumas horas, acabou a energia de Miriam, e sua raiva esfriou, uma vez que Galileo lhe prometeu, timidamente, manter sua filha afastada.

Nesse mesmo dia, às oito da noite, quando Miriam ainda estava irritada pelo ataque, bateram à porta do trailer. Era o homem que ficara tomando notas na delegacia de polícia. Trabalhava no Serviço de Imigração, disse, apresentando-se. O ar ficou congelado, mas não puderam impedir que entrasse. O agente estava habituado ao efeito que causava e tentou aliviar a tensão falando em espanhol. Contou que havia sido criado por seus avós mexicanos, que tinha orgulho de suas origens e se movimentava com naturalidade entre as duas culturas. Ouviram-no incrédulos, porque o homem era branco puro, com olhos claros de peixe e maltratava o idioma sem piedade. Ao ver que ninguém apreciava sua intenção de se congraçar, passou ao objetivo de sua visita. Sabia que Miriam e Galileo tinham residência e que seus filhos haviam nascido nos Estados Unidos, mas era preciso ver a situação de Evelyn Ortega. Tinha a ficha do Centro de Detenção com a data de sua prisão na fronteira e, à falta de uma certidão de nascimento, supunha que já havia completado 18 anos; era ilegal e, portanto, passível de ser deportada.

Um silêncio de mausoléu estendeu-se por dois minutos, enquanto Miriam calculava se aquele homem vinha com a lei debaixo do braço ou se pretendia ser subornado. De repente, Galileo León, habitualmente vacilante, pronunciou-se com uma voz firme que, até então, ninguém havia ouvido sair de sua boca.

— Esta menina é refugiada. Ninguém é ilegal nesta vida, todos temos o direito de viver no mundo. O dinheiro e o crime não respeitam fronteiras. Eu lhe pergunto, senhor, por que os seres humanos têm de fazer isso?

— Eu não faço as leis. Meu trabalho é fazer com que sejam cumpridas — respondeu o agente, desconcertado.

— Veja bem, que idade o senhor acha que ela tem? — disse Galileo, apontando para Evelyn.

— Parece muito jovem, mas preciso de uma certidão de nascimento para confirmar. Em sua ficha, está anotado que o documento foi levado pela correnteza quando cruzou o rio. Isso foi há três anos. Nesse meio-tempo poderiam ter conseguido uma cópia.

— Quem iria fazer isso? Minha mãe é uma velha analfabeta e, na Guatemala, esses trâmites demoram muito e custam dinheiro — interveio Miriam, que acabara de se recuperar da surpresa de ver seu marido falando como advogado.

— O que a menina conta sobre gangues e irmãos assassinados é uma coisa comum, já ouvi isso. Os imigrantes contam muitas histórias parecidas. Os juízes também estão habituados a ouvi-las. Quem vai decidir se será asilada ou deportada é o juiz que vai julgar o caso — disse o agente antes de sair.

Galileo León, sempre dócil, era partidário de esperar o curso da lei, que se faz esperar, mas chega, como dizia. Miriam opinava que, quando chega, a lei nunca favorece o mais fraco, e entrou imediatamente em ação para fazer sua filha desaparecer. Não perguntou a Evelyn sua opinião quando acionou seus contatos na rede clandestina de imigrantes sem documentos nem quando aceitou enviá-la para trabalhar na casa de umas pessoas no Brooklyn. Obtivera a informação de uma mulher que frequentava sua igreja, cuja irmã conhecia uma outra que fora empregada doméstica daquela família e dizia que não davam importância para documentos ou outras minúcias. Desde que a garota cumprisse com suas obrigações, ninguém lhe perguntaria pela sua situação legal. Evelyn quis saber quais seriam as tais obrigações e ficou sabendo que se tratava de cuidar de um menino doente, nada além disso.

Miriam mostrou Nova York em um mapa à sua filha, ajudou-a a empacotar suas coisas em uma malinha, deu-lhe um endereço de Manhattan e a colocou em um ônibus da empresa Greyhound. Dezenove horas depois,

Evelyn se apresentou na Igreja Pentecostal Latino-Americana, um edifício de dois andares que por fora não tinha nada da dignidade de um templo, onde foi recebida por uma congregada de boa vontade. A mulher leu a carta de apresentação do pastor de Chicago, ofereceu-se para hospedá-la em seu apartamento naquela noite e, no dia seguinte, lhe indicou como ir de metrô à igreja do Tabernáculo da Nova Vida do Brooklyn. Ali, outra mulher, quase idêntica à anterior, lhe deu um refrigerante, um panfleto com os serviços religiosos e as atividades sociais do tabernáculo e instruções para encontrar o endereço de seus novos patrões.

Às três da tarde de um dia de outono de 2011, quando as árvores começavam a se despir e a rua estava coberta de uma folharada seca e efêmera, Evelyn Ortega tocou a campainha de uma casa de três andares, situada em uma esquina, com estátuas mutiladas de heróis gregos no jardim. Ali, haveria de viver e trabalhar nos anos seguintes, em paz e com documentos falsos.

# Lucía e Richard

*Norte de Nova York*

Uma vez na cabana do lago, Richard Bowmaster adormeceu em um instante, sentindo-se melhor do estômago, mas vencido pelo cansaço daquele longo domingo e afetado pela mistura de amor recém-descoberto e incerteza que o consumia. Enquanto isso, Lucía e Evelyn cortaram uma toalha em pedaços e saíram para apagar as marcas digitais do Lexus. De acordo com as instruções da internet lidas no celular, bastava limpá-las com um pano, mas Lucía insistira em usar álcool para maior segurança, porque podiam ficar identificáveis, mesmo que o veículo estivesse submerso no lago. "Como você sabe disso?", perguntara Richard antes de adormecer, e ela lhe respondeu: "Não me pergunte." À luz azulada da neve, esfregaram as partes visíveis do automóvel por fora e por dentro, sistematicamente, menos o interior do porta-malas. Voltaram à cabana para se aquecer com uma xícara de chá e conversar enquanto Richard descansava. Só escureceria dali a três horas.

Evelyn estava calada desde a noite anterior, colaborando no que lhe pedissem com o ar ausente de sonâmbula. Lucía intuiu que estava submersa em seu passado, repassando a tragédia de sua curta vida. Havia desistido de se esforçar para distraí-la ou animá-la, porque compreendeu que a situação era muito mais angustiante para a garota do que para ela e Richard. Evelyn estava aterrorizada, pendia sobre ela o perigo de Frank Leroy, mais grave que o de ser presa ou deportada, mas havia outro motivo que Lucía vinha pressentindo desde que haviam saído do Brooklyn.

— Você nos contou como seus irmãos morreram na Guatemala, Evelyn. Kathryn também teve uma morte violenta. Imagino que isso lhe traz más recordações.

A garota assentiu sem levantar o rosto da xícara de chá fumegante.

— Meu irmão também foi morto — acrescentou Lucía. Seu nome era Enrique, e eu o amava muito. Supomos que foi preso, mas não descobrimos mais nada a seu respeito. Não pudemos enterrá-lo, porque não nos entregaram seus restos.

— Tem... Tem... Tem cer... te... za de que mor... reu? — perguntou Evelyn, titubeando mais do que nunca.

— Sim, Evelyn. Passei anos investigando o destino dos presos que desapareceram, como Enrique. Escrevi dois livros sobre isso. Morreram torturados ou executados e seus corpos foram dinamitados ou jogados no mar. Também foram encontradas fossas comuns, mas poucas.

Com muita dificuldade, tropeçando nas palavras, Evelyn conseguiu dizer que ao menos seus irmãos Gregorio e Andrés haviam sido enterrados com a devida reverência, embora poucos vizinhos tenham comparecido ao velório, por temor da quadrilha. Na casa de sua avó, haviam acendido velas e queimado ervas aromáticas, cantaram, choraram, brindaram com rum por eles, enterraram-nos com algumas de suas coisas para que não lhes faltassem na outra vida, e haviam sido rezadas missas por eles durante nove dias, como é o costume, porque nove são os meses que a criança passa no ventre de sua mãe antes de nascer e nove são os dias que o finado demora para renascer no céu. O túmulo de seus irmãos estava em terra consagrada, onde sua avó ia deixar flores aos domingos e levar-lhes comida no Dia de Finados.

— Kathryn, como meu irmão Enrique, não terá nada disso... — murmurou Lucía, comovida.

— As almas sem descanso vêm espantar os vivos — disse Evelyn em uma exalação, sem vacilar.

— Eu sei. Vêm nos visitar nos sonhos. Kathryn já apareceu para você, não é mesmo?

— Sim... Ontem à noite.

— Sinto muito que não possamos nos despedir de Kathryn com os rituais de seu povo, Evelyn, mas vou mandar rezar uma missa por ela por nove dias. Prometo que vou fazer isso.

— Sua mãe... re... za... por seu... ir... mão?

— Rezou por ele até o último dia de sua vida, Evelyn.

Lena Maraz começou a se despedir do mundo em 2008, mais por cansaço do que por doença ou velhice, depois de ter procurado seu filho Enrique por 35 anos. Lucía nunca se perdoaria por não ter percebido quanto sua mãe estava deprimida; acreditava que se tivesse intervindo muito antes teria conseguido ajudá-la. Só percebeu no final, porque Lena deu um jeito de ocultar seu estado, e ela, distraída com suas coisas, não havia prestado atenção nos sintomas. Nos últimos meses, quando já não pôde continuar fingindo que a vida lhe interessava, Lena se alimentava só de caldo e um pouco de purê de verduras. Permanecia prostrada com um cansaço eterno, reduzida a pele e osso, indiferente a tudo, menos a Lucía e sua neta Daniela. Preparava-se para morrer de inanição, da maneira mais natural, em sua fé e em sua lei. Pedia a Deus que não demorasse a levá-la e que, por favor, lhe permitisse manter sua dignidade até o final. Enquanto seus órgãos iam parando de funcionar lentamente, sua mente estivera mais viva do que nunca, mais aberta, sensível e presente. Aceitou a debilidade progressiva de seu corpo com graça e humor, até que perdeu o controle de algumas funções que para ela eram absolutamente privadas; então, chorou pela primeira vez. Foi Daniela quem conseguiu convencê-la de que as fraldas e os cuidados mais íntimos que recebia de Lucía, dela e de um enfermeiro que a visitava uma vez por semana não eram um castigo pelos pecados do passado, mas uma oportunidade de chegar ao céu. "Você não pode chegar ao céu com sua altivez intacta, vovó, tem que praticar um pouco de humildade", dizia em tom de carinhosa reprovação. Lena achou razoável e se resignou a aquiescer. No entanto, logo não houve jeito de fazer com que engolisse mais do que umas colheradas de iogurte e tomasse alguns goles de chá de camomila. O enfermeiro mencionou a possibilidade de alimentá-la por uma sonda, mas sua filha e sua neta se negaram a submetê-la àquela violência; deviam respeitar a irrevogável decisão de Lena.

De sua cama, Lena admirava um pedaço de céu que aparecia em sua janela, agradecia pelo banho de esponja, às vezes pedia que lhe lessem poemas e tocassem as músicas românticas que costumava dançar na juventude. Estava aprisionada naquele corpo devastado, mas livre da dor abissal por seu filho, porque, à medida que os dias se passavam, aquilo que no começo era um pressentimento, uma sombra fugaz, o roçar de um beijo na testa, foi adquirindo contornos cada vez mais precisos. Enrique estava ao seu lado, esperando com ela.

Nada poderia deter o assédio da morte, mas Lucía, aterrorizada ao ver sua mãe se consumir, transformou-se em seu carcereiro, privando-a dos cigarros, seu único prazer, porque achava que tiravam o seu apetite e apressavam seu fim. Daniela, que tinha o dom de captar a necessidade alheia e bondade para tentar remediá-la, percebeu que a abstinência era o pior tormento de sua avó. Naquele ano, terminara o ensino médio, tinha planos de ir estudar em Miami em setembro e, nesse tempo, fazia cursos intensivos de inglês. Passava todas as tardes para ver Lena e, assim, liberava Lucía durante algumas horas para que pudesse trabalhar. Aos 18 anos, Daniela, alta e bela, com os traços eslavos de seus antepassados, jogava paciência ou se instalava na cama da avó fazendo suas lições de inglês, enquanto Lena cochilava com o ronco líquido dos últimos momentos. Lucía não suspeitava que Daniela dava à avó os cigarros proibidos, que contrabandeava, escondidos no sutiã. Muitos anos se passariam até que Daniela confessasse à sua mãe aqueles pecados misericordiosos.

O lento caminho para a morte desarmou o teimoso rancor de Lena contra o marido que a traíra e conseguiu falar dele com sua filha e sua neta em um sopro da voz que lhe restava.

— Enrique perdoou o pai, agora cabe a você perdoá-lo, Lucía.

— Não me interessa, mamãe. Quase não o conheci.

— Exatamente, filha. É essa ausência que você deve perdoar.

— Na realidade, nunca me fez falta, mamãe. Enrique, por sua vez, queria ter um pai; estava muito magoado e se sentia abandonado.

— Isso foi quando era pequeno. Agora entende que seu pai não agiu por maldade, estava apaixonado por aquela mulher. Não soube do dano que fez a todos nós, a nós tanto como a ela e seu filho. Enrique entende.

— Que tipo de homem seria meu irmão agora, aos 57 anos?

— Continua tendo 22, Lucía, e ainda é idealista e apaixonado. Não veja as coisas desse jeito, filha. Estou perdendo a vida, mas não estou perdendo a cabeça.

— Você fala como se Enrique estivesse aqui.

— Está.

— Ai, mamãe...

— Sei que o mataram, Lucía. Enrique se nega a me dizer como foi, quer me convencer de que foi rápido e não sofreu muito, porque, quando o detiveram, estava ferido, sangrando, e isso o livrou da tortura. É possível dizer que morreu lutando.

— Ele conversa com você?

— Sim, filha. Conversa. Está aqui comigo.

— Pode vê-lo?

— Posso senti-lo. Me ajuda quando fico sufocada, me acomoda nos travesseiros, enxuga minha testa, põe cubos de gelo na minha boca.

— Essa sou eu, mamãe.

— Sim, é você e Daniela, mas também é Enrique.

— Você diz que ainda é jovem.

— Ninguém envelhece depois de morto, filha.

Nesses últimos dias de sua mãe, Lucía compreendeu que a morte não era um final, não era a ausência de vida, mas uma poderosa onda oceânica, água fresca e luminosa, que a levava a outra dimensão. Lena ia se desprendendo da terra firme e ia se deixando levar pela onda, livre da âncora e da força de gravidade, leve, peixe translúcido impulsionado pela correnteza. Lucía parou de lutar contra o desfecho iminente e descansou. Sentada ao lado de sua mãe, respirava conscientemente, devagar, e uma imensa quietude a invadia, um desejo de partir com ela, deixar-se arrastar e se dissolver no oceano. Pela primeira vez sentia sua própria alma como uma luz incandescente por dentro, sustentando-a, uma luz eterna e invulnerável aos afãs da existência. Encontrou um pouco de calma absoluta no centro de si mesma. Não havia nada a fazer, só esperar. Calar o ruído do mundo. Soube que assim sua mãe experimentava a proximidade da morte e então desapareceu o terror que a havia dominado ao ver como sua mãe ia se consumindo e apagando como uma vela.

Lena Maraz morreu em uma dessas manhãs de fevereiro em que o sufoco do verão chileno se anuncia cedo. Dormira durante dias, respirando apenas com um arquejo intermitente, aferrada à mão de Enrique, enquanto sua neta implorava que seu coração falhasse logo e saísse de uma vez por todas daquele pântano de agonia. Lucía, por sua vez, entendia que sua mãe deveria atravessar o último trecho com seu próprio passo, sem pressa. Passara a noite deitada ao seu lado, esperando o desenlace, e Daniela havia de recostado no sofá da sala. A noite lhes pareceu muito curta. Ao amanhecer, Lucía lavou o rosto com água fria, bebeu uma xícara de café, acordou Daniela e foram instalar-se juntas nos dois lados da cama. Por um instante, Lena pareceu voltar à vida, abriu os olhos e os fixou em sua filha e sua neta. "Amo muito vocês, meninas. Vamos, Enrique", murmurou. Fechou as pálpebras e Lucía sentiu a mão de sua mãe se afrouxar entre as dela.

O frio penetrava na cabana, apesar dos aquecedores, e tiveram de se abrigar com toda a roupa de que dispunham. Vestiram Marcelo com um colete, além de sua capa, pois tinha poucos pelos e era friorento. O único que sentia calor era Richard, que acordou da sesta transpirando e renovado. A neve começava a cair como pluminhas e anunciou que chegara a hora de entrar em ação.

— Onde exatamente vamos nos livrar do carro? — perguntou Lucía.

— Há um despenhadeiro a menos de um quilômetro daqui. Nessa parte, o lago é fundo, deve ter uns quinze metros de profundidade. Espero que o caminho esteja transitável, porque é o único acesso.

— Suponho que o porta-malas esteja bem fechado...

— Até agora, o arame resistiu, mas não posso garantir que ficará fechado no fundo do lago.

— Você sabe como evitar que o corpo flutue se a tampa se abrir?

— Não consideremos esse caso — disse Richard, estremecendo diante de uma possibilidade que não lhe ocorrera.

— Abrindo a barriga de Kathryn, para que fique cheia de água.

— Mas o que você está dizendo, Lucía?

— Faziam isso com os prisioneiros que jogavam no mar — disse ela, com voz alquebrada.

Os três ficaram em silêncio, absorvendo o horror do que acabara de vir à luz e certos de que nenhum deles seria capaz de fazer aquilo.

— Pobre, pobre senhorita Kathryn... — murmurou finalmente Evelyn.

— Perdoe-me, Richard, mas não podemos continuar com isso — disse Lúcia, prestes a chorar, assim como Evelyn. — Sei que a ideia foi minha e que eu o obriguei a vir até aqui, mas repensei. Tudo isso foi pura improvisação, não traçamos um bom plano, não refletimos a fundo. Claro que não havia tempo para isso...

— O que você está querendo dizer? — interrompeu-a Richard, assustado.

— Desde ontem à noite, Evelyn não para de pensar no espírito de Kathryn, que anda vagando como uma alma penada, e eu não paro de pensar que essa infeliz tem uma família. Certamente tem uma mãe... Minha mãe passou metade da vida procurando meu irmão Enrique.

— Eu sei, Lucía, mas isso é diferente.

— Como diferente? Se seguirmos em frente com isso, Kathryn Brown será uma pessoa desaparecida, como meu irmão. Existem pessoas que a amam e que a procurarão sem parar. O sofrimento dessa incerteza é pior do que a certeza da morte.

— O que vamos fazer então? — perguntou Richard depois de uma longa pausa.

— Poderíamos deixá-la em um lugar onde pudesse ser encontrada...

— E se não a encontrarem? E se o corpo estiver tão decomposto que não será possível identificá-la?

— Sempre se pode identificar. Agora basta um pedacinho de osso para identificar um cadáver.

Richard caminhava pela sala a passos longos, as mãos no ventre, pálido, pensando em uma solução. Entendia as razões de Lucía e compartilhava seus escrúpulos; tampouco ele desejava submeter a família daquela mulher a uma procura sem fim. Deveriam ter pensado nisso antes de chegar ao ponto em que estavam, mas ainda tinham tempo de consertar as coisas. A morte de Kathryn Brown era responsabilidade do assassino, mas seu desaparecimento seria dele e não podia assumir uma nova culpa; já tinha o suficiente com as velhas culpas. Deviam deixar o corpo em um lugar afastado do lago e da cabana, onde ficasse a salvo de animais de rapina e fosse encontrado com o degelo da primavera, dentro de dois a três meses. Isso daria a Evelyn a oportunidade de ir para um lugar seguro. Enterrar Kathryn seria muito difícil. Cavar um buraco na terra congelada era uma tarefa que não enfrentaria nem mesmo que estivesse saudável e menos ainda com o tormento da úlcera. Apresentou o problema a Lucía, que, evidentemente, já o havia considerado.

— Podemos deixar Kathryn em Rhinebeck — disse ela.

— Por que ali?

— Não me refiro à cidade, mas ao Instituto Ômega.

— O que é isso?

— Para resumir, digamos que é um centro espiritual, mas é muito mais do que isso. Estive ali para retiros e conferências. O Instituto tem quase duzentos acres de prodigiosa natureza e fica em um lugar isolado, perto de Rhinebeck. Fica fechado durante os meses de inverno.

— Mas deve haver pessoal de manutenção.

— Sim, para as instalações, mas os bosques ficam cobertos de neve e não precisam de cuidados especiais. O caminho para Rhinebeck e os arredores é bom, há muito tráfego; por isso não chamaríamos a atenção e, depois que entrarmos no terreno do Ômega, ninguém nos verá.

— Não me agrada. É muito arriscado.

— A mim, sim, porque é um lugar espiritual, com boa energia, no meio de bosques espetaculares. Gostaria que deixassem minhas cinzas ali. Kathryn também gostaria.

— Nunca sei se você está falando sério, Lucía.

— Sim, estou. Totalmente. Mas se você tiver uma ideia melhor...

Voltara a nevar e entenderam que chegara o momento de se livrar do automóvel, antes que o acesso se tornasse intransitável. Não havia tempo para discutir mais, concordavam que Kathryn devia ser encontrada e, para isso, teriam de levá-la para o Subaru.

Richard lhes entregou luvas descartáveis e disse que não deviam tocar no Lexus sem elas. Manobrou o veículo para colocá-lo ao lado do Subaru e, em seguida, cortou os arames da fechadura com um alicate. Kathryn

Brown estava ali pelo menos há dois ou três dias e havia mudado muito pouco, parecia dormir embaixo do tapete. Ao tocá-la, sentiu que estava gelada, mas parecia menos rígida do que quando Lucía tentou movê-la no Brooklyn. Richard soltou um soluço ao vê-la; à luz diáfana da neve, aquela jovem encolhida como uma criança tinha o mesmo ar trágico de vulnerabilidade de Bibi. Fechou os olhos, aspirando pela boca o ar gelado para se desprender daquele clarão desapiedado da memória e se obrigar a voltar ao presente. Não era a sua Bibi, sua menina adorada; era Kathryn Brown, uma mulher desconhecida. Enquanto Evelyn observava a cena murmurando preces em voz alta, paralisada, Richard e Lucía enfrentaram a tarefa de tirar o corpo do porta-malas, que era mais pesado do que em vida, pela angústia de ter morrido de repente. Por fim, conseguiram virar Kathryn e viram seu rosto pela primeira vez. Seus olhos estavam abertos. Eram redondos e azuis, olhos de boneca.

— Vá para casa, Evelyn. É melhor que não veja isso — ordenou-lhe Lucía, mas a menina, pregada em seu lugar, não lhe obedeceu.

Kathryn era uma jovem delgada, pequena, com cabelos curtos da cor de chocolate e a aparência de uma adolescente, vestida com uma roupa de ioga. Tinha um buraco preto no meio da testa, tão nítido quanto se tivesse sido pintado, e um pouco de sangue coagulado na face e no pescoço. Observaram-na por alguns minutos com infinita pena, imaginando como seria em plena vida. Inclusive a postura torcida em que estava mantinha certa elegância de bailarina em repouso.

Lucía a pegou pelas pernas na altura dos joelhos e Richard pelas axilas, levantaram-na e, a duras penas, conseguiram transferi-la para o Subaru. Com esforço, colocaram-na no porta-malas, cobriram-na com o mesmo tapete e, em cima, colocaram uma lona. Com a bagagem dentro do porta-malas, ninguém suspeitaria.

— Morreu com um tiro de pistola de baixo calibre — disse Lúcia. — A bala ficou incrustada no crânio, não há orifício de saída. Morreu instantaneamente. O assassino tem boa pontaria.

Richard, ainda comovido pela recordação vívida do momento em que perdera sua Bibi, vinte anos atrás, chorava sem sentir as lágrimas que congelavam em sua face.

— Certamente Kathryn o conhecia — acrescentou Lucía. — Estavam frente a frente, talvez conversando. Esta mulher não esperava a bala, tem uma expressão desafiadora, e não sentiu medo.

Evelyn, que conseguira superar a imobilidade e estava removendo as impressões digitais do porta-malas do Lexus, os chamou.

— Vejam — anunciou, apontando uma pistola no fundo do porta-malas.

— É a de Leroy? — perguntou Richard, levantando-a pelo cano com cuidado.

— É parecida.

Richard entrou na cabana, sustentando a arma entre o polegar e o indicador, e a colocou em cima da única mesa. Supondo que a bala saíra da pistola de Frank Leroy, havia caído em cima deles outra responsabilidade indesejável: entregar ou não entregar a arma à polícia, acobertar um culpado ou talvez incriminar um inocente.

— O que faremos com a pistola? — perguntou à Lucía quando se reuniram dentro da casa.

— Acho que devemos deixá-la no Lexus. Para que vamos complicar ainda mais a vida? Já temos problemas suficientes.

— É a prova mais importante contra o assassino, não podemos atirá-la no lago — objetou Richard.

— Bem, vamos ver. Por ora, o mais urgente é nos desfazermos do carro. Você tem forças para isso, Richard?

— Eu me sinto muito melhor. Aproveitemos a luz; vai escurecer cedo.

A trilha, único acesso ao despenhadeiro, estava quase invisível na espuma branca que nivelava o mundo. O plano de Richard consistia em ir ao lago com os dois carros, tirar o Lexus e voltar no outro. Em condições normais, seria possível percorrer a curta distância a pé em vinte minutos; a neve era um empecilho, mas tinha a vantagem de cobrir as pegadas em poucas horas. Decidiu que ele iria dirigindo o Lexus na frente, munido de uma pá, e Lucía iria atrás, no outro carro. Ela alegou que seria mais lógico que o Subaru, com tração nas quatro rodas, abrisse o caminho. "Acredite em mim, sei o que estou fazendo", respondeu-lhe Richard, dando-lhe um beijo impulsivo na ponta do nariz. Surpreendida, Lucía soltou um grito. Deixaram Evelyn com o cachorro e a instruíram a manter as cortinas fechadas e só acender uma única lâmpada, caso fosse necessário; quanto menos luz, melhor. Richard calculou que estariam de volta em menos de uma hora, se tudo corresse bem.

Orientando-se pelo espaço entre as árvores, cujos galhos carregados de neve se inclinavam até o chão, seguiu lentamente pela trilha que só ele percebia, porque a percorrera antes, com Lucía atrás. Em dado momento, perderam o rastro e tiveram de recuar vários metros, e pouco mais adiante o Lexus ficou atolado na neve. Richard desceu para liberar as rodas com a pá, depois orientou Lucía para empurrá-lo com o outro carro, tarefa nada fácil, porque patinava. Então, ela entendeu por que o Subaru devia ir atrás; empurrar era difícil, mas puxar teria sido quase impossível. Nisso, perderam meia hora enquanto ia escurecendo e a temperatura baixava.

Finalmente, avistaram o lago, um imenso espelho prateado que refletia o céu azul acinzentado na quietude severa de uma paisagem invernal pintada na Holanda. Ali, a trilha terminava bruscamente. Richard desceu para explorar e andou de um lado para outro, observando o despenhadeiro, até que encontrou o que procurava a uns trinta metros de onde estavam. Disse a Lucía que aquele era o ponto exato, com a profundidade necessária, e que deveriam empurrar o Lexus com as mãos, porque tentar dirigi-lo até ali era muito perigoso. Lucía entendeu de novo as razões de Richard para que o Lexus fosse na frente, já que, naquela passagem estreita, não conseguiria avançar com o outro carro. Empurrar foi complicado, suas botas afundavam no terreno macio, em alguns lugares as rodas atolavam na neve, que precisavam afastar com a pá, e em outros patinavam no gelo.

Olhando de cima, Lucía não achou o despenhadeiro muito alto, mas, segundo Richard, essa era uma falsa impressão; daquela altura, o impacto e o peso do veículo quebrariam o gelo. Colocaram, com dificuldade, o carro em posição perpendicular ao lago, Richard colocou-o em ponto morto e os dois lhe deram um último empurrão. O carro avançou lentamente e as rodas dianteiras se aproximaram do abismo, mas o restante ficou preso na borda do despenhadeiro com um golpe surdo e o veículo ficou balançado apoiado no eixo, com três partes da estrutura na terra e o resto pendurado. Voltaram a empurrá-lo a todo pulmão sem conseguir movê-lo.

— Era só o que nos faltava! Coopere, maldito traste! — exclamou Lucía, desferindo-lhe um pontapé antes de cair sentada, ofegante.

— Deveríamos ter começado a empurrá-lo bem antes, assim teríamos obtido mais velocidade — observou Richard.

— Muito tarde. O que faremos agora?

Tentaram, por longos minutos, recuperar o ritmo da respiração, cobertos de neve, avaliando o desastre sem que lhes ocorresse nenhuma solução. Estavam nisso quando, de repente, a dianteira do automóvel se inclinou e deslizou um pouco, arrastando-se penosamente. Richard deduziu que o calor do motor começara a derreter a neve que estava embaixo do carro. Correram para ajudar e um instante depois o Lexus virou de bruços e caiu no despenhadeiro com o peso de um paquiderme mortalmente ferido. De cima, viram-no aterrissar de cabeça no lago e, por um instante, tiveram a impressão de que ficaria ali em posição vertical, como uma estranha escultura metálica, mas então ouviram um tremendo rangido, a superfície se partiu como vidro em mil pedaços e o carro afundou lentamente com um suspiro de adeus, levantando uma onda de água gelada e fragmentos de gelo azul. Mudos de estupor, fascinados, Lucía e Richard o contemplaram submergir, engolido pela água escura, até que desapareceu por completo no fundo do lago.

— Em alguns dias, a superfície estará congelada e não restará nenhum rastro — disse Richard, finalmente, quando se dissolveu a última ondulação da água.

— Até o degelo da primavera.

— Aqui o lago é fundo, não acredito que o encontrem. Ninguém aparece por aqui — disse Richard.

— Deus te ouça — disse Lucía

— Duvido que Deus aprove qualquer uma dessas coisas que temos feito — sorriu ele.

— Por que não? Ajudar Evelyn é um ato de compaixão, Richard. Contamos com a aprovação divina. Se não acredita em mim, pergunte ao seu pai.

# Richard

*Rio de Janeiro*

Depois da morte do pequeno Pablo, as semanas e os meses se transformaram em um pesadelo do qual nem Anita nem Richard foram capazes de fugir. Bibi completou 4 anos, e a família Farinha comemorou seu aniversário com exagero na casa dos avós, para compensar a tristeza que reinava em seu lar. A menina passava de mão em mão, carregada pela avó e por suas numerosas tias, muito sábia, serena e circunspecta para sua idade, como sempre havia sido.

Mas à noite molhava a cama. Acordava empapada e então tirava com cuidado o pijama e ia nua e na ponta dos pés para o quarto de seus pais. Dormia no meio dos dois e, às vezes, seu travesseiro amanhecia umedecido pelo choro de sua mãe.

O delicado equilíbrio que Anita sempre mantivera quando abortara espontaneamente se partiu com a morte do bebê. Nem Richard nem o persistente afeto da família Farinha conseguiam ajudá-la, mas todos se uniram e a arrastaram ao consultório de um psiquiatra, que lhe receitou um coquetel de remédios. As sessões de terapia transcorriam quase em silêncio; ela não falava, e os esforços do psiquiatra fracassavam contra a dor profunda de sua paciente.

Como último recurso desesperado, as irmãs de Anita a levaram para se consultar com Maria Batista, uma respeitada ialorixá, como são chamadas as mães de santo do candomblé. Todas as mulheres da família, em algum momento transcendental de suas vidas, haviam viajado à Bahia para ir ao terreiro de Maria Batista. Era uma mulher madura, volumosa, com um sorriso permanente em seu rosto da cor de melaço, vestida de branco desde as sandálias até o turbante e enfeitada com uma cascata de colares simbólicos. A experiência a tornara sábia. Falava em voz baixa, olhava nos olhos e acariciava as mãos daqueles que a procuravam para ser guiados pelo caminho da incerteza.

Examinou o destino de Anita com sua intuição, auxiliada pelos búzios. Não disse o que viu, porque seu papel era distribuir esperança, oferecer soluções e dar conselhos. Explicou-lhe que o sofrimento não tem nenhum propósito, é inútil, a menos que possa ser usado para limpar a alma. Anita devia rezar e pedir ajuda a Iemanjá, mãe de todos os orixás, para sair da prisão de suas recordações. "Seu filho está no céu, e você, no inferno. Volte para o mundo", disse a ela. Aconselhou as irmãs Farinha a darem um tempo a Anita; em algum momento se esgotaria sua reserva de pranto e seu espírito ficaria curado. A vida é persistente. "As lágrimas são positivas, lavam por dentro", acrescentou.

Anita voltou da Bahia tão desconsolada quanto havia partido. Encerrou-se em si mesma, indiferente às atenções de sua família ou de seu marido, afastada de todos, menos de Bibi. Retirou sua filha da creche para tê-la sempre à vista, protegida por um carinho opressivo e temeroso. Bibi, sufocada por aquele abraço trágico, carregava sozinha a responsabilidade de impedir que sua mãe deslizasse irremediavelmente para a loucura. Só ela podia enxugar suas lágrimas e aliviar sua dor com suas carícias. Aprendeu a não mencionar seu irmãozinho, como se tivesse esquecido para sempre sua breve existência. A menina e seu pai conviviam com um fantasma. Anita passava boa parte do dia dormindo ou imóvel em uma poltrona, vigiada por alguma mulher da família, porque o psiquiatra havia advertido que poderia se suicidar. As horas transcorriam idênticas para Anita, seus dias se sucediam com terrível lentidão e lhe sobravam horas para chorar por Pablo e as crianças que não chegaram a nascer. Talvez as lágrimas tivessem finalmente secado, como dissera Maria Batista, mas faltou tempo para isso.

Richard foi afetado mais pelo desespero profundo de sua mulher do que pela morte do bebê. Havia desejado e amado aquele filho, mas menos do que Anita, e não chegou a se familiarizar com ele. Enquanto a mãe o criava grudado no peito, ambos unidos pelo invencível cordão do instinto maternal, ele mal começara a conhecê-lo quando o perdeu. Tivera quatro anos para se apaixonar por Bibi e aprender a ser seu pai, mas passara apenas um mês com Pablo. Sua morte inesperada o estremeceu, mas a reação de Anita o afetou muito mais. Estavam juntos havia vários anos e se habituara às alterações de humor de sua mulher, que, em uma questão de minutos, passava do riso e da paixão à raiva ou à tristeza. Havia encontrado maneiras de lidar com os imprevisíveis estados de espírito de Anita sem se alterar, atribuía-os ao temperamento tropical, como o qualificava quando estava longe dela, porque o acusaria de ser racista. No entanto, na dor por Pablo, não podia ajudá-la, porque ela o repelia; mal tolerava sua família e menos ainda a ele. Bibi era seu único consolo.

Enquanto isso, a vida fervilhava nas ruas e nas praias daquela cidade erótica. Em fevereiro, o mês mais quente do ano, as pessoas andavam quase nuas, os homens de bermuda e frequentemente sem camisa, e as mulheres com vestidos leves, decotados, curtos. Corpos juvenis, belos, bronzeados, suados, corpos e mais corpos se exibindo, desafiadores. Richard os via em todos os lugares. Seu bar favorito, ao qual se dirigia automaticamente todas as tardes para se refrescar com cerveja ou se aturdir com cachaça, era um dos oásis obrigatórios dos jovens. Por volta das oito da noite, começava a ficar cheio e, às dez, o barulho era de um trem em movimento, e o cheiro de sexo, suor, álcool e perfume podia ser apalpado como algodão. Em um canto discreto, circulavam cocaína e outras drogas. Richard, que se tornara um cliente habitual, não precisava pedir sua bebida; o *barman* o servia assim que se aproximava do balcão. Fizera amizade com vários clientes fiéis como ele, que, por sua vez, lhe apresentaram outros. Os homens bebiam, conversavam aos gritos por cima da confusão, acompanhavam o futebol pela televisão, discutiam sobre gols e política e, às vezes, perdiam a mão e acabavam brigando. Então, o *barman* intervinha e os expulsava. As garotas se dividiam em duas categorias: as intocáveis, porque sempre estavam acompanhadas por um homem, e as que chegavam em grupos para exercitar a arte de seduzir. Quando aparecia uma mulher sozinha, normalmente tinha idade suficiente para desdenhar as cantadas mais grosseiras e sempre achava quem a cortejasse amavelmente, com a galanteria masculina dos brasileiros, que Richard era incapaz de imitar, porque a confundia com assédio sexual. Por sua vez, ele era alvo fácil das meninas provocadoras. Aceitavam suas bebidas, brincavam com ele e, na intimidade da apertada multidão do local, acariavam-no até obrigá-lo a corresponder. Nesses momentos, Richard se esquecia de Anita, aqueles jogos eram inócuos, não representavam o menor risco para seu casamento, ao contrário do que teria acontecido se Anita se permitisse as mesmas liberdades.

A jovem que se tornaria inesquecível para Richard não estava entre as mais belas daquelas noites de caipirinhas, mas era atrevida, de riso claro e disposta a experimentar tudo o que lhe fosse oferecido. Tornou-se a melhor companheira das farras, mas Richard a mantinha à margem de sua vida, como se fosse um manequim que só adquiria vida em sua presença para acompanhá-lo no bar bebendo e cheirando cocaína. Significava tão pouco em sua vida, acreditava ele, que, para simplificar, a chamava de Garota, palavra usada pelo poeta Vinícius de Morais para classificar as meninas bonitas de Ipanema na antiga canção. Ela o levou ao cubículo no qual se usavam drogas e à mesa de pôquer instalada no fundo do bar, onde se apostava pouco e era possível perder sem maiores consequências. Era incansável, podia passar a noite inteira bebendo e dançando e, no dia seguinte, ir diretamente para o consultório odontológico no qual trabalhava como secretária. Inventava e reinventava episódios de sua vida e os contava a Richard em um português frenético e divertido, que soava como música para ele. Após o segundo trago, ele começava a se lamentar de sua triste vida doméstica e, no terceiro, choramingava no ombro dela. A Garota se sentava em seus joelhos, beijava-o até perder o fôlego e se esfregava com gestos tão excitantes que ele voltava para casa com as calças manchadas e uma inquietação que não chegava a ser remorso. Richard planejava o dia em função do encontro com aquela jovem, que dava cor e sabor à sua vida. Eternamente alegre e bem-disposta, a Garota lhe recordava a Anita do passado, aquela por quem se apaixonara na academia de dança e que ia se dissipando rapidamente na neblina de sua desventura. Com a Garota, ele voltava a ser um jovem despreocupado; com Anita, sentia-se pesado, envelhecido e permanentemente julgado.

O apartamento da Garota ficava perto do bar e, nas primeiras vezes, Richard foi até lá em grupo. Às três da madrugada, quando fechava as portas, alguns boêmios iam curar a bebedeira dormindo na praia ou continuavam a farra na casa de algum deles. O apartamento da Garota era o mais conveniente, pois ficava a menos de cinco quadras. Acordou várias vezes ao alvorecer em um lugar que, por breves segundos, não reconhecia. Levantava-se enjoado e confuso, sem conseguir identificar os homens e as mulheres estatelados no chão ou em cima das poltronas.

Às sete da manhã de um sábado, acordou na cama da Garota, vestido e calçado. Ela estava nua, com os braços e as pernas abertos, boquiaberta, a cabeça inclinada, um fio de sangue seco no queixo e os olhos arregalados. Richard não tinha a menor ideia do que acontecera nem por que estava ali, as horas anteriores estavam na mais completa escuridão, a última coisa de que se lembrava era a mesa de pôquer no meio de uma nuvem de fumaça de cigarro. Era um mistério como havia chegado àquela cama. Em várias ocasiões do passado, o álcool o havia traído, e sua mente se perdia, enquanto seu corpo agia automaticamente; deviam existir um nome e uma razão científica para esse estado, pensava. Depois de alguns minutos reconheceu a mulher, mas não conseguiu explicar o sangue. O que fizera? Temendo o pior, sacudiu-a, gritando, sem se lembrar de seu nome, até que ela deu sinais de vida. Então, aliviado, mergulhou a cabeça na água fria da pia até perder a respiração e recuperar um pouco de equilíbrio. Saiu correndo e chegou em casa com punhaladas perfurando suas têmporas, os ossos moídos e uma inextinguível acidez estomacal. Improvisou às pressas uma desculpa para Anita: diria que ele e outros homens haviam sido presos pela polícia por uma estúpida briga de rua, passara a noite na cadeia e não lhe haviam permitido ligar para casa.

Não precisou mentir. Anita dormia profundamente, sob o efeito de seus soníferos, e Bibi brincava, calada, com suas bonecas. "Estou com fome, papai", disse, abraçando suas pernas. Richard lhe preparou chocolate em pó e um prato de cereal, sentindo-se indigno do amor daquela menina, sujo, imundo; não se atreveu a tocá-la antes de tomar um banho. Depois a sentou em seus joelhos e afundou o nariz em seus cabelos de anjo, aspirando seu cheiro de leite coalhado e o suor inocente, jurando que, dali em diante, a família seria sua mais absoluta prioridade. Iria se dedicar de corpo e alma a tirar sua mulher do poço em que estava mergulhada e compensar Bibi pelos meses de negligência.

Suas boas intenções duraram dezessete horas e as escapadas noturnas se tornaram mais frequentes, longas e intensas. "Você está se apaixonando por mim!", disse a Garota e, para não decepcioná-la, ele admitiu, embora o amor não tivesse nada a ver com seu comportamento. Ele a achava descartável, poderia ser substituída por dúzias de outras parecidas, frívolas, famintas de atenção, mortas de medo da solidão.

No sábado seguinte, acordou por volta das nove da manhã na cama dela. Perdeu alguns minutos procurando sua roupa na desordem do apartamento, sem se apressar, porque supôs que Anita ainda estaria semiconsciente, sob o efeito das pílulas. Bibi também não o preocupava, porque a empregada já teria chegado e estaria cuidando dela. Seu vago sentimento de culpa ia se tornando imperceptível. Garota tinha razão: a única vítima naquela situação era ele, que estava amarrado a uma esposa doente mental. Quando manifestava algum indício de preocupação por estar enganando Anita, a jovem repetia o mesmo refrão: os olhos não veem o que o coração não sente. Anita não sabia ou fingia não saber nada de suas escapadas, e ele tinha o direito de viver bem. Garota era uma diversão passageira, uma mera pegada na areia, pensava Richard, sem imaginar que seria uma cicatriz indelével em sua memória. A infidelidade o incomodava menos do que as consequências do álcool. Depois de uma noite de farra, tinha dificuldade de se recuperar, podia passar o dia com o estômago em chamas e o corpo moído, incapaz de pensar com clareza, com os reflexos adormecidos, andando com a lerdeza de um hipopótamo.

Demorou um pouco até encontrar seu carro, estacionado em uma rua lateral, e também para enfiar a chave na ignição e ligar o motor; uma conspiração misteriosa entorpecia suas faculdades, movimentava-se em câmera lenta. A essa hora, havia pouco trânsito e, apesar da paulada no cérebro, conseguiu se lembrar do caminho para casa. Haviam passado vinte e cinco minutos desde que acordara ao lado da Garota e precisava com urgência de uma xícara de café e um longo banho frio. Ia saboreando o banho e o café ao se aproximar da entrada de sua garagem.

Depois procuraria mil explicações para o acidente e nenhuma seria suficiente para alterar a imagem nítida que haveria de ficar fixa em suas retinas para sempre.

Sua filha estava esperando por ele na porta e, quando viu seu carro aparecer na esquina, correu para saudá-lo, como sempre fazia em casa assim que ele chegava. Richard não a viu. Sentiu a pancada sem saber que havia passado por cima de Bibi. Freou imediatamente e, então, ouviu os gritos estridentes da empregada. Supôs que havia atropelado um cachorro, porque a verdade que pressentia nos labirintos de sua mente era insuportável. Pulou do assento, impelido por um enorme terror, que varreu de uma vez a ressaca da bebedeira, e, não vendo o motivo da batida, chegou a sentir um ligeiro alívio. Mas então se agachou.

Coube a ele tirar sua filha de debaixo do carro. O golpe não havia desordenado nada: o pijama com desenhos de ursinhos estava limpo, segurava uma boneca de pano; nos olhos abertos, a expressão de felicidade irresistível com que sempre o recebia. Levantou-a com infinito cuidado, louco de esperança, e a sustentou contra seu peito, beijando-a e chamando-a, enquanto de muito longe, do outro universo, lhe chegavam os gritos da empregada e dos vizinhos, as buzinadas dos carros engarrafados e as sirenes dos carros da polícia e da ambulância. Quando percebeu a magnitude de sua desgraça, perguntou-se onde estaria Anita naquele momento, pois não a vira nem ouvira no meio da multidão confusa apinhada ao seu redor. Muito mais tarde, ficou sabendo que, ao ouvir a freada e o alvoroço, ela foi à janela do segundo andar e, lá de cima, paralisada, testemunhara tudo, desde o primeiro gesto do marido ajoelhando-se ao lado do carro até a ambulância perdendo-se rua acima com seu ulular de lobos e sua luz vermelha de mau augúrio. Da janela, Anita Farinha soube, sem sombra de dúvida, que Bibi não respirava e considerou aquela facada final do destino como o que de fato era: sua própria execução.

Anita se desfez em pedaços. Recitava incoerências em um monólogo ininterrupto e, quando parou de comer, foi internada em uma clínica psiquiátrica administrada por alemães. Duas enfermeiras foram designadas para ficar ao seu lado, uma durante o dia e a outra à noite; eram muito parecidas: fortes, autoritárias, davam a impressão de ser gêmeas, descendentes de um coronel prussiano. As temíveis matronas se encarregaram de alimentá-la ao longo de duas semanas através de um tubo que chegava ao seu estômago com um líquido espesso que cheirava a baunilha, bem como de vesti-la contra a sua vontade e levá-la praticamente tropeçando para passear no pátio dos loucos. Aqueles passeios e outras atividades obrigatórias, como assistir a documentários sobre golfinhos e ursos panda, destinados a combater pensamentos destrutivos, não surtiram nenhum efeito visível sobre ela. Então, o diretor da clínica sugeriu que fosse tratada com eletrochoque, um método eficaz e de pouco risco para tirá-la da indiferença, como disse. O tratamento era feito sob anestesia, a paciente nem ficava sabendo, e o único inconveniente era a perda temporária da memória, que, no caso de Anita, seria uma bênção.

Richard ouviu a explicação e resolveu esperar, porque era incapaz de submeter sua mulher a várias sessões de eletrochoques, e dessa vez a família Farinha concordou com ele. Também concordou em não prolongar sua internação naquela instituição teutônica mais do que o indispensável. Assim que foi possível tirar o tubo e alimentá-la com uma papinha nutritiva servida em uma colher, levaram a paciente para a casa de sua mãe. Se antes as irmãs haviam sugerido que poderiam revezar-se para cuidar dela, depois do acidente com Bibi não deixavam Anita sozinha nem por um instante. De dia e de noite havia alguém ao seu lado, vigiando e rezando.

Richard foi excluído mais uma vez do mundo feminino, onde sua mulher definhava. Nem sequer pôde aproximar-se para tentar explicar o que acontecera e clamar por perdão, embora não houvesse perdão possível. Sem que ninguém dissesse uma palavra diante dele, foi tratado como assassino. E era exatamente assim que se sentia. Vivia sozinho em sua casa, enquanto os Farinha detinham sua mulher. "Foi sequestrada", dizia a seu amigo Horacio, que telefonava para ele de Nova York. No entanto, não confessou a seu pai, que ligava regularmente, o desastre de sua existência; tranquilizava-o com uma versão otimista na qual Anita e ele, com ajuda psicológica e da família, estavam superando a dor. Joseph sabia que Bibi morrera atropelada, mas não suspeitava que tinha sido Richard quem estava dirigindo o carro.

A empregada que cuidava de Bibi e limpava a casa foi embora no dia do acidente e não voltou nem mesmo para cobrar seu salário. A Garota também desapareceu, pois Richard não podia mais pagar suas bebidas e também por um medo supersticioso: acreditava que as desgraças de Richard eram fruto de uma maldição e isso costumava ser contagioso. Em volta de Richard, crescia a desordem e se estendiam fileiras de garrafas pelo chão, na geladeira fermentavam produtos cheios de pontos verdes que haviam perdido sua natureza original e a roupa suja se reproduzia sozinha como um truque de ilusionista. Sua péssima aparência assustou seus alunos, que foram desaparecendo rapidamente e, pela primeira vez na vida, se viu sem dinheiro. As últimas economias de Anita foram usadas para pagar a clínica. Começou a beber rum ordinário, que comprava a granel, sozinho em casa, porque devia dinheiro ao bar. Passava o tempo deitado diante da televisão, sempre ligada, para evitar o silêncio e a escuridão, onde flutuava a presença transparente de suas crianças. Aos 35 anos, encontrava-se semimorto, porque já vivera metade da vida. A outra metade não lhe interessava.

Na época em que Richard passava por suas desgraças, seu amigo Horacio Amado-Castro, que assumira a direção do Centro de Estudos Latino-Americanos e do Caribe da Universidade de Nova York, decidiu interessar-se mais pelo Brasil e achou que poderia dar uma oportunidade a Richard. Eram amigos desde quando eram solteiros; ele iniciava sua carreira acadêmica e Richard preparava a tese de doutorado. Visitara-o no Rio de Janeiro, e Richard, apesar de sua magra bolsa estudantil, o tratou com tanta hospitalidade que ficou dois meses e foram juntos, carregando mochilas, ao Mato Grosso, para explorar a floresta amazônica. Consolidaram uma dessas amizades masculinas sem traços de sentimentalismo, imunes à distância e ao tempo. Mais tarde, voltou ao Rio de Janeiro para testemunhar o casamento de Richard e Anita. Nos anos seguintes viram-se muito pouco, mas o afeto ficou resguardado em um canto seguro da memória; sabiam que podiam contar um com o outro. Desde que soubera do que acontecera com Pablo e Bibi, Horacio ligava para seu amigo algumas vezes por semana, para tentar levantar seu ânimo. No telefone, a voz de Richard soava irreconhecível, arrastava as palavras e se repetia com a obtusa incoerência dos bêbados. Horacio compreendeu que Richard precisava tanto de ajuda quanto Anita.

Foi ele quem disse a Richard, antes que a informação fosse publicada nas revistas especializadas, que havia uma vaga na universidade e o aconselhou a se apresentar imediatamente. A concorrência pelo posto seria enorme e, nisso, ele não poderia ajudá-lo, mas, se passasse pelos requisitos necessários e tivesse sorte, poderia encabeçar a lista. Sua tese de doutorado ainda estava sendo estudada, esse era um ponto a seu favor, e seus artigos publicados eram outro, mas havia transcorrido mais tempo do que o conveniente desde então. Richard havia perdido anos de carreira profissional vagabundeando pelas praias e bebendo caipirinha. Para satisfazer o amigo, Richard enviou sua inscrição sem grande esperança e teve uma grande surpresa quando, duas semanas depois, recebeu a resposta, convidando-o para uma entrevista. Horacio teve de lhe mandar dinheiro para a passagem de avião para Nova York. Richard se preparou para viajar sem dar explicações a Anita. Convenceu a si mesmo de que não agia por egoísmo; se conquistasse a vaga, Anita estaria muito mais bem atendida nos Estados Unidos, onde contaria com o seguro de saúde da universidade para cobrir as despesas. Além disso, a única forma de recuperar a esposa seria arrancá-la das garras dos Farinha.

Depois de exaustivas entrevistas, Richard foi contratado. Deveria começar em agosto. Estavam em abril. Calculou que havia tempo suficiente para que Anita se recuperasse e para organizar a mudança. Entretanto, teve de pedir outro empréstimo a Horacio para os gastos inevitáveis, com a intenção de lhe pagar com a venda da casa em que viviam, desde que Anita permitisse, porque o imóvel era dela.

Jamais faltara dinheiro a Horacio Amado-Castro, graças à fortuna de sua família. Aos 76 anos, seu pai, que vivia na Argentina, continuava a exercer sua tirania de patriarca, com o mesmo caráter férreo de sempre, resignado à infelicidade de que um de seus filhos tivesse se casado com uma ianque protestante e dois de seus netos não falassem espanhol. Visitava-os várias vezes por ano para refrescar sua vasta cultura em museus, concertos e teatros, e para supervisionar os investimentos que fazia em bancos nova-iorquinos. Sua nora o detestava, mas o tratava com a mesma hipócrita cortesia que ele lhe destinava. Fazia anos que o velho queria comprar uma casa apropriada para Horacio. O pequeno apartamento de Manhattan em que vivia aquela família, no décimo andar de um conjunto de vinte edifícios idênticos de tijolos vermelhos, era uma ratoeira indigna de um filho seu. Horacio iria herdar a parte que lhe cabia de sua fortuna assim que ele fosse para o túmulo, mas, na família, todos eram longevos, e ele pensava em viver um século; seria estúpido que Horacio esperasse tanto tempo para levar uma vida folgada podendo fazê-lo antes, dizia tossindo e fumando seus charutos cubanos. "Não quero dever nada a ninguém e menos ainda a seu pai", afirmou a ianque protestante, e Horacio não se atreveu a contradizê-la. Por fim, o velho encontrou uma forma de convencer a nora cabeça dura. Um dia, chegou com uma adorável cadelinha para os netos, uma bola de pelos com olhos doces. Chamaram-na de Fifi, sem imaginar que logo o nome ficaria pequeno. Era uma esquimó canadense, um cão de trenó que chegaria a pesar 48 quilos, e, diante da impossibilidade de afastá-la das crianças, a nora cedeu e o avô assinou um cheque substancioso. Horacio procurou uma casa com quintal para Fifi nos arredores de Manhattan e acabou comprando uma *brownstone* no Brooklyn pouco antes de seu amigo Richard Bowmaster chegar para trabalhar na faculdade.

Richard aceitou o trabalho em Nova York sem pedir a opinião da mulher, porque deduziu que ela não estava em condições de entender a situação. Tratava-se de fazer o que fosse melhor para ela. Em silêncio, livrou-se de quase tudo o que possuíam e empacotou o resto. Não foi capaz de jogar fora as coisas que haviam pertencido a Bibi ou as roupinhas de Pablo; embalou-as em três caixas e, pouco antes de partir, as confiou aos cuidados de sua sogra. Preparou as malas de Anita sem grandes cuidados, pois sabia que, para ela, tanto fazia; havia muito tempo que só vestia roupa de ginástica e havia aparado os cabelos com uma tesoura de cozinha.

Seu plano de resgatar a mulher com algum pretexto e sair da cidade sem passar por melodramas fracassou, porque a mãe e as irmãs de Anita intuíram suas intenções assim que chegou com as três caixas que deveriam guardar e descobriram o resto com olfato de sabujo. Empenharam-se em impedir a viagem. Argumentaram que Anita estava frágil; como iria sobreviver naquela cidade hostil, em uma língua estranha, sem a sua família e as suas amigas? Se estava deprimida no meio dos seus, como ficaria no meio de americanos desconhecidos? Richard recusou-se a ouvir seus argumentos; sua decisão era irrevogável. Embora abstendo-se de dizê-lo, para evitar ofensas, considerava que chegara a hora de pensar em seu próprio futuro e parar com tantas contemplações com aquela esposa histérica. Por sua vez, Anita demonstrou total indiferença em relação ao seu destino. Tanto lhe fazia isso ou aquilo, estar aqui ou acolá.

Carregando uma bolsa com frascos de remédios, Richard levou sua mulher até o avião. Anita avançou mansamente sem olhar para trás e não se despediu sequer com um gesto de sua família, que chorava copiosamente atrás de um vidro do aeroporto que as separava. Durante as dez horas de viagem, ficou acordada, sem comer nem perguntar aonde iam. No aeroporto de Nova York, Horacio e sua esposa os esperavam.

Horacio não reconheceu a mulher do seu amigo, lembrava-se dela bela, sensual, cheia de curvas e sorrisos, enquanto aquela que aparecia diante de seus olhos envelhecera uma década, arrastava as sandálias e olhava de um lado para outro furtivamente, como se estivesse esperando ser atacada. Não respondeu às saudações nem permitiu que a mulher de Horacio a acompanhasse ao banheiro. "Deus me livre, é muito pior do que imaginei", murmurou Horacio. Seu amigo também não parecia estar bem. Richard havia bebido durante a maior parte do voo, aproveitando que podia beber de graça, trazia uma barba de três dias, a roupa esfarrapada, cheirava a suor de bêbado e, sem a ajuda de Horacio, teria ficado encalhado com Anita no aeroporto.

Os Bowmaster se instalaram em um apartamento da universidade destinado aos membros da faculdade, que Horacio lhes conseguira; era um achado, porque ficava no centro da cidade, o aluguel era barato e havia uma lista de espera. Depois de deixar as malas na entrada e lhes entregar as chaves, Horacio se trancou com seu amigo em um dos quartos para instruí-lo. Havia centenas, talvez milhares de candidatos para cada vaga acadêmica nos Estados Unidos. A oportunidade de ensinar na universidade de Nova York não aparecia duas vezes e devia aproveitá-la. Precisava controlar a bebida e causar boa impressão desde o começo, não podia aparecer sujo e descuidado como estava.

— Eu o recomendei, Richard. Não me deixe em má posição.

— Como você pode pensar uma coisa dessas? Estou meio morto da viagem e da saída do Rio; melhor dizendo, da fuga. Nem quero lhe contar a reação dramática dos Farinha quando souberam que estávamos vindo embora. Fique tranquilo, em poucos dias você me verá aparecer impecável na universidade.

— E Anita?

— O que há com ela?

— Está em uma situação muito delicada, não sei se pode ficar sozinha, Richard.

— Terá que se acostumar, como todo mundo. Aqui não contará com os mimos de sua família, só comigo.

— Então cuide dela, irmão — disse Horacio ao se despedir.

# Evelyn

*Brooklyn*

Evelyn Ortega começou a trabalhar para os Leroy em 2011. A casa das estátuas, como ela sempre chamaria a residência daquela família, pertencera a um mafioso dos anos cinquenta e sua imensa parentada, incluídas duas tias solteiras e uma bisavó siciliana que se recusara a sair do seu quarto quando instalaram no jardim os gregos pelados. O gângster morreu mantendo sua opinião, e a casa passou a outras mãos antes de ser comprada por Frank Leroy, que achava graça do passado turvo da propriedade, das estátuas deterioradas pela intempérie e até mesmo dos excrementos dos pombos. Além disso, era bem-localizada, em uma rua discreta de um bairro que voltara a ser respeitável. Cheryl, sua mulher, teria preferido um apartamento moderno àquela mansão pretensiosa, mas as grandes decisões, e mesmo as pequenas, cabiam a ele e jamais as discutiam. A casa das estátuas tinha várias comodidades instaladas pelo gângster para o conforto de sua família: rampa para cadeiras de rodas, um elevador interno e garagem para dois carros.

Cheryl Leroy só precisou conversar cinco minutos com Evelyn Ortega para contratá-la. Precisava de uma babá com urgência, não podia dar atenção a detalhes. A anterior saíra havia cinco dias e não voltara.

Certamente fora deportada; isso acontecia porque empregava pessoas sem documentos, dizia. Normalmente, seu marido se encarregava de contratar, pagar e demitir os empregados. Através de seu escritório, tinha contatos para conseguir imigrantes latinos e asiáticos dispostos a trabalhar por quase nada, mas, por norma, não misturava o trabalho com a família. Esses contatos eram inúteis quando se tratava de contratar uma babá confiável, haviam tido experiências horríveis. Como essa era uma das poucas questões em que o casal estava de acordo, Cheryl as procurava através da Igreja Pentecostal, que sempre dispunha de uma lista de boas mulheres à procura de trabalho. A jovem guatemalteca também não devia ter documentos, mas preferia esquecer aquilo por enquanto. Trataria disso mais adiante. Gostou de seu rosto honesto e de suas maneiras respeitosas, pressentiu que encontrara uma pedra preciosa, muito diferente de outras babás que haviam desfilado em sua casa. Suas únicas dúvidas foram sobre a idade da garota, pois parecia recém-saída da puberdade, e sobre seu tamanho. Lera em algum lugar que as pessoas mais baixas do planeta são as mulheres indígenas da Guatemala, e a prova disso estava bem diante de seus olhos. Perguntou-se se aquela menininha de nada, com ossos de codorna e gaga, seria capaz de cuidar de seu filho Frankie, que devia pesar mais do que ela e ficava incontrolável em seus ataques.

Evelyn, por sua vez, achou que a senhora Leroy era uma atriz de Hollywood, de tão alta e loura. Para conversar com ela, precisava olhar para cima, como se fosse uma árvore, tinha músculos nos braços e nas panturrilhas, olhos celestes como o céu de seu povoado e um rabo de cavalo amarelo que se agitava como se tivesse vida própria. Estava bronzeada, com um tom alaranjado que ela nunca vira, e falava com uma voz entrecortada, como sua avó Concepción, embora não fosse tão velha a ponto de lhe faltar o ar. Parecia muito nervosa, um potrinho pronto para sair correndo.

Sua nova patroa lhe apresentou os demais empregados, uma cozinheira e sua filha, encarregada da limpeza, que trabalhavam das nove às cinco, às segundas, quartas e sextas-feiras. Mencionou Iván Danescu, que não era empregado da casa, mas prestava serviços, e que conheceria em outra ocasião, e esclareceu que seu marido, o senhor Leroy, só mantinha contato mínimo, o indispensável, com os empregados domésticos. Levou-a de elevador até o terceiro andar e isso acabou de convencer Evelyn de que havia aterrissado no meio de milionários. O elevador era uma gaiola de pássaros de ferro forjado em um desenho floral, com a largura necessária para transportar uma cadeira de rodas. O quarto de Frankie era o mesmo que meio século atrás fora ocupado pela bisavó siciliana: amplo, com o teto inclinado e uma claraboia, além da janela, escurecida pela copa do bordo do jardim. Frankie, de uns 8 ou 9 anos, tão loiro quanto sua mãe e com uma palidez de tísico, estava amarrado em uma cadeira de rodas diante da televisão. Sua mãe explicou a Evelyn que as correias impediam que caísse ou se machucasse caso tivesse uma convulsão, porque ficava asfixiado e, nesse caso, era necessário sacudi-lo e bater em suas costas, para que pudesse voltar a respirar normalmente, usava fraldas e precisava que lhe dessem de comer, mas não dava problemas, era um querubim, todo mundo gostava dele imediatamente. Sofria de diabetes, mas a doença estava muito bem controlada, ela mesma se encarregava de medir seus níveis de açúcar e administrar insulina. Conseguiu explicar tudo isso e mais algumas coisas bem depressa, antes de se despedir e desaparecer rumo à academia de ginástica, como disse.

Evelyn, confusa e cansada, sentou-se ao lado da cadeira, pegou o menino pela mão, tentando esticar seus dedos endurecidos, e lhe disse em *spanglish*, sem gaguejar, que seriam bons amigos. Frankie respondeu com grunhidos e espasmos, que ela interpretou como boas-vindas. Foi assim que teve início a relação de amor e guerra que seria fundamental para os dois.

Ao longo dos quinze anos em que estavam juntos, Cheryl Leroy se resignara ao autoritarismo brutal de seu marido, mas não aprendera a se esquivar a tempo de seus ataques. Permanecia com ele pelo hábito da infelicidade, a dependência financeira e o filho doente. Havia admitido a seu analista que também o suportava por ser viciada em conforto: como iria renunciar a seus grupos de desenvolvimento espiritual, ao clube de leitura, às suas aulas de pilates, que a mantinham em forma, embora menos do que o desejável? Eram necessários tempo e recursos para tudo aquilo. Sofria quando se comparava com mulheres realizadas e independentes, bem como com aquelas que circulavam peladas na academia. Ela nunca tirava toda a roupa no vestiário, era muito hábil ao manejar a toalha para entrar e sair da ducha ou da sauna sem exibir os machucados que marcavam seu corpo. Por onde examinasse sua vida, saía em desvantagem. O inventário de suas deficiências e limitações era doloroso; havia fracassado nas ambições da juventude e agora, ao somar os sinais da idade, chorava.

Estava muito sozinha, só lhe restava seu Frankie. Sua mãe morrera havia onze anos e seu pai, com quem nunca se dera bem, voltara a se casar. Sua nova esposa era chinesa, ele a conhecera pela internet e a trouxera sem se preocupar com o fato de não compartilharem o mesmo idioma e não poderem se comunicar. "Melhor assim, sua mãe era muito tagarela", foi seu comentário quando contou a Cheryl que ia se casar. Viviam no Texas e nunca a convidaram para visitá-los nem manifestaram a intenção de ir vê-la no Brooklyn. Jamais perguntavam pelo neto com paralisia cerebral. Cheryl só vira a mulher de seu pai nas fotografias que enviavam a cada Natal, em que os dois apareciam com gorros de Papai Noel, ele com um sorriso redondo e ela com uma expressão confusa.

Apesar de seus esforços, tudo ia se afrouxando em Cheryl, não só o corpo, mas também seu destino. Antes de completar 40 anos, a velhice era um inimigo distante, aos 45 a sentia espreitando, tenaz e implacável. Certa vez sonhara com uma carreira profissional, tivera ilusões de salvar o amor e o orgulho de seu estado físico e de sua beleza, mas isso pertencia ao passado. Estava quebrada, derrotada. Havia vários anos tomava drogas para depressão, ansiedade, apetite e insônia. O armário do banheiro e a gaveta de sua mesa continham dúzias de comprimidos multicoloridos, muitos já haviam expirado e outros tantos nem sabia mais para que serviam, mas nenhum poderia consertar uma vida quebrada. Seu analista, o único homem que não a fizera sofrer e a ouvia, lhe havia receitado vários paliativos, e ela obedecera ao homem como uma boa menina, como obedecera mansamente a seu pai, aos namorados efêmeros de sua juventude e agora a seu marido. Longas caminhadas, zen-budismo, diversas dietas, hipnose, manuais de autoajuda, terapia de grupo... Nada surtia resultados permanentes. Começava alguma coisa e durante um tempo parecia ser o remédio que tanto procurava, mas a ilusão durava pouco.

O analista concordava com ela: a causa principal de seus pesares não era seu filho doente, mas a relação com seu marido, que a fizera ver que a violência é sempre progressiva, tal como ela mesma havia comprovado ao longo dos anos em que vivia com aquele homem; volta e meia, apareciam mulheres assassinadas que poderiam ter escapado a tempo, dizia, mas não podia intervir, como teria desejado quando a via chegar com uma crosta de maquiagem e óculos de sol. Seu papel era o de lhe dar tempo para tomar suas próprias decisões; ele oferecia um ouvido atento e um lugar seguro para esmiuçar seus segredos. Cheryl tinha tanto medo do marido que se encolhia ao ouvir seu carro na garagem ou seus passos na casa. Era impossível adivinhar o estado de espírito de Frank Leroy, porque mudava em um instante e sem causa previsível; ela implorava para que chegasse distraído, ocupado ou só de passagem para trocar de roupa e sair, contava os dias para vê-lo viajar. Havia confessado ao analista que desejava ser viúva e ele assentira, sem demonstrar a mínima surpresa, porque ouvira a mesma coisa de outras pacientes com menos motivos do que Cheryl Leroy para desejar a morte do cônjuge e concluíra que era um sentimento feminino normal. Seu consultório estava povoado de mulheres submissas e furiosas, e não conhecia outras.

Cheryl se sentia incapaz de sobreviver sozinha cuidando de seu filho. Não trabalhava havia anos e seu diploma de conselheira familiar era uma tremenda ironia, nem sequer lhe servira para enfrentar a relação com seu marido. Frank Leroy avisara antes de se casar que desejava uma esposa em tempo integral. Ela se rebelara no início, mas o peso e a preguiça da gravidez obrigaram-na a ceder. Quando Frankie nasceu, abandonou a ideia de trabalhar, pois o menino precisava de total atenção. Por alguns anos, cuidou dele sozinha dia e noite, até que uma crise de nervos a fez procurar um analista, que lhe recomendou procurar ajuda, já que podia pagar. Então, por meio de uma procissão de babás, Cheryl conquistou um pouco de liberdade para suas limitadas atividades. Frank Leroy não conhecia a maior parte dessas atividades, não porque ela as ocultasse, mas porque a ele não interessavam, tinha outras coisas em que pensar. Como as empregadas mudavam com frequência e tinha pouco a lhes dizer, Frank Leroy decidiu que era inútil decorar seus nomes. Mais do que cumpria suas obrigações, mantendo a família, pagando salários, contas e as despesas astronômicas de seu filho.

Assim que Frankie nasceu, supôs-se que alguma coisa estava errada, mas só ficaram sabendo da gravidade de seu estado depois de alguns meses. Com delicadeza, os especialistas disseram aos pais que ele provavelmente não caminharia, não falaria nem controlaria a musculatura ou os esfíncteres, mas, com os medicamentos adequados, reabilitação e cirurgia para corrigir a deformação das extremidades, o menino poderia progredir. Cheryl recusou-se a aceitar esse diagnóstico funesto, recorreu a tudo o que oferecia a medicina tradicional e, além disso, começou a procurar terapias alternativas e médicos bruxos, inclusive um que vivia em Portland e curava por ondas mentais através do telefone. Aprendeu a decifrar os gestos e ruídos de seu filho, era a única que compartilhava uma forma de linguagem com ele. Assim ficava sabendo, entre outras coisas, do comportamento das babás em sua ausência e, por isso, as despedia.

Para Frank Leroy, aquele filho era uma afronta pessoal. Ninguém merecia tamanha desgraça. Por que o haviam ressuscitado quando nasceu azul? Teriam tido mais compaixão deixando-o ir, em vez de condená-lo a uma vida de sofrimento e os pais a uma vida de cuidados. Passou a ignorá-lo.

Que a mãe cuidasse dele! Ninguém conseguiu convencê-lo de que a paralisia cerebral ou a diabetes haviam sido acidentais, tinha certeza de que a culpa era de Cheryl, por não ter ouvido as advertências sobre o uso de álcool, de tabaco e de soníferos durante a gravidez. Sua mulher lhe dera um filho anormal e não podia ter outros, porque, depois do parto, que quase lhe custara a vida, fora submetida a uma histerectomia. Achava que Cheryl era um desastre de esposa, um feixe de nervos, obcecada em cuidar de Frankie, frígida e com uma lamentável atitude de vítima. A mulher que o atraíra quinze anos antes fora uma valquíria, campeã de natação, forte e decidida. Como poderia suspeitar que, naquele peito de amazona, batia um coração covarde? Era quase tão alta e forte quanto ele, bem poderia enfrentá-lo, como no começo, quando eram adversários apaixonados, começavam lutando e terminavam fazendo amor violentamente, em um jogo perigoso e excitante. Depois da operação, o fogo de Cheryl se apagou. Para Frank, sua mulher se transformara em um coelho neurótico capaz de tirá-lo do sério. Achava que sua passividade era uma provocação. Não reagia a nada, aguentava suplicando, outra provocação que só conseguia aumentar a raiva de Frank; ele perdia a cabeça e depois ficava preocupado, porque as manchas roxas poderiam despertar suspeitas. Estava amarrado a ela por Frankie, cuja expectativa de vida era de um menino adoentado, mas poderia durar muitos anos. Leroy não estava ancorado naquele casamento de pesadelo por causa do menino; o motivo principal para evitar o divórcio era porque lhe sairia muito caro. Sua mulher sabia muitas coisas. Cheryl parecia frívola e submissa, mas dera um jeito de investigar seus negócios e poderia chantageá-lo, arruiná-lo e destruí-lo. Ela ignorava os detalhes de sua atividade, e não sabia quanto tinha em suas contas secretas nas Bahamas, mas suspeitava e era muito esperta. Aí, sim, Cheryl se atrevia a enfrentá-lo. Quando se tratava de proteger Frankie ou defender seus direitos, estava disposta a lutar com unhas e dentes.

Talvez algum dia tivessem se amado, mas a chegada de Frankie acabou com qualquer ilusão que o casal pudesse ter criado. Quando Frank Leroy soube que seria pai de um menino, deu uma festa tão cara quanto um casamento. Ele era o único varão entre várias irmãs, o único que poderia passar seu sobrenome a seus descendentes; aquele menino prolongaria a estirpe, como dissera o avô Leroy ao brindar na festa. "Estirpe" era uma palavra pouco adequada para denominar três gerações de canalhas, dissera Cheryl a Evelyn sob o efeito de álcool e tranquilizantes. O primeiro Leroy desse ramo da família foi um francês que fugiu, em 1903, do presídio de Calais, onde cumpria condenação por roubo. Veio aos Estados Unidos tendo a desfaçatez como único capital e prosperou graças à imaginação e à falta de princípios. Chegou a desfrutar de sua boa sorte por vários anos, até que voltaram a metê-lo na prisão, dessa vez por um golpe gigantesco que deixou milhares de pensionistas idosos na miséria. Seu filho, o pai de Frank Leroy, vivia havia cinco anos em Puerto Vallarta, foragido da Justiça norte-americana por vários delitos, entre os quais fraude fiscal. Para Cheryl, o fato de seu sogro estar longe e sem possibilidades de voltar era uma bênção.

A filosofia de Frank Leroy, neto do canalha francês e filho de outro parecido, era simples e clara: o fim justifica os meios quando se trata de beneficiar a si mesmo. Qualquer negócio que lhe seja conveniente é um bom negócio, mesmo que seja terrível para os outros. Uns ganham e outros perdem, essa é a lei da selva. Sabia ganhar dinheiro e escondê-lo. Dava um jeito de parecer quase indigente diante da Receita Federal usando uma contabilidade criativa, mas, quando lhe convinha, fingia que era mais rico do que na verdade era. Assim, atraía a confiança de seus clientes, homens tão pouco escrupulosos como ele. Despertava inveja e admiração. Era tão safado quanto o pai e o avô, mas, ao contrário deles, tinha classe e frieza, não desperdiçava seu tempo com ninharias e evitava riscos. Segurança, antes de tudo. Sua estratégia consistia em agir através de terceiros, que exibiam a cara em seu lugar: eles poderiam acabar na prisão, ele, jamais

Desde o primeiro instante, Evelyn tratou o pequeno Frankie como uma pessoa normal, partindo da premissa de que, apesar das aparências, era muito inteligente. Aprendeu a carregá-lo sem acabar com suas costas.

banhá-lo, vesti-lo e alimentá-lo sem pressa para evitar que engasgasse. Sua eficiência e seu carinho logo convenceram Cheryl de que também podia delegar a ela o controle da diabetes do filho. Evelyn media o açúcar antes de cada refeição e administrava a aplicação de insulina, que ela mesma injetava nele várias vezes por dia. Havia aprendido bastante inglês em Chicago, mas lá vivia entre os latinos e tinha poucas oportunidades de usá-lo. Quando começou a trabalhar na casa dos Leroy, fez-lhe falta para se comunicar melhor com Cheryl, mas logo desenvolveram uma relação afetuosa e não precisavam de muitas palavras para se entender. Cheryl dependia de Evelyn para tudo, e a garota parecia adivinhar seus pensamentos. "Não sei como pude viver sem você, Evelyn, me prometa que nunca irá embora", costumava dizer a senhora quando estava aflita com a angústia ou a violência de seu marido.

Evelyn contava histórias a Frankie em *spanglish* e ele a ouvia com atenção. "Você tem que aprender. Assim, vamos poder trocar segredos sem que ninguém nos entenda", dizia-lhe. No começo, o menino mal captava as ideias, uma aqui, outra acolá, mas gostava do som daquele idioma melodioso e, em pouco tempo, o dominava bem. Embora não conseguisse formular palavras, respondia a Evelyn pelo computador. Quando o conhecera, coubera-lhe lidar com os frequentes ataques de cólera de Frankie, que atribuía à frustração de se sentir isolado e ao tédio. Então, lembrou-se de seus irmãozinhos em Chicago e pensou que, se eles, tão pequenos, conseguiam usar um computador, Frankie também conseguiria, pois era a criança mais esperta que havia visto. Seus conhecimentos em informática eram mínimos e a ideia de ter uma daquelas máquinas fabulosas a sua disposição parecia impensável, mas, assim que sugeriu, Cheryl saiu correndo para comprar um para seu filho. Um jovem imigrante da Índia, contratado para esse fim, ensinou os fundamentos da computação a Evelyn, e ela, por sua vez, iniciou Frankie.

A vida e o ânimo do menino melhoraram de maneira surpreendente com o desafio intelectual. Ele e Evelyn ficaram viciados em informação e jogos de todos os tipos. Frankie usava o teclado com muita dificuldade, suas mãos mal lhe obedeciam, mas passava horas entusiasmado diante do aparelho. Compreendeu rapidamente os fundamentos ensinados pelo jovem indiano e logo estava ensinando a Evelyn o que ia descobrindo sozinho. Conseguia se comunicar, ler, se entreter e pesquisar aquilo que despertava sua curiosidade. Graças àquela máquina de possibilidades infinitas, pôde provar que de fato possuía uma inteligência superior, e seu cérebro inesgotável encontrou o adversário perfeito para seus desafios. O universo inteiro estava à sua disposição. Uma coisa levava a outra e essa à seguinte, começava com *Guerra nas estrelas* e terminava com um lêmur de Madagascar, depois de passar pelo *Australopithecus afarensis*, antepassado da espécie humana. Mais tarde, criou uma conta no Facebook, onde levava uma vida virtual com amigos invisíveis.

Para Evelyn, essa vida reclusa, em doce intimidade com Frankie, foi um bálsamo para a violência que experimentara no passado. Acabaram os pesadelos recorrentes e conseguia lembrar-se de seus irmãos vivos, como na última visão que tivera com a feiticeira de Petén. Frankie chegou a ser a coisa mais importante de sua vida, tanto quanto sua avó distante. Cada sinal de progresso do menino era uma vitória pessoal para ela. O carinho cuidadoso que recebia dele e a confiança que Cheryl lhe demonstrava eram suficientes para se sentir feliz. Não precisava de mais nada. Comunicava-se com Miriam pelo telefone, às vezes a via no FaceTime e observava seus irmãozinhos crescerem, mas, naquela época, não teve tempo de ir vê-los em Chicago. "Não posso deixar o Frankie, mamãe, ele precisa de mim", essa era a sua explicação. E Miriam tampouco tinha curiosidade de visitar aquela filha que na verdade era uma estranha. No Natal, mandavam fotografias e presentes, mas nenhuma das duas se esforçava para melhorar uma relação que nunca se solidificou. A princípio, Miriam temeu que sua filha, sozinha em uma cidade fria e com pessoas desconhecidas, sofresse; além disso, achava que lhe pagavam muito pouco por todo o trabalho que fazia, embora Evelyn jamais se queixasse. Por fim, Miriam se convenceu de que Evelyn estava melhor com os Leroy no Brooklyn do que com sua própria família em Chicago. Sua filha amadurecera, e ela a havia perdido.

Foi necessário passar um tempo para que Evelyn compreendesse a estranha dinâmica da casa. O senhor Leroy, como todos o chamavam, inclusive sua mulher, quando se referia a ele, era um homem imprevisível que se impunha sem levantar a voz; de fato, quanto mais baixo e devagar falasse, mais temível seria. Dormia no andar térreo em um quarto no qual mandara abrir uma porta que dava para o jardim, para poder entrar e sair sem ter de passar pela casa. Isso lhe permitia manter sua mulher e os empregados em estado de suspense, porque surgia de repente do nada, como em um truque de ilusionista, e desaparecia da mesma maneira. O móvel mais proeminente de seu quarto era o armário trancado, onde guardava suas armas, polidas e carregadas. Evelyn não sabia nada de armas; em seu povoado, as brigas eram a navalha ou facão, e as gangues usavam pistolas contrabandeadas, algumas tão primitivas que explodiam em suas mãos, mas vira muitos filmes de ação para reconhecer o arsenal de guerra do patrão. Em algumas ocasiões, vislumbrara-o quando o senhor Leroy e Iván Danescu, seu homem de confiança, estavam limpando as armas na mesa da sala de jantar. Leroy mantinha uma pistola carregada no porta-luvas do Lexus, mas não no Fiat de sua mulher ou na caminhonete com elevador para a cadeira de rodas que Evelyn usava para transportar Frankie. Segundo ele, era necessário estar sempre preparado: "Se todos andássemos armados, haveria menos loucos e terroristas em lugares públicos, porque, assim que mostrassem a cabeça, alguém os despacharia"; muitos inocentes morriam por ficar esperando a polícia.

A cozinheira e sua filha disseram que era errado meter o nariz nos assuntos dos Leroy, porque haviam demitido mais de uma empregada por andar xeretando. Elas trabalhavam havia três anos naquela casa e não sabiam qual era a atividade do patrão, talvez nenhuma; podia ser, simplesmente, rico. Só sabiam que trazia mercadorias do México e as levava de um estado a outro, mas o tipo de mercadoria era um mistério. Iván Danescu não dizia palavra, era seco como pão velho, mas era o homem de confiança do senhor e a prudência indicava que deveriam ficar longe dele. O patrão levantava cedo, tomava uma xícara de café em pé na cozinha e ia jogar tênis por uma hora. Ao voltar, tomava um banho e desaparecia até a noite ou por vários dias. Quando se lembrava, passava para dar uma olhada em Frankie da porta, antes de sair. Evelyn aprendera a evitá-lo e abster-se de mencionar o menino diante dele.

Por sua vez, Cheryl Leroy acordava tarde, porque dormia mal, passava o dia em suas aulas e jantava em uma bandeja no quarto de Frankie, salvo quando seu marido estava viajando. Então, aproveitava para sair. Tinha um único amigo e praticamente nenhum parente; suas únicas atividades fora da casa eram suas múltiplas aulas, seus médicos e seu analista. À tarde, começava a beber cedo e, ao anoitecer, o álcool a transformava na menina chorona que fora na infância; então, pedia a companhia de Evelyn. Não podia contar com mais ninguém, aquela jovem humilde era seu único apoio. Assim, Evelyn ficou sabendo dos pormenores da relação podre de seus patrões, das surras e de como, desde o começo, Frank Leroy se opusera às amizades de sua mulher e também a proibira de receber visitas em casa, não por ciúme, como dizia, mas para defender sua privacidade. Seus negócios eram muito delicados e confidenciais, qualquer cuidado era pouco. "Depois que Frankie nasceu, ficou ainda mais rigoroso. Não permite que ninguém apareça, porque tem vergonha de que vejam seu filho", disse Cheryl a Evelyn. Quando, aproveitando a ausência do marido, saía à noite, ia sempre ao mesmo lugar, um modesto restaurante italiano do Brooklyn, com toalhas quadriculadas e guardanapos de papel, onde o pessoal já a conhecia, porque o frequentava havia vários anos. Evelyn sabia que não comia sozinha, porque, antes de sair, combinava um encontro por telefone. "Além de você, é o meu único amigo, Evelyn", disse-lhe. Era um pintor quarenta anos mais velho do que ela, pobre, alcoólatra e amável, com quem Cheryl compartilhava uma massa feita pela *mamma* na cozinha, costeletas de vitela e vinho ordinário. Conheciam-se havia muitos anos. Antes de se casar, ela inspirara vários quadros seus e durante algum tempo foi sua musa. "Me viu em um campeonato de natação e me pediu que posasse como Juno para um mural alegórico. Você sabe a quem me refiro, Evelyn? Juno era a deusa romana da energia vital, a força e a eterna juventude. Era uma deusa guerreira e protetora. Ele ainda me vê assim, não suspeita de como mudei." Seria inútil tentar explicar a seu marido o que o afeto platônico daquele velho artista representava para ela e como aqueles encontros no restaurante eram os únicos momentos em que se sentia admirada e querida.

Iván Danescu era um sujeito de maus bofes e péssimas maneiras, tão enigmático quanto o patrão. Seu papel na hierarquia doméstica era indefinido. Evelyn suspeitava que Leroy temia Danescu quase tanto quanto os demais membros da casa, porque vira o homem levantar-lhe a voz em tom desafiador e Frank aguentar calado; deviam ser sócios ou cúmplices. Como ninguém se preocupava com a babá guatemalteca, insignificante e gaga, ela circulava como um duende, atravessando as paredes e se inteirando dos segredos mais bem guardados. Supunham que ela mal falava inglês e não entendia o que ouvia nem o que via. Danescu só se comunicava com o senhor Leroy, entrava e saía sem dar explicações e, quando encontrava a senhora, examinava-a com insolência, sem dizer palavra, mas às vezes saudava Evelyn com um gesto difuso. Cheryl evitava provocá-lo, porque, em uma das vezes em que se atrevera a se queixar dele, recebeu uma bofetada do marido. Danescu era muito mais importante do que ela naquela casa.

Evelyn estivera poucas vezes com aquele homem. Quando completou um ano de trabalho, Cheryl se convenceu de que a babá não iria embora. Depois, Frankie a amava tanto que ela chegava a sentir ciúmes. Então, sugeriu-lhe que aprendesse a dirigir para usar a caminhonete. Em um gesto de inesperada amabilidade, Iván se ofereceu para ensiná-la. Evelyn constatou que o ogro, como o chamavam as outras empregadas, era paciente como instrutor e até conseguia sorrir quando ajustava o assento para que alcançasse os pedais, embora esse sorriso não passasse de um ricto, como se lhe faltassem dentes. Ela foi uma boa aluna, decorou as leis de trânsito e, em uma semana, dominava o veículo. Então, Iván tirou uma foto dela contra a parede branca na cozinha. Em poucos dias, entregou-lhe uma carteira de motorista em nome de uma tal de Hazel Chigliak. "É um documento tribal, agora você faz parte de uma tribo de nativos-americanos", disse-lhe, sucintamente.

No princípio, Evelyn só usava a caminhonete para levar Frankie ao barbeiro, a uma piscina aquecida ou ao centro de reabilitação, mas, pouco depois, começaram a sair para tomar sorvete, fazer piquenique ou ir ao cinema. Na televisão, o menino via filmes de ação, assassinatos, torturas, explosões e tiroteios, mas no cinema, sentado atrás da última fila em sua cadeira de rodas, divertia-se com as mesmas histórias sentimentais de amor e desencanto que tanto agradavam à babá. Às vezes acabavam chorando de mãos dadas. A música clássica o acalmava e os ritmos latinos o deixavam frenético de alegria. Evelyn colocava um pequeno pandeiro ou maracas em suas mãos e, enquanto ele sacudia os instrumentos, ela dançava como uma marionete desarticulada, provocando ataques de riso no menino.

Chegaram a ser inseparáveis. Evelyn renunciava, sistematicamente, a seus dias de folga e nunca lhe ocorreu pedir férias, porque sabia que Frankie sentiria sua falta. Pela primeira vez desde que seu filho nascera, Cheryl podia ficar tranquila. No idioma particular de afagos, gestos e sons que compartilhavam e através do computador, Frankie pediu a Evelyn que se casasse com ele. "Primeiro você tem que crescer, menininho. Depois veremos", respondeu ela, comovida.

Se a cozinheira e sua filha sabiam do que acontecia entre o senhor Leroy e sua mulher, nunca comentaram. Evelyn tampouco podia falar daquilo, mas não podia fingir que não sabia de nada, porque estava incrustada na família, muito próxima de Cheryl. As surras sempre aconteciam a portas fechadas, mas as paredes daquela casa antiga eram finas. Evelyn aumentava o volume da televisão para distrair Frankie, que tinha ataques de angústia ao ouvir seus pais brigando e, com frequência, acabava arrancando fios de cabelo. Nas brigas, sempre surgia o nome de Frankie. Embora seu pai fizesse tudo o que era possível para ignorá-lo, aquele filho era onipresente, e seu desejo de que morresse de uma vez eram tão claros que costumava atirá-lo na cara de sua mulher. "Que morram os dois", ela e seu mostro, aquele bastardo sem um único gene dos Leroy, porque na sua família não existiam anormais, nenhum dos dois merecia viver, eram demais. E Evelyn ouvia os estalidos terríveis das chibatadas. Cheryl, aterrorizada porque seu filho ouvira tudo, tentava compensar o ódio do pai com seu obsessivo amor materno.

Depois daquelas surras, Cheryl passava vários dias sem sair de casa, escondida, submetendo-se calada aos cuidados de Evelyn, que a consolava com o carinho seguro de uma filha, curava seus machucados com arnica, ajudava-a a se lavar, cortava seus cabelos, assistia a séries na televisão com ela e ouvia suas confissões sem opinar. Cheryl aproveitava esses dias de reclusão para ficar com Frankie, lendo, contando histórias, colocando um pincel em seus dedos para que pintasse. A intensidade dessa atenção materna podia se tornar angustiante para o menino, que começava a ficar nervoso e escrevia no computador para Evelyn em espanhol para não ofender sua mãe, pedindo que o deixassem sozinho. A semana terminava com o menino descontrolado, sua mãe dopada por comprimidos para ansiedade e depressão, mais trabalho para Evelyn, que jamais se queixava, porque, em comparação à vida de sua patroa, a sua era fácil.

Tinha pena, com toda a sua alma, da senhora, e queria protegê-la, mas ninguém podia intervir. Aquele marido brutal havia sido destinado a Cheryl e teria que aceitar o castigo até o dia em que já não aguentasse mais. Então ela estaria ao seu lado para fugir com Frankie para bem longe do senhor Leroy. Evelyn conhecia casos semelhantes, vira coisas parecidas em seu povoado. O homem se embebedava, brigava com outro, era humilhado no trabalho, perdia uma aposta, enfim, qualquer pretexto poderia levá-lo a surrar a mulher ou os filhos, não era sua culpa, assim são os homens e assim é a lei da vida, pensava a menina. Certamente os motivos do senhor Leroy para ser tão cruel com sua mulher eram outros, mas as consequências eram as mesmas. As surras chegavam de repente, sem se anunciar, e depois ele partia batendo a porta e Cheryl se trancava em seu quarto chorando até ficar cansada. Evelyn calculava o momento de aparecer nas pontas dos pés dizendo-lhe que Frankie estava bem, que tratasse de descansar, para lhe oferecer alguma comida, os comprimidos para os nervos, seus soníferos, umas compressas de gelo. "Traga-me uísque, Evelyn, e fique um pouco comigo", dizia-lhe Cheryl, desfigurada de tanto chorar, agarrando sua mão.

Na casa dos Leroy, a discrição era obrigatória para a convivência, tal haviam advertido as outras empregadas a Evelyn. Apesar do temor que o senhor Leroy lhe inspirava, queria manter seu posto; na casa das estátuas se sentia segura como na sua infância ao lado da avó e contava com confortos jamais sonhados, todos os sorvetes que quisesse, televisão, uma cama macia no quarto de Frankie. Seu salário era ínfimo, mas não tinha despesas e podia enviar dinheiro a sua avó, que estava substituindo aos poucos as paredes de barro e bambu de seu casebre por outras de tijolo e cimento.

Na sexta-feira de janeiro em que o estado de Nova York ficou paralisado, a cozinheira e sua filha não foram trabalhar. Cheryl, Evelyn e Frankie ficaram trancados em casa. O rádio e a televisão vinham anunciando a tormenta desde o dia anterior e, quando chegou, foi pior do que se esperava. Começou a cair um granizo pesado como grão-de-bico, que o vento atirava nas janelas, ameaçando os vidros. Evelyn fechou as persianas e as cortinas para proteger Frankie o melhor possível do barulho e tentou distraí-lo com a televisão, mas esses cuidados foram inúteis, porque a metralhadora do granizo e o rugido dos trovões o aterrorizaram. Quando, por fim, conseguiu acalmá-lo, deitou-o, desejando que adormecesse; não podia distraí-lo com a televisão, pois a recepção estava péssima. Preparando-se para uma possível falta de eletricidade, providenciara uma lanterna e velas, e colocara a sopa do menino em uma garrafa térmica, para mantê-la aquecida. Frank Leroy havia partido em um táxi assim que amanhecera. Seu destino, um campo de golpe da Flórida, pensando em se livrar do temporal que se anunciava. Cheryl passou o dia na cama, doente e chorosa.

No sábado, Cheryl levantou tarde, muito agitada, com o olhar demente dos dias ruins, mas, diferente de outras ocasiões, estava tão calada que Evelyn se assustou. Por volta do meio-dia, depois que o jardineiro chegou para afastar a neve da entrada, partiu no Lexus para encontrar seu analista, como disse. Voltou poucas horas depois, muito alterada. Evelyn ajudou-a a abrir frascos de calmantes, contou os comprimidos e lhe serviu uma boa dose de uísque, porque a senhora não conseguia controlar o tremor das mãos. Cheryl engoliu o remédio com três longos goles. Tivera um dia péssimo, estava deprimida, sua cabeça estava prestes a explodir, não queria ver ninguém e menos ainda o marido. Melhor seria que aquele desalmado não voltasse nunca mais, que desaparecesse, que partisse de cabeça para o inferno, seria bem merecido por andar no que andava, e não lhe importava nem um pouco sua sorte nem a do filho de cadela do Danescu, aquele inimigo que vivia em sua própria casa. "Malditos sejam os dois, eu os odeio", murmurou engolindo ar, febril.

— Estão nas minhas mãos, Evelyn, porque, se me der na telha, poderei falar e, então, não terão onde se esconder. São criminosos, assassinos. Você sabe qual é a sua atividade? Traficam pessoas, transportam e vendem seres humanos, trazidos enganados de outros lugares, e aqui viram escravos. Não me diga que nunca ouviu falar disso!

— Ouvi alguma coisa... — admitiu, espantada com o aspecto da patroa.

— São obrigados a trabalhar como animais, não recebem nada, são ameaçados, mortos. Há muita gente metida nisso, Evelyn, agentes, motoristas, guardas de fronteira e até juízes corruptos. Nunca faltam clientes para o negócio. Há muito dinheiro envolvido nisso, você entende?

— Sim, senhora.

— Você teve sorte de não ter sido agarrada. Teria ido parar em um bordel. Está achando que estou louca, não é mesmo, Evelyn?

— Não, senhora.

— Kathryn Brown, a fisioterapeuta do meu filho, é uma puta. Vem aqui para nos espiar; Frankie é apenas um pretexto. Meu marido a trouxe. Vai para a cama com ele, você sabia? Não. Como poderia saber, menina? A chave que encontrei no bolso do senhor Leroy é da casa dessa puta. Por que teria a chave da casa dela?

— Senhora, por favor... Como pode saber de onde é essa chave?

— De que outro lugar seria? E sabe o que mais, Evelyn? Meu marido quer se livrar de mim e de Frankie... De seu próprio filho! Quer nos matar! É isso o que pretende, e a Brown deve ser sua cúmplice, mas eu estou vigiando. Nunca baixo a guarda, sempre vigiando, vigiando...

No limite de suas forças, atordoada pelo álcool e os remédios, arrastando-se pelas paredes, a mulher permitiu ser levada ao seu quarto. Evelyn ajudou-a a se despir e se deitar. A garota não imaginava que Cheryl soubesse alguma coisa da relação de Leroy com a fisioterapeuta. Havia meses ela carregava o segredo, como se fosse um tumor maligno, sem poder revelá-lo. Com sua vocação de ser invisível, ouvia, observava e tirava conclusões. Surpreendera-os várias vezes cochichando no corredor ou trocando mensagens de texto de um canto a outro da casa. Ouvira-os planejar tirar férias juntos e os vira se trancar em um dos quartos vazios. Leroy só aparecia no quarto de Frankie quando Kathryn estava fazendo os exercícios; então, mandavam-na sair com algum pretexto. Não tinham cuidados diante do menino, embora os dois soubessem que ele entendia tudo, como se quisessem que Cheryl descobrisse sua relação. Evelyn dissera a Frankie que aquele era um segredo dos dois, que ninguém mais devia saber. Supunha que Leroy estivesse apaixonado por Kathryn, pois procurava pretextos para ficar perto dela e, em sua presença, mudava o tom de voz e a expressão facial, mas tinha dificuldade de entender os motivos de Kathryn para se envolver com um homem de coração ruim, muito mais velho do que ela, casado e pai de um filho doente, a menos que estivesse tentada pelo dinheiro que ele supostamente possuía.

Segundo Cheryl, seu marido podia ser irresistível quando queria; foi o que acontecera quando a conquistara. Quando Frank Leroy metia alguma coisa na cabeça, nada podia detê-lo. Conheceram-se no elegante bar do Ritz, onde ela fora se divertir com amigas e ele fechar um negócio. Cheryl contou a Evelyn que trocaram olhares, avaliando-se mutuamente a distância, e isso foi suficiente para que ele se aproximasse com dois martínis na mão e a atitude decidida. "A partir desse momento, nunca mais me deixou em paz. Eu sempre soube que iria me maltratar, porque isso começou antes de nos casarmos, mas era como um jogo. Não imaginei que seria cada vez pior, cada vez mais frequente..." Apesar do terror e do ódio que ele lhe inspirava, Cheryl admitia que era um homem que atraía com sua boa presença, suas roupas exclusivas, seu ar de autoridade e de mistério. Evelyn era incapaz de perceber essas qualidades.

Naquela tarde de sábado, estava ouvindo as lamentações incoerentes de Cheryl quando sentiu um cheiro vindo do aposento contíguo, alertando-a de que devia trocar as fraldas de Frankie. Seu olfato se afinara, além da audição e da intuição. Cheryl ficara de comprar as fraldas, mas, no estado em que chegara, havia esquecido. Evelyn calculou que o menino adormecido poderia esperar enquanto ela ia correndo à farmácia. Abrigou-se com colete, jaqueta, galochas e luvas, e saiu disposta a desafiar a neve, mas um pneu da caminhonete estava murcho. O Fiat 500 de Cheryl estava na oficina. Era inútil chamar um táxi. Demoraria a aparecer com aquele clima, e acordar a senhora também não era uma opção, porque já estaria em estado de coma. Iria desistir das fraldas e resolver o problema com uma toalha quando viu sobre a mesinha da entrada, onde sempre eram deixadas, as chaves do Lexus. Era o carro de Frank Leroy, e ela nunca o dirigira, mas supôs que devia ser mais fácil do que a caminhonete; o trajeto de ida e volta duraria menos de meia hora, a senhora estaria no limbo, não sentiria sua falta e o problema estaria resolvido. Confirmou que Frankie dormia tranquilamente, beijou-o na testa e sussurrou que voltaria logo. E tirou o carro com cuidado da garagem.

# Lucía

*Chile*

A morte de sua mãe, em 2008, provocou em Lucía Maraz uma insegurança inexplicável, já que não dependia dela desde que partira para o exílio, aos 19 anos. Na relação, couberam a ela o papel de protetora emocional e também o de provedora, porque a inflação foi reduzindo o valor real da pensão de Lena. No entanto, quando se viu sem a sua mãe, a sensação de vulnerabilidade foi tão poderosa quanto a tristeza de perdê-la. Seu pai desaparecera de sua vida muito cedo e, por isso, sua mãe e seu irmão Enrique foram toda a família que teve; quando os dois lhe faltaram, teve consciência de que só contava com Daniela. Carlos vivia na mesma casa, mas, em matéria de sentimentos, estava sempre ausente. Lucía também sentiu pela primeira vez o peso de sua idade. Havia algum tempo era cinquentona, mas se sentia como se tivesse 30 anos. Até aquele momento, envelhecer e morrer eram ideias abstratas, uma coisa que acontecia com os outros.

Foi com Daniela lançar as cinzas de Lena ao mar, como ela pedira sem explicar os motivos, mas deduziu que desejava acabar nas mesmas águas do Pacífico onde estaria seu filho. Como tantos outros, provavelmente o corpo de Enrique fora atirado no mar amarrado em um trilho, mas o espírito que visitou Lena em seus últimos dias não confirmou essa versão. Contrataram um pescador que as levasse mais além das últimas rochas, onde o oceano ficava da cor de petróleo e as gaivotas não chegavam. De pé no bote, banhadas em lágrimas, improvisaram uma despedida para aquela avó sofrida e para Enrique, a quem se atreveram a dizer adeus, porque Lena se negara a aceitar sua morte em voz alta, embora talvez o tivesse feito, muitos anos antes, em um compartimento secreto de seu coração. O primeiro livro de Lucía foi publicado em 1994, narrando detalhes dos assassinatos, que ninguém desmentiu, e Lena o havia lido; também a acompanhara quando Lucía depôs perante um juiz que investigava a ação dos helicópteros do exército. Devia ter uma ideia bastante clara do destino que seu filho tivera, mas admiti-lo equivaleria a renunciar à missão que a obcecara ao longo de mais de três décadas. Enrique permaneceria para sempre na densa bruma da incerteza, nem vivo nem morto, a não ser pelo prodígio de que tivesse aparecido no final para acompanhar sua mãe e conduzi-la à outra vida.

No bote, enquanto Daniela segurava a urna de cerâmica, Lucía jogou no ar punhados de cinza rezando por sua mãe, seu irmão e o jovem desconhecido que ainda repousava no nicho da família Maraz no cemitério. Ao longo de todos aqueles anos, ninguém identificou sua fotografia nos arquivos do Vicariato, e Lena chegou a estimá-lo como se fosse outro membro da família. A brisa manteve as cinzas pairando no ar como poeira de estrelas e depois caiu flutuando lentamente no mar. Então, Lucía compreendeu que lhe cabia substituir sua mãe; era a mais velha da pequena família. Naquele instante, a maturidade desabou de repente nela, mas só haveria de incomodá-la anos mais tarde, quando teve de fazer um balanço de suas perdas e enfrentar, por sua vez, a morte.

Ao contar a Richard esse período de sua vida, Lucía omitiu os tons cinzentos e se concentrou nos fatos mais claros e nos mais sombrios. O resto ocupava muito pouco espaço em sua memória, mas Richard queria saber mais.

Conhecia os dois livros de Lucía, nos quais a história de Enrique servia de ponto de partida e dava um tom pessoal a uma extensa reportagem política, mas sabia pouco de sua vida íntima. Lucía lhe disse que, em seu casamento com Carlos Urzúa, nunca houve uma intimidade verdadeira, mas sua vocação romântica ou a simples inércia a impediram de tomar uma decisão. Eram dois seres errantes no mesmo espaço, tão distantes que se davam bem, porque, até para brigar, é preciso ter proximidade. O câncer se manifestara no final da relação, mas o desenlace estava sendo desenhado havia anos.

Depois da morte de sua avó, Daniela foi estudar na Universidade de Miami, em Coral Gables, e Lucía deu início a uma correspondência frenética com ela, como a que tivera com sua mãe quando vivia no Canadá. Sua filha estava eufórica com sua nova vida, fascinada pelas criaturas aquáticas e ansiosa por explorar os caprichos do oceano; tinha vários namorados de ambos os sexos e uma liberdade impossível de se ter no Chile, onde teria passado pelo escrutínio de uma sociedade intransigente. Um dia anunciou aos seus pais por telefone que não se definia como mulher nem como homem e tinha relações poliamorosas. Carlos lhe perguntou se ela se referia à promiscuidade bissexual e lhe disse que seria mais conveniente abster-se de mencionar aquilo no Chile, onde pouca gente a entenderia. "Vejo que mudaram o nome do amor livre. Isso sempre fracassou e não vai dar certo agora", disse para Lucía, depois de ter desligado o telefone.

Daniela interrompeu seus estudos e suas experiências sexuais quando sua mãe adoeceu. O ano de 2010 foi de perdas e separações para Lucía, um ano longo de hospitais, cansaço e medo. Carlos a deixou porque não teve coragem de testemunhar sua devastação, como disse, envergonhado, mas decidido. Negou-se a ver as cicatrizes que cruzavam seu peito, sentia uma repulsa atávica pelo ser estropiado em que ela estava se transformando e delegou a responsabilidade de cuidar dela à filha. Indignada com a atitude do pai, Daniela o enfrentou com uma aspereza inesperada; foi a primeira a mencionar o divórcio como a única saída decente para um casal que não se amava. Carlos adorava sua filha, mas seu horror diante do estado físico de Lucía foi mais intenso do que seu medo de decepcioná-la. Anunciou que iria viver temporariamente em um hotel, porque a tensão reinante na casa o afetava muito e o impedia de trabalhar. Tinha idade de sobra para se aposentar, mas decidira que sairia do seu escritório diretamente para o cemitério. Lucía e Carlos se despediram com a morna cortesia que haviam caracterizado os anos de sua convivência, sem mostras de hostilidade e sem esclarecer nada. Antes de uma semana, Carlos alugou um apartamento e Daniela ajudou-o a se instalar.

A princípio Lucía sentiu a separação como um vazio. Estava acostumada à ausência emocional do marido, mas quando ele partiu para sempre ficou com tempo de sobra, a casa parecia enorme e havia eco nos quartos desocupados; à noite ouvia os passos de Carlos vagando e a água correndo em seu banheiro. A ruptura dos hábitos e dos pequenos ritos cotidianos lhe dava uma sensação de imenso desamparo, que se somava à angústia daqueles meses submetida aos maus-tratos dos remédios destinados a derrotar sua doença. Sentia-se machucada, frágil, nua. Daniela acreditava que o tratamento havia acabado com a imunidade de seu corpo e de seu espírito. "Não faça um inventário do que lhe falta, mamãe, mas sim do que tem", dizia. Segundo ela, aquela era uma oportunidade única de curar o corpo e sanar a mente, livrar-se da carga desnecessária, afastar os rancores, complexos, más recordações, sonhos impossíveis e tanto outro lixo. "De onde você tira essa sabedoria, filha?", perguntava-lhe Lucía. "Da internet", respondia Daniela.

Carlos partiu radicalmente, como se tivesse se mudado para os confins de outro continente, embora vivesse a poucas quadras de Lucía. Não perguntou uma única vez pelo seu estado de saúde.

Lucía chegou ao Brooklyn em setembro de 2015, com a esperança de que a mudança de ambiente fosse estimulante. Estava cansada da rotina, era hora de embaralhar o destino para ver se receberia cartas um pouco melhores. Esperava que Nova York fosse o primeiro trecho de um longo périplo. Planejava procurar outras oportunidades e viajar pelo mundo enquanto tivesse força e dispusesse de seus limitados recursos. Queria deixar para trás as perdas e as dores dos últimos anos. O golpe mais duro fora a morte de sua mãe, que a afetou mais do que o divórcio e o câncer. A princípio, sentiu o abandono de seu marido como uma facada traiçoeira, mas logo o considerou um presente de liberdade e paz. Isso já fazia vários anos e tivera tempo de sobra para se reconciliar com o passado.

Custou-lhe um pouco mais se recuperar da doença, que, no final das contas, foi o que terminou de afugentar Carlos. Uma mastectomia dupla e meses de quimioterapia a deixaram fraca, sem pelos, sem pestanas nem sobrancelhas, com olheiras azuis e cicatrizes, mas estava curada e seu prognóstico era bom. Reconstruíram seus seios com implantes que se inflavam aos poucos, à medida que os músculos e a pele iam cedendo para lhes abrir espaço, um processo doloroso que suportou sem se queixar, sustentada pela vaidade. Achava qualquer coisa preferível àquele torso plano e cruzado por punhaladas.

A experiência desse ano de doença infundiu nela um desejo ardente de viver, como se o prêmio pelo sofrimento fora ter descoberto a pedra filosofal, a esquiva substância dos alquimistas capaz de transformar o chumbo em ouro e rejuvenescer. Perdera o medo da morte antes, quando presenciou a elegante passagem da vida à morte de sua mãe. Voltou a sentir com absoluta lucidez, como então, a presença irrefutável da alma, essa essência primordial que nem o câncer nem nada poderiam afetar. Acontecesse o que acontecesse, a alma prevaleceria. Imaginava sua morte como um umbral e sentia curiosidade pelo que encontraria do outro lado. Não temia cruzar esse umbral, mas enquanto estivesse no mundo queria viver com plenitude, sem evitar nada, invencível.

Os tratamentos médicos terminaram no final de 2010. Evitara, durante meses, olhar a si mesma no espelho, e usava um gorro de pescador que cobria sua testa, até que Daniela o jogou no lixo. A jovem acabara de completar 20 anos quando soube do diagnóstico e, sem vacilar, abandonou os estudos e voltou ao Chile para acompanhá-la. Lucía lhe implorou que não fizesse isso, porém mais tarde compreenderia que a presença de sua filha naquele momento difícil de sua vida era indispensável. Ao vê-la chegar, quase não a reconheceu. Daniela partira no inverno, uma menina pálida e excessivamente vestida, e voltou com cor de caramelo, meia cabeça raspada e a outra metade com mechas verdes, bermudas, pernas peludas e botas de soldado, disposta a cuidar de sua mãe e entreter os outros pacientes do hospital. Surgia na sala saudando com beijos as pessoas que repousavam em suas poltronas conectadas ao lento gotejar das drogas e distribuía mantas, barras nutritivas, sucos de fruta e revistas.

Estava havia menos de um ano na universidade, mas falava como se tivesse navegado pelos mares com Jacques Cousteau no meio de sereias de cauda azul e bergantins submersos. Iniciou os pacientes no termo LGBT, lésbicas, gays, bissexuais e transexuais, cujas diferenças sutis precisou explicar detalhadamente. Isso era novidade entre os jovens norte-americanos; no Chile, ninguém suspeitava de que aquilo existisse e menos ainda os pacientes dessa sala de oncologia. Contou a eles que ela era do gênero neutro ou fluido, porque não havia a obrigação de aceitar a classificação de homem ou mulher imposta pelos órgãos genitais; qualquer um pode se definir como bem quiser e mudar de opinião se mais adiante encontrar outro gênero mais confortável. "Como os indígenas de certas tribos, que mudam de nome em diferentes etapas da vida, porque aquele que recebem quando nascem já não os representa mais", acrescentou, pretendendo esclarecer, mas contribuindo para a perplexidade geral.

Daniela ficou ao lado de sua mãe durante a convalescença da cirurgia, nas horas lentas e aborrecidas de cada infusão e no processo de divórcio. Dormia ao seu lado, pronta para pular da cama e ajudá-la se precisasse;

sustentou-a com seu carinho súbito, suas brincadeiras, suas sopas de doente e sua eficiência para navegar pela burocracia do sistema de saúde. Arrastou-a para comprar roupas novas e lhe impôs uma dieta razoável. E depois que deixou seu pai confortável em sua nova vida de solteiro e sua mãe firme em suas pernas se despediu sem alarde e partiu tão alegre como havia chegado.

Antes de adoecer, Lucía levava uma vida que definia como boêmia, e Daniela, como insalubre. Fumara durante anos, não fazia exercícios, jantava todos os dias com duas taças de vinho e sorvete na sobremesa, tinha muitos quilos a mais e seus joelhos doíam. Quando estava casada, zombava do estilo de vida do marido. Ela começava o dia sentada na cama tomando café com leite e comendo dois croissants, lendo o jornal, enquanto ele bebia um espesso líquido verde com pólen de abelha e partia correndo como um fugitivo para seu escritório, onde o esperava Lola, sua fiel secretária, com roupa limpa. Na sua idade, Carlos Urzúa se mantinha em forma e andava reto como uma lança. Ela havia começado a imitá-lo de má vontade, graças à férrea autoridade de Daniela, e o resultado logo foi visto na balança do banheiro e em uma vitalidade que não tinha desde a adolescência.

Lucía e Carlos voltaram a se encontrar um ano e meio depois, quando assinaram os papéis do divórcio, que havia pouco fora legalizado no Chile. Ainda era muito cedo para que Lucía pudesse dizer que estava totalmente curada, mas recuperara suas forças, e seus seios haviam sido reconstruídos. O cabelo nasceu branco e decidiu deixá-lo curto, desordenado e com a cor natural, salvo algumas mechas insolentes que Daniela pintou antes de partir para Miami. Ao vê-la no dia do divórcio, com dez quilos a menos, seios de garota sob uma blusa decotada e cabelos fosforescentes, Carlos levou um susto. Lucía achou que ele estava mais charmoso do que nunca e sentiu uma faísca de pesar pelo amor perdido, que se apagou imediatamente. Na verdade, não sentia nada por ele; só gratidão, por ser o pai de Daniela. Achava que lhe faria bem sentir alguma raiva dele, seria mais saudável, mas nem isso conseguia. Do amor arrebatado que lhe devotara durante anos, não restava nem o rescaldo da desilusão. Sua recuperação da doença foi árdua, mas tão completa quanto a recuperação do divórcio, e poucos anos depois, no Brooklyn, raramente recordava essa etapa de sua vida.

Julián chegou em sua vida no começo de 2015, quando Lucía se resignara havia vários anos da falta de amor e achava que sua fantasia romântica havia secado na poltrona da quimioterapia. Julián lhe mostrou que a curiosidade e o desejo são recursos naturais renováveis. Se Lena, sua mãe, estivesse viva, teria advertido Lucía de como era ridículo uma mulher da sua idade com aquelas pretensões e talvez tivesse razão, porque, a cada dia que se passava, as oportunidades de amor diminuíam e as do ridículo aumentavam, mas não toda a razão, pois Julián apareceu para amá-la quando menos esperava. Embora aquele namorico tenha acabado tão rapidamente quanto começara, serviu-lhe para saber que ainda tinha brasas internas capazes de se acender. Não havia nada a lamentar. O vivido e gozado, bem vivido e bem gozado estava.

A primeira coisa que notou em Julián foi sua aparência; sem ser de todo feio, na sua opinião era muito pouco atraente. Todos os seus namorados, especialmente seu marido, eram bonitos, não por sua decisão, mas por acaso. Julián foi a maior prova de sua falta de preconceito contra homens feios, como lhe diria Daniela. A simples vista era um chileno das montanhas, com má postura, desalinhado, como se andasse com roupa emprestada, calças disformes de veludo e coletes de tecidos de avô. Tinha a pele azeitonada dos espanhóis do sul, como seus antepassados, cabelos grisalhos, barba da mesma cor e as mãos suaves de quem nunca trabalhara com elas. No entanto, sob sua aparência de derrotado, havia um sujeito de inteligência excepcional e um amante ardoroso.

O primeiro beijo e o que se seguiu naquela noite foram suficientes para que Lucía se rendesse a um capricho juvenil, plenamente retribuído por Julián. Pelo menos por um tempo. Nos primeiros meses, Lucía recebeu de mãos cheias o que lhe faltara em seu casamento; o amante a fez se sentir querida e desejada, com ele voltou a uma juventude alvoroçada. A princípio, Julián também apreciou a sensualidade e as brincadeiras, mas logo ficou assustado com o compromisso emocional. Esquecia-se dos encontros, chegava atrasado ou ligava na última hora com uma desculpa. Bebia uma taça a mais de vinho e adormecia no meio de uma frase ou entre duas carícias. Queixava-se da falta de tempo para ler e de como sua vida social fora reduzida, a atenção que Lucía lhe dava o incomodava. Continuava a ser um amante cuidadoso, mais preocupado em dar prazer do que em recebê-lo, mas ela achou que vacilava; já não se rendia mais ao amor, estava sabotando a relação. Na época, Lucía havia aprendido a reconhecer a desilusão amorosa assim que exibia sua cabeça de gárgula e já não a suportava apoiada na esperança de que alguma coisa mudasse, como fizera ao longo dos vinte anos de seu casamento. Tinha mais experiência e menos tempo a perder. Deu-se conta de que devia se despedir antes que Julián o fizesse, embora soubesse que sentiria muita falta de seu enorme humor, dos jogos de palavras, do prazer de acordar cansada ao seu lado, sabendo que bastava uma palavra sussurrada ou uma carícia distraída para voltarem a se abraçar. Foi uma ruptura sem dramas e ficaram amigos.

— Resolvi dar um tempo ao meu coração alquebrado — disse a Daniela por telefone, em um tom que não era engraçado, como pretendia, mas queixoso.

— Que cafonice, mamãe! O coração não se quebra como um ovo. E se fosse como um ovo, não seria melhor quebrá-lo para que os sentimentos se derramassem? É o preço de uma vida bem vivida — replicou sua filha, implacável.

Alguns meses depois, no Brooklyn, Lucía era assaltada de vez em quando por certa nostalgia de Julián, mas era apenas um leve ardor na pele, que não chegava a incomodá-la. Conseguiria ter outro amor? Não nos Estados Unidos, pensava, não era o tipo de mulher que atraía os norte-americanos, que prova melhor do que a indiferença de Richard Bowmaster? Não podia imaginar a sedução sem humor, mas a ironia chilena era intraduzível e, para os do norte, francamente ofensiva. Em inglês, tinha o coeficiente intelectual de um chimpanzé, como lhe disse Daniela. Só ria de boa vontade com Marcelo, de suas patas curtas e seu focinho de lêmure; aquele animal se dava ao luxo de ser narcisista e rabugento, como um marido.

A tristeza de haver rompido com Julián se manifestou em um ataque de bursite no quadril. Passou vários meses tomando analgésicos e caminhando como um pato, mas se recusou a procurar um médico, certa de que o mal desapareceria quando se curasse do desgosto. E foi assim. Chegou ao aeroporto de Nova York mancando. Richard Bowmaster esperava a colega ativa e alegre que havia conhecido e lhe coube receber uma estranha com sapatos ortopédicos e bengala que emitia um ruído de dobradiça enferrujada quando se levantava de uma cadeira. No entanto, em poucas semanas, ele a viu sem a bengala e com botas da moda. Não podia adivinhar que o milagre se devera a uma breve reaparição de Julián.

Em outubro, um mês depois de Lucía ter-se instalado em seu porão, Julián chegou a Nova York para uma conferência e passaram juntos um domingo delicioso. Tomaram café da manhã no Le Pain Quotidian, passearam no Central Park, lentamente, porque ela arrastava os pés, e foram de mãos dadas à matinê de um musical da Broadway; depois jantaram em um pequeno restaurante italiano com uma garrafa do melhor chianti, brindando à amizade. A cumplicidade continuava tão fresca quanto no primeiro dia, recuperaram sem esforços a linguagem codificada e as alusões de duplo sentido que só eles conseguiam entender. Julián se desculpou por tê-la feito sofrer, mas ela respondeu, sinceramente, que mal se lembrava. Naquela manhã, quando se encontraram diante de suas respectivas canecas de café com leite e pão fresco, Julián lhe despertou um afeto alegre, um desejo de cheirar seus cabelos, ajeitar o colarinho de seu paletó e sugerir que comprasse calças do seu tamanho. Nada mais. Ali, no restaurante italiano, debaixo da cadeira, ficou a bengala.

# Richard e Lucía

*Norte de Nova York*

Às cinco da tarde, quando Lucía e Richard voltaram a se reunir com Evelyn na cabana, depois de atirar o automóvel no lago, cansados e sujos de lama e neve, reinava a escuridão prematura do inverno matizada pelo resplendor da lua. Levaram mais tempo para voltar do que haviam calculado porque o Subaru patinou longamente e acabou enterrado em um montículo de neve. Precisaram de novo recorrer à pá para afastar a neve em torno das rodas, depois arrancaram uns galhos de pinheiro e os colocaram no chão. Richard deu uma ré e, na segunda tentativa, o carro se movimentou com um estertor, os pneus aderiram aos galhos e conseguiram sair do lamaçal.

A noite já havia desabado, os rastros eram invisíveis na trilha e precisaram avançar adivinhando a direção. Perderam o rumo algumas vezes, mas Evelyn, para sua sorte, havia desobedecido às suas recomendações e colocado uma lamparina a querosene acesa na entrada; a luz vacilante orientou-os no último trecho.

Depois da aventura, acharam o interior da cabana acolhedor como um ninho, embora os aquecedores mal conseguissem mitigar o frio que penetrava pelas fendas das velhas tábuas. Richard sabia que era responsável pelas condições péssimas em que estava a antiga casa; nos poucos anos em que estivera fechada, deteriorara-se um século. Decidiu que voltaria periodicamente para ventilar e fazer consertos; não queria que Horacio o acusasse de negligência quando voltasse. Negligência. Essa palavra tinha o poder de estremecê-lo.

Tendo em vista a neve e a escuridão, resolveram desistir do plano original de procurar um hotel; além do mais, acharam que seria inconveniente ficar passeando com Kathryn Brown no porta-malas do Subaru mais do que o necessário. Prepararam-se para passar a noite daquela segunda-feira o mais abrigados possível, tranquilos quanto ao corpo, que se manteria congelado. Haviam passado por tantas tensões naqueles dias que optaram por adiar o problema de Kathryn e se distrair pelo restante da tarde jogando Monopoly, que os filhos de Horacio haviam deixado ali. Richard lhes ensinou as regras. Para Evelyn, o princípio de comprar e vender propriedades, monopolizar recursos e empurrar os adversários para a bancarrota era totalmente incompreensível. Lucía jogava pior do que Evelyn, as duas perderam miseravelmente e, no final, Richard ficou milionário, mas foi uma vitória mesquinha, que o deixou com a sensação de haver trapaceado.

Deram um jeito de improvisar um jantar com o restante da comida de burro, colocaram combustível nos aquecedores e acomodaram os sacos de dormir nas três camas do quarto das crianças, todos juntos, para aproveitar os dois aquecedores. Não dispunham de lençóis, e os cobertores cheiravam a umidade. Richard anotou na memória que, em sua próxima visita, também deveria substituir os colchões, nos quais podia haver percevejos ou ninhos de roedores. Tiraram as botas e se deitaram vestidos; a noite seria longa e fria. Evelyn e Marcelo adormeceram imediatamente, mas Lucía e Richard ficaram conversando até depois de meia-noite. Tinham muita coisa a dizer nessa delicada etapa de tatear a intimidade. Trocaram segredos, adivinhando os traços do outro na penumbra, cada um preso em seu casulo, com as camas lado a lado, tão próximos que teria bastado a mais leve intenção para que acabassem se beijando.

Amor, amor. Até a véspera, Richard ficara inventando diálogos tolos com Lucía e agora se precipitavam versos sentimentais que ele jamais se atreveria a escrever. Dizer-lhe, por exemplo, como a amava, como lhe era grato por ter aparecido em sua vida. Chegara leve de longe, trazida pelo vento da boa sorte e ali estava, presente e próxima no gelo e na neve, com uma promessa em seus olhos mortos. Lucía o encontrou coberto de feridas invisíveis e ele, por sua vez, percebia claramente os finos cortes com que a vida a marcara. "O amor sempre se ofereceu a mim pela metade", confessara a ela certa vez. Isso terminara. Iria amá-la sem limites, absolutamente. Desejava protegê-la e fazê-la feliz para que nunca fosse embora, passar juntos esse inverno, e a primavera e o verão e, para sempre, cultivar com ela a cumplicidade e a intimidade mais profunda, compartilhar com ela até o segredo mais secreto, incorporá-la à sua vida e à sua alma. Na verdade, sabia muito pouco de Lucía e menos ainda de si mesmo, mas nada disso importava se ela correspondesse ao seu amor; nesse caso, teriam o resto da vida para se descobrir mutuamente, para crescer e envelhecer juntos.

Nunca imaginara que um amor desmedido, como o que sentira por Anita na juventude, pudesse voltar a assaltá-lo. Não era mais o homem que amara Anita, sentia que adquirira escamas de crocodilo, visíveis no espelho, pesadas como uma armadura. Teve vergonha de haver vivido se protegendo do desencanto, do abandono e da traição, temendo sofrer como Anita o fizera sofrer, assustado diante da própria vida, fechado para a formidável aventura do amor. "Não quero continuar nesta espécie de meia-vida, não quero ser este homem covarde, quero que você me ame, Lucía", confessou-lhe naquela noite extraordinária.

Em 1992, quando Richard Bowmaster se apresentou para começar a trabalhar na Universidade de Nova York, seu amigo Horacio Amado--Castro ficou surpreso com a mudança de sua aparência. Alguns dias antes, recolhera, no aeroporto, um bêbado desalinhado e se arrependera de ter insistido em levá-lo para trabalhar na sua faculdade. Admirara-o quando eram estudantes e jovens profissionais, mas isso fora há anos e, nesse ínterim, Richard entrara em absoluta decadência. A morte de seus dois filhos havia ferido sua alma, como a de Anita. Intuía que acabariam se separando; a morte de um filho destrói o casal, poucos sobrevivem a essa prova, e eles haviam perdido dois. A essa tragédia, somava-se o horror de que Richard fora o responsável pelo acidente que vitimara Bibi. Não conseguia sequer imaginar essa culpa; se algo semelhante acontecesse com um de seus filhos, teria preferido morrer. Temia que seu amigo fosse incapaz de assumir seu posto acadêmico, mas Richard chegou impecável, barbeado, com os cabelos recém-cortados, um correto terno cinza de verão e gravata. Seu hálito cheirava a álcool, mas não se notavam os efeitos da bebida em seu comportamento ou em suas ideias. Desde o primeiro dia, foi possível admirá-lo.

O casal se instalou no décimo primeiro andar de um edifício destinado aos funcionários da faculdade, perto da Washington Square. O apartamento era pequeno, mas adequado, os móveis funcionais e a localização bastante conveniente, a dez minutos a pé do trabalho de Richard. Ao chegar, Anita atravessou o umbral com o mesmo ar de robô que tinha havia meses, sentou-se diante da janela e ficou olhando um pedaço insignificante de céu no meio dos edifícios em volta, enquanto seu marido carregava a bagagem, desempacotava e fazia uma lista das coisas que deveria comprar Isso marcou o tom de sua breve convivência em Nova York.

— Fui advertido, Lucía. Fui advertido pela família de Anita e por seu psiquiatra brasileiro. Seu estado era muito frágil, como não pude perceber? A morte das crianças a destroçou.

— Foi um acidente, Richard.

— Não. Eu havia passado a noite na farra, cheguei tonto de sexo, cocaína e álcool. Não foi um acidente, foi um crime. E Anita sabia. Ficou com ódio de mim. Não me permitia tocá-la. Quando a trouxe para

Nova York, separei-a de sua família, de seu país; aqui estava à deriva, não conhecia ninguém nem falava inglês, totalmente distante de mim, que era a única pessoa que podia ajudá-la. Falhei com ela em todos os sentidos. Não pensei nela; só em mim. Queria deixar o Brasil, fugir da família Farinha, começar uma carreira profissional que já havia postergado excessivamente. Na idade que tinha naquela época, poderia ter sido professor assistente. Comecei muito tarde e queria me atualizar, ia estudar, ensinar e, sobretudo, publicar. Desde o começo, percebi que havia encontrado um lugar perfeito para mim, mas, enquanto eu me pavoneava nas salas e nos corredores da universidade, Anita passava o dia inteiro em silêncio, diante da janela.

— Estava sendo atendida por um psiquiatra? — perguntou Lucía.

— Havia esta possibilidade, e a esposa de Horacio se ofereceu para acompanhá-la e ajudá-la com a burocracia do seguro, mas Anita não quis.

— O que você fez?

— Nada. Continuei cuidando das minhas coisas e até jogava squash para me manter em forma. Anita ficava trancada no apartamento. Não sei o que fazia ao longo do dia, suponho que dormia. Nem sequer atendia ao telefone. Meu pai ia visitá-la, levava doces, tentava tirá-la de casa, levá-la para passear, mas ela nem o olhava, acho que o detestava porque era meu pai. Em um fim de semana, vim com Horacio para esta mesma cabana e a deixei sozinha em Nova York.

— Você devia estar bebendo muito nessa época — concluiu Lucía.

— Muito. Passava a tarde nos bares. Guardava uma garrafa na gaveta da minha escrivaninha, ninguém suspeitava de que meu copo continha gim ou vodca em vez de água. Chupava pastilhas de menta para disfarçar o bafo. Achava que não percebiam, que tinha resistência de mula para a bebida; todos os alcoólatras se enganam assim, Lucía. Era outono e a pracinha diante do edifício estava coberta de folhas amarela... — disse Richard sussurrando, com a voz entrecortada.

— O que aconteceu, Richard?

— Um policial veio nos avisar, porque aqui na cabana nunca houve telefone.

Lucía esperou muito tempo, sem interromper o pranto sufocado de Richard, sem tirar a mão de seu saco de dormir para tocá-lo, sem tentar consolá-lo, porque entendeu que não havia consolo possível para aquela recordação. Sabia vagamente o que acontecera com Anita, por boatos e comentários dos colegas da universidade, e intuiu que era a primeira vez que Richard falava daquilo. Comoveu-a profundamente ser depositária daquela confidência pungente, testemunha daquele pranto purificador. Conhecia, por tê-lo experimentado ao escrever e falar sobre o destino de seu irmão Enrique, o estranho poder terapêutico das palavras, de compartilhar a dor e constatar que outros também têm a sua cota; as vidas se parecem e os sentimentos são idênticos.

Aventurara-se com Richard além do terreno conhecido e seguro, os dois forçados pela desventurada Kathryn Brown, e, ao fazê-lo, iam revelando quem eram. Na incerteza, estavam dando início a uma intimidade verdadeira. Lucía fechou os olhos e tentou alcançar Richard com o pensamento, colocou sua energia no esforço de cruzar os poucos centímetros que os separavam e abrigá-lo em sua compaixão, como fizera tantas vezes com sua mãe nas últimas semanas de sua agonia para mitigar a angústia dela e também a própria.

Na noite anterior, no hotel, se enfiara na cama de Richard para ver como se sentia ao seu lado. Precisava tocá-lo, cheirá-lo, sentir sua energia. Segundo Daniela, quando se dorme com alguém, as energias se combinam, coisa que pode ser enriquecedora para os dois ou muito negativa para o mais fraco. "Menos mal que você não dormia na mesma cama com meu pai, porque teria incinerado sua aura", concluía Daniela. Dormir com Richard, embora tenha acontecido quando ele estava doente e em uma cama salpicada de pulgas, reconfortou-a profundamente. Teve certeza de que aquele homem fora feito para ela, já havia intuído havia algum tempo, talvez antes mesmo de chegar a Nova York, e por isso aceitara seu convite, mas ficara paralisada diante da aparente frieza dele. Richard era um feixe de contradições e seria incapaz de dar o primeiro passo, ela teria de tomá-lo de assalto. Talvez ele a rechaçasse, mas isso não seria tão grave, já superara dores maiores; valia a pena tentar. Restavam-lhes alguns anos de vida e talvez conseguisse convencê-lo de que deveriam gozá-los juntos. A sombra de um câncer recorrente a rondava; só contava com seu presente precioso e fugaz. Queria aproveitar cada dia, porque eram poucos, e certamente menos do que esperava. Não havia tempo a perder.

— Caiu perto da escultura de Picasso — disse Richard. — Era pleno meio-dia. A viram de pé na janela, a viram pular, a viram se estatelar no chão no meio das folhas. Eu matei Anita, como matei Bibi. Sou culpado, vivia bêbado, fui negligente por amá-las muito menos do que mereciam.

— Já está na hora de você se perdoar, Richard. Está há muito tempo expiando essa culpa.

— Mais de vinte anos. E ainda sinto o último beijo que dei em Anita antes de deixá-la sozinha com sua tristeza, beijo que mal a tocou, porque afastou meu rosto.

— São muitos anos com a alma no inverno e o coração fechado, Richard. Isso não é vida. E o homem cauteloso de todos esses anos não é você. Nestes últimos dias, quando saiu do lugar confortável em que estava instalado, pôde descobrir quem realmente é. É possível que haja dor nisso, mas qualquer coisa é melhor do que estar anestesiado.

Nas sessões de meditação, que o mantiveram sóbrio durante muitos anos, Richard tentara aprender os fundamentos do zen-budismo, estar atento ao momento presente, começar de novo com cada respiração, mas não sabia deixar a mente vazia. Sua vida não era uma sucessão de momentos separados, era uma história emaranhada, uma tapeçaria mutável, caótica, imperfeita, que fora tecendo dia a dia; seu presente não era uma tela límpida, estava repleto de imagens, sonhos, recordações, vergonha, culpa, solidão, dor, toda sua fodida realidade, como disse a Lucía em sussurros naquela noite.

— E então chega você e me dá permissão para me afligir por minhas perdas, rir das minhas dificuldades e chorar como um pirralho.

— Já estava na hora, Richard. Chega de chafurdar nas dores do passado. O único remédio para tantas desgraças é o amor. Não é a força da gravidade que mantém o universo em equilíbrio, mas a força adesiva do amor.

— Como vivi tantos anos sozinho e desconectado? É uma coisa que me pergunto há vários dias.

— De bobo que você é. Que maneira de perder tempo e vida! Você já deve ter percebido que eu o amo, não? — riu ela.

— Não entendo como você pode me amar, Lucía. Sou um sujeito comum, você vai se entediar comigo. Além disso, carrego o peso agoniante de minhas faltas e omissões, um saco de pedras.

— Nenhum problema. Tenho músculos para colocar seu saco nas costas, jogá-lo no lago congelado e fazê-lo desaparecer para sempre com o Lexus.

— Para que eu vivi, Lucía? Antes de morrer tenho que descobrir por que estou neste mundo. É verdade o que você diz, passei tanto tempo anestesiado que não saberia por onde começar a viver de novo.

— Se me permitir, posso ajudá-lo.

— Como?

— Começa-se com o corpo. Sugiro que juntemos os sacos e durmamos abraçados. Eu preciso tanto disso quanto você, Richard. Quero que me abrace, me sentir segura e abrigada. Até quando vamos ficar tateando, medrosos, esperando que o outro dê o primeiro passo? Estamos velhos para isso, mas talvez ainda estejamos jovens para amar.

— Você tem certeza, Lúcia? Não conseguiria suportar que...

— Certeza? Não tenho certeza de nada, Richard — ela o interrompeu — Mas podemos tentar. O que é o pior que pode acontecer? Sofrer? Que não dê certo?

— Não pensemos nessa possibilidade, não conseguiria suportar.

— Eu o assustei... Perdão.

— Não! Ao contrário, você me perdoe por não lhe ter dito antes o que sinto. É tão novo, tão inesperado, que não sei o que fazer, mas você é muito mais forte e clara do que eu. Venha, passe para cá, façamos amor.

— Evelyn está a meio metro de distância e eu sou um pouco escandalosa. Teremos que esperar para isso, mas, por enquanto, podemos nos aconchegar.

— Você sabia que fico conversando com você em segredo, como um lunático? Que vivo imaginando você em meus braços? Faz tanto tempo que a desejo...

— Não acredito nem um pouco em você. Prestou atenção em mim pela primeira vez ontem à noite, quando me meti à força na sua cama. Antes só passava por mim — riu ela.

— Sua atitude me deixou muito feliz, chilena atrevida — disse ele, cruzando a curta distância que os separava para beijá-la.

Juntaram os sacos de dormir em uma das camas, fecharam os zíperes dos dois e se abraçaram vestidos como estavam, com inesperada sofreguidão. É tudo o que Richard haveria de recordar com clareza mais tarde; o resto daquela noite mágica ficaria preservado para sempre em uma perfeita nebulosa. Lucía, por sua vez, lhe afirmou que se lembrava dos menores detalhes. Nos dias e anos seguintes, ela os iria contando aos poucos, sempre em uma versão diferente e cada vez mais audaciosa, até o incrível, porque não poderiam ter feito tantas acrobacias, como ela afirmava, sem acordar Evelyn. "Foi assim, embora você não acredite; é possível que Evelyn tivesse fingido que dormia e ficou nos espiando", diria ela. Richard supôs que se beijaram muito e longamente, que foram tirando a roupa enredados na estreiteza dos sacos de dormir, que se exploraram mutuamente como puderam sem fazer o menor barulho, em segredo e excitados como crianças fazendo amor em um canto escuro. Recordava, isso, sim, que ela subira nele, e ele pôde percorrê-la com as mãos, surpreso diante daquela pele lisa e quente, aquele corpo que mal vislumbrava à luz trêmula da vela, mais delgado, dócil e jovem do que imaginava quando estava vestida. "Estes seios de corista são meus, Richard, me custaram muito dinheiro", cochichou Lucía, sufocando o riso. Isso era o melhor dela, aquele riso claro como água, que o lavava por dentro e arrastava suas dúvidas para cada vez mais longe.

Lucía e Richard acordaram naquela terça-feira com a luz tímida da manhã na tepidez dos sacos de dormir, onde ficaram enterrados a noite inteira em um nó de braços e pernas, tão grudados que não se sabia onde começava um e acabava o outro, respirando pausadamente, perfeitamente confortáveis no amor que começavam a descobrir. As convicções e defesas que os sustentavam até então desmoronavam diante da maravilha de uma verdadeira intimidade. Ao erguer a cabeça, foram açoitados pelo frio da cabana. Os aquecedores estavam apagados. Richard foi o primeiro a reunir coragem para se afastar do corpo de Lucía e enfrentar o dia. Constatou que Evelyn e o cachorro continuavam dormindo e, antes de se levantar, aproveitou aqueles minutos para beijar Lucía, que ronronava ao seu lado. Depois se vestiu, colocou querosene nos aquecedores, pôs água para ferver no fogareiro, preparou chá e o levou às mulheres, que beberam recostadas, enquanto ele saía com Marcelo para pegar um ar. Assoviava.

O dia se anunciava radiante. A tormenta era uma má recordação, a neve cobrira o mundo de merengue e a brisa gelada arrastava um cheiro impossível de gardênias. Quando o sol apareceu, o céu finalmente limpo adquiriu a cor azul dos miosótis. "Belo dia para seu funeral, Kathryn, murmurou Richard. Estava alegre, cheio de energia, como um cão. Essa felicidade era tão nova que carecia de um nome. Sondava-a cuidadosamente, mal a tocava e recuava, tateando o território virgem de seu coração. Havia imaginado as confidências da meia-noite? Os olhos negros de Lucía tão próximos dos seus? Talvez tivesse inventado o corpo dela em suas mãos, os lábios colados, o regozijo, a paixão e o cansaço naquele leito nupcial feito de um par de sacos de dormir, abraçados, disso não tinha dúvida, porque só assim pôde recolher seus suspiros adormecidos, seu calor desafiador, as imagens de seus sonhos. Perguntou-se de novo se aquilo era amor, porque era diferente da paixão avassaladora que sentira por Anita, esse sentimento era como a areia cálida de uma praia em pleno sol. Seria este prazer sutil e certeiro a essência do amor maduro? Iria investigar, haveria tempo para isso. Voltou à cabana com Marcelo no colo, assoviando e assoviando.

As provisões estavam reduzidas a umas sobras patéticas, e Richard sugeriu que fossem à cidadezinha mais próxima para tomar o café da manhã e dali seguir viagem para Rhinebeck. Nem se lembrava da úlcera. Lucía lhes dissera que o Instituto Ômega contava com pessoal de manutenção durante a semana, mas, se tivessem sorte, naquela terça-feira não haveria ninguém, devido ao mau tempo recente. O caminho estaria livre e levariam três ou quatro horas para chegar; não tinham pressa. Reclamando do frio, Lucía e Evelyn saíram se arrastando de seus sacos de dormir e o ajudaram a arrumar e fechar a cabana.

# Evelyn, Richard, Lucía

*Rhinebeck*

No Subaru, sem calefação e com duas janelas entreabertas, agasalhados como exploradores do Ártico, Richard Bowmaster contou às mulheres que havia alguns meses convidara alguns especialistas em tráfico de trabalhadores sem documentos para dar uma palestra em sua faculdade. Essa era a atividade de Frank Leroy e Iván Danescu, conforme lhes dissera Evelyn. Nada de novo, observou Richard, oferta e procura existiam desde a abolição oficial da escravidão, mas o negócio nunca fora tão rentável quanto atualmente; era uma mina de ouro só equivalente ao tráfico de drogas e armas. Quanto mais duras as leis e mais exaustivos os controles de fronteira, mais eficiente e impiedosa era a organização e mais ganhavam os agentes, como eram denominados os traficantes. Richard supunha que Frank Leroy fazia o contato entre os traficantes e seus clientes norte-americanos. Sujeitos como ele não sujavam as mãos, desconheciam os rostos e as histórias dos emigrantes que iriam virar escravos na agricultura, nas fábricas e nos prostíbulos. Para ele, eram números, carga anônima que precisava ser transportada, menos valiosa do que animais.

Leroy mantinha uma fachada de homem de negócios respeitável. Seu escritório de Manhattan ficava em plena avenida Lexington, como lhe dissera Evelyn, e dali conduzia seus negócios com clientes dispostos a empregar escravos, cultivava a amizade de políticos e autoridades complacentes, lavava dinheiro e resolvia os problemas legais que se apresentassem. Assim como conseguira um carteira tribal para Evelyn Ortega, obtinha documentos de identidade falsos a um preço justo, mas as vítimas do tráfico humano não precisavam deles, existiam sob o radar, invisíveis, silenciadas, nas sombras de um mundo sem lei. Sua comissão devia ser alta, mas aqueles que movimentavam a carga em grande escala pagavam para se movimentar em segurança.

— Você acredita que Frank Leroy está, realmente, tentando matar sua mulher e seu filho, como lhe disse Cheryl? Ou seriam simples ameaças? — perguntou Richard a Evelyn.

— A senhora tem medo dele. Acha que pode injetar uma dose alta de insulina em Frankie ou asfixiá-lo.

— Se sua mulher pensa isso dele, esse homem deve ser um monstro! — exclamou Lucía.

— Também acredita que a senhorita Kathryn pensava em ajudá-lo.

— Você acha isso possível, Evelyn?

— Não.

— Que motivo Frank Leroy poderia ter para matar Kathryn? — perguntou Richard.

— Por exemplo, se Kathryn descobriu alguma coisa sobre ele e o estivesse chantageando... — especulou Lucía.

— A senhorita estava grávida de três meses — interrompeu-os Evelyn.

— Ora! Esta é uma tremenda surpresa, Evelyn. Por que não nos disse antes?

— Procuro não espalhar boatos.

— Estava grávida de Leroy?

— Sim. Quem me disse isso foi a senhorita Kathryn. A senhora Leroy não sabe de nada.

— Talvez Frank Leroy a tenha matado porque ela o estava pressionando, embora pareça um motivo fraco. Pode ter sido acidental... — sugeriu Lucía.

— Deve ter sido na noite da quinta-feira ou na manhã da sexta, antes de partir para a Flórida — disse Richard. — Isso significa que Kathryn morreu há quatro dias. Não fosse pela temperatura abaixo de zero...

Chegaram ao Instituto Ômega por volta das duas da tarde. Lucía lhes descrevera uma natureza exuberante, um bosque de arbustos, pinheiros e árvores antigas, mas muitas haviam perdido a folhagem, e a paisagem era menos espessa do que esperavam. Se houvesse vigilância ou pessoal de manutenção, seriam vistos facilmente, mas resolveram correr o risco.

— Esta propriedade é enorme. Tenho certeza de que vamos encontrar o lugar ideal para deixar Kathryn — disse Lucía.

— Há câmeras de segurança? — perguntou Richard.

— Não! Por que iriam ter câmeras de segurança em um lugar como este? Aqui não há nada para roubar.

— Ainda bem. E depois, o que faremos com você, Evelyn? — perguntou Richard no tom paternal que há dois dias usava com ela. — Temos que deixá-la a salvo de Leroy e da polícia.

— Prometi à minha avó que, assim como parti, assim voltaria — disse a garota.

— Mas você partiu fugindo da Salvatrucha. Como vai voltar para a Guatemala? — perguntou Lucía.

— Isso foi há oito anos. Promessa é promessa.

— Os homens que assassinaram seus irmãos estão mortos ou presos, provavelmente. Ninguém vive muito tempo em gangues, mas ainda há muita violência em seu país, Evelyn. Mesmo que ninguém queira mais se vingar de sua família, uma garota jovem e bonita como você está em uma posição bastante vulnerável. Você entende, não é?

— Evelyn também corre perigo aqui — interveio Richard.

— Não acredito que a prendam por não ter documentos. Há onze milhões de imigrantes na mesma situação neste país — disse Lucía.

— Mais cedo ou mais tarde vão encontrar o corpo de Kathryn e será desencadeada uma investigação profunda relacionada com os Leroy. Na autópsia descobrirão que estava grávida e o teste de DNA poderá provar que a criança era de Frank Leroy. Saberão do sumiço do automóvel e de Evelyn.

— Por isso tem que ir o mais longe possível, Richard — disse Lúcia. — Se a encontrarem, a acusarão de roubar o carro e poderiam relacioná-la com a morte de Kathryn.

— Nesse caso nós três estaríamos envolvidos. Somos cúmplices de ocultação de provas, de nada menos do que se livrar de um cadáver.

— Precisaremos de um bom advogado — observou Lucía.

— Nenhum advogado, por mais genial que seja, nos tiraria dessa encrenca. Vamos ver, Lúcia, desembuche. Tenho certeza de que você já tem um plano.

— É só uma ideia, Richard... O mais importante é deixar Evelyn a salvo, em um lugar onde nem Leroy nem a polícia possam encontrá-la. Ontem à noite, liguei para minha filha e lhe ocorreu que Evelyn pode desaparecer em Miami, onde existem milhões de latinos e trabalho de sobra. Pode ficar lá até que as coisas se acalmem e, uma vez que estejamos certos de que ninguém a procura, poderá voltar para viver com sua mãe em Chicago. Daniela se ofereceu para hospedá-la em seu apartamento.

— Você não deve estar pensando em envolver Daniela! — exclamou Richard, escandalizado.

— Por que não? Daniela gosta de aventuras e, quando soube no que nos metemos, lamentou não estar aqui para nos dar uma mão. Tenho certeza de que seu pai faria a mesma coisa.

— Você conversou sobre isso com Daniela pelo telefone?

— Pelo whatsapp. Se acalme, homem, não há ninguém que suspeite da gente, não há motivo para que rastreiem nossos celulares. Além do mais, não há problemas com o whatsapp. Assim que deixarmos Kathryn, colocaremos Evelyn em um avião para Miami. Daniela estará esperando por ela.

— Avião?

— Pode voar dentro do país com sua identidade falsa, mas, se for arriscado, ela pode ir de ônibus. É uma viagem longa, de um dia e meio, acho eu.

Entraram no Instituto Ômega pela Lake Drive e passaram diante dos edifícios da administração em um panorama branco de absoluto silêncio e solidão. Ninguém estivera ali desde o início da tormenta, o caminho não fora limpo com máquinas, mas o sol havia derretido boa parte da neve, que formava riachos sujos. Não havia rastros recentes de veículos. Lucía os levou à quadra de esportes porque lembrava que ali havia uma caixa destinada a guardar bolas do tamanho adequado para abrigar um corpo, onde poderia ficar a salvo de coiotes e outros predadores. Evelyn, no entanto, achou que era um sacrilégio deixar Kathryn em uma caixa de bolas.

Seguiram até a margem de um lago estreito e longo, cuja extensão Lucía havia percorrido em um caiaque em suas visitas ao instituto. Estava congelado e não se atreveram a pisá-lo. Richard sabia como podia ser difícil calcular a espessura do gelo simplesmente olhando. Na orla havia um alpendre, botes e um cais. Richard sugeriu que amarrassem no suporte do Subaru uma das canoas leves e dirigissem pelo estreito caminho que margeava o lago à procura de um lugar afastado. Poderiam deixar Kathryn na canoa na margem oposta, coberta com uma lona. Em algumas semanas, com o degelo, a canoa flutuaria no lago até que a encontrassem. "Um funeral na água é poético, parece uma cerimônia viking", acrescentou.

Richard e Lucía estavam tentando soltar a corrente de uma das canoas quando Evelyn os deteve com um grito e apontou para um grupo de árvores próximas.

— O que aconteceu? — perguntou Richard, achando que se tratava de um vigilante.

— Um jaguar! — exclamou Evelyn, alterada.

— Não é possível, Evelyn. Aqui não existem jaguares.

— Não estou vendo nada — disse Lucía.

— Um jaguar! — repetiu a garota.

E então acharam que viram, na brancura do bosque, a silhueta de um animal grande, amarelo, que deu meia-volta e desapareceu de um salto em direção aos jardins. Richard lhes garantiu que só podia ser um cervo ou um coiote; naquela região nunca houve jaguares e se houve outros felinos grandes, como pumas e linces, haviam sido exterminados há mais de um século. Foi uma visão tão fugaz que os dois duvidaram de sua existência, mas Evelyn, transfigurada, começou a andar atrás dos passos do suposto jaguar como se não tocasse o chão, leve, etérea, minúscula. Não se atreveram a chamá-la, pois alguém poderia ouvi-los, e a seguiram pisando como pinguins, a fim de evitar um escorregão na fina camada de neve.

Evelyn passou flutuando com asas de anjo pelo caminho diante do escritório da administração, da loja, da livraria e da cafeteria, continuou até contornar a biblioteca e a sala de conferências e deixou para trás os grandes refeitórios. Lucía se lembrava do Instituto em plena temporada, verde e cheio de flores, pássaros de peito colorido e esquilos dourados, visitantes se movimentando em câmera lenta na dança contida do taichi chuan, outros perambulando entre aulas e conferências com saias indianas e sandálias de frade, os empregados recém-saídos da adolescência, cheirando a maconha, em carros elétricos carregados de bolsas e caixas.

O panorama do inverno era desolado e belo, e a brancura fantasmagórica contribuía para a impressão de imensidão. Os edifícios estavam fechados e as janelas tapadas com painéis de madeira, sem sinais de vida, como se ninguém tivesse estado ali nos últimos cinquenta anos. A neve absorvia os sons da natureza, e o rangido das botas iam atrás de Evelyn como se anda nos sonhos, sem ruído. O dia estava claro e ainda era cedo, mas achavam estar envolvidos em uma neblina teatral. Evelyn passou ao largo da área das cabines, virou à esquerda e continuou a caminhar por uma trilha que acabava em uma íngreme escada de pedra. Subiu os degraus sem vacilar nem dar atenção ao gelo, como se soubesse exatamente para onde ia, e os dois a seguiram a duras penas. Passaram por uma fonte congelada e um Buda de pedra e chegaram ao cume de uma colina onde havia um santuário, um templo de madeira estilo japonês, quadrado, cercado por terraços cobertos, o coração espiritual da comunidade.

Compreenderam que aquele era o lugar escolhido por Kathryn. Evelyn Ortega não podia saber que ali ficava o santuário e, na neve, não havia pegadas do animal que só ela via. Era inútil procurar uma explicação e, como em tantos outros momentos, Lucía se rendeu ao mistério. Richard chegou a duvidar de seu estado mental por alguns instantes, antes de encolher os ombros e também se entregar. Nos últimos dias, havia perdido a confiança no que achava saber e a ilusão de estar no controle; aceitara que sabia muito pouco e controlava ainda menos, mas essa incerteza não o assustava mais. Lucía lhe dissera, na noite em que trocaram confidências, que a vida sempre se manifesta, mas se manifesta melhor quando a recebemos sem resistência. Evelyn, guiada por uma intuição inapelável ou pelo espectro de um jaguar que fugira de uma selva recôndita, levou-os diretamente ao lugar sagrado onde Kathryn descansaria tranquila, amparada por espíritos bons, até que estivesse pronta para continuar sua última viagem.

Evelyn e Lucía ficaram esperando sob o teto do terraço, sentadas em um banco perto de dois tanques congelados, que no verão recebiam peixes tropicais e flores de lótus, enquanto Richard ia buscar o automóvel. Havia um caminho íngreme para veículos de manutenção e jardinagem que o Subaru, com pneus de neve e tração nas quatro rodas, conseguiu escalar.

Tiraram Kathryn com muito cuidado do automóvel, deitaram-na sobre a lona e a carregaram nos ombros até o santuário. Como a sala de meditação estava trancada, escolheram a ponte entre os tanques para preparar o corpo, que continuava rígido, em posição fetal, os grandes olhos azuis arregalados de espanto. Evelyn tirou a pedra de Ixchel, a deusa jaguar, que a curandeira que Petén lhe dera oito anos atrás, seu amuleto de proteção ancestral, e pendurou-a no pescoço de Kathryn. Richard quis impedi-la, porque era arriscado deixar aquela prova, mas desistiu ao compreender que era quase impossível relacioná-la à sua dona. Quando encontrassem o corpo, Evelyn estaria bem longe. Limitou-se a limpá-la com um lenço de papel empapado de tequila.

Seguindo instruções da garota, que assumiu com naturalidade o papel de sacerdotisa, improvisaram alguns ritos funerários elementares. Nesse momento, fechou-se um círculo para Evelyn, que não pudera dizer qualquer palavra no enterro de seu irmão Gregorio e estivera ausente no de Andrés. Sentiu que ao se despedir solenemente de Kathryn honrava também seus irmãos. Em seu povoado, a agonia e o falecimento de um enfermo eram encarados sem exageros, pois a morte é um umbral, como o nascimento. Apoiavam a pessoa para que cruzasse o outro lado do mundo sem medo, entregando sua alma a Deus. Em caso de morte violenta, crime ou acidente, eram necessários outros rituais para convencer a vítima do que acontecera e lhe pedir que partisse e não voltasse para espantar os vivos. Kathryn e a criança que carregava no corpo não tiveram nem o velório mais simples, talvez não tivessem percebido que estavam mortos. Ninguém havia lavado, perfumado e vestido Kathryn com sua melhor roupa, ninguém havia cantado e vestido luto por ela, não serviram café, não acenderam velas nem trouxeram flores, tampouco houve uma cruz preta de papel para indicar que partira de forma violenta. "Sinto muita pena da senhorita Kathryn, que não tem nem um caixão ou um lugar no cemitério; pobre criança que não nasceu; não tem um brinquedo para levar ao céu", disse Evelyn.

Lucía umedeceu um pano e limpou o sangue seco do rosto de Kathryn, enquanto Evelyn rezava em voz alta. Na falta de flores, Richard cortou umas folhas e colocou-as em suas mãos. Evelyn insistiu em deixar também a garrafa de tequila, porque nos velórios sempre havia bebida. Limparam as impressões digitais da pistola e a deixaram ao lado de Kathryn. Talvez essa seria a prova mais contundente contra Frank Leroy. O corpo de Kathryn seria identificado como o de sua amante, a pistola que disparara a bala estava registrada em seu nome e poderiam provar que ele era o pai do feto. Tudo apontava para ele, mas não o condenava, pois o homem tinha um álibi: estava na Flórida.

Cobriram Kathryn com o tapete, juntaram os quatro cantos da lona, envolvendo-a cuidadosamente, e amarraram o vulto com as cordas que Richard tinha no carro. Como todos os edifícios do Instituto, o santuário não tinha alicerces, erguia-se sobre pilares; isso deixava um espaço debaixo do qual puderam deslizar Kathryn. Passaram um bom tempo recolhendo pedras para fechar a entrada. Com o degelo da primavera, o corpo começaria, inevitavelmente, a se decompor, e o cheiro revelaria sua presença.

— Vamos rezar, Richard, para acompanhar Evelyn e nos despedirmos de Kathryn — pediu Lucía.

— Não sei rezar, Lucía.

— Cada pessoa reza da sua maneira. Para mim, rezar é relaxar e confiar no mistério da existência.

— É isso que é Deus para você?

— Chame-o como quiser, Richard, mas dê as mãos a Evelyn e a mim e formemos um círculo. Vamos ajudar Kathryn e seu filhinho a subir ao céu.

Depois Richard ensinou Lucía e Evelyn a fazer bolas de neve e colocá-las umas em cima das outras, e assim formaram uma pirâmide com uma vela acesa no centro, como vira os filhos de Horacio fazerem no Natal. Aquela lâmpada frágil, feita de uma chama vacilante e água, projetava uma delicada luz dourada entre círculos azuis. Não restaria nenhum rastro dela em poucas horas, quando a vela se consumisse e a neve derretesse.

# Epílogo

*Brooklyn*

Richard Bowmaster e Lucía Maraz haviam guardado cuidadosamente o que foi publicado sobre o caso de Kathryn Brown desde que seu corpo apareceu em março até alguns meses depois, quando puderam dar por encerrada a aventura que mudou suas vidas. A descoberta do cadáver em Rhinebeck provocou especulações sobre um possível sacrifício humano cometido por membros de um culto de imigrantes do estado de Nova York. Já se sentia no ar a xenofobia contra latinos que fora desencadeada pela odiosa campanha presidencial de Donald Trump. Embora poucos o levassem a sério como candidato, sua promessa de construir uma muralha como a da China para fechar a fronteira com o México e deportar onze milhões de pessoas sem documentos começava a deixar raízes na imaginação popular. Foi fácil dar uma explicação macabra para o crime. Vários detalhes do achado apontavam para a teoria do culto: a vítima fora amortalhada em posição fetal, como as múmias pré-colombianas, em um tapete mexicano ensanguentado, com uma imagem do Diabo talhada em pedra pendurada em seu pescoço e uma garrafa com uma caveira rabiscada na etiqueta. O tiro à queima-roupa na testa dava indícios de ser uma execução. E havia sido colocada no santuário do Instituto Ômega como uma zombaria à espiritualidade, conforme afirmaram alguns jornais propensos ao escândalo.

Várias igrejas cristãs de língua espanhola emitiram enfáticos desmentidos, negando a existência de cultos satânicos em suas comunidades. Logo, no entanto, "a virgem sacrificada" foi identificada como Kathryn Brown, uma fisioterapeuta do Brooklyn, de 28 anos, solteira e grávida. De virgem, nada. Também se soube que a pequena estátua de pedra não representava Satanás, mas uma divindade feminina da mitologia maia, e a caveira era uma ilustração recorrente nas garrafas de tequila mais comuns.

Uma notícia publicada pelo *The New York Times* na última semana de maio, que Richard Bowmaster confirmou com outras fontes, tinha pouco a ver com Kathryn Brown. Centrava-se em uma rede de tráfico humano que abarcava o México, vários países da América Central e o Haiti. A reportagem mencionava o nome de Frank Leroy entre outros cúmplices, e sua morte só merecera umas poucas linhas. O FBI se ocupara do caso de Kathryn Brown, embora a tarefa coubesse ao Departamento de Polícia, pela relação da jovem com Frank Leroy, que ficou preso durante alguns dias como principal suspeito do crime e posto em liberdade sob fiança. O FBI estava há vários anos amarrando as pontas de uma ampla investigação de tráfico humano e lhe interessava pôr as mãos em Leroy por isso, mais do que pela sorte de sua infeliz amante. Sabia do envolvimento de Frank Leroy, mas as provas para mantê-lo preso eram insuficientes; o homem se protegera muito bem contra essa eventualidade. Apenas quando o relacionaram ao assassinato de Kathryn Brown foi possível entrar em seu escritório e sua casa, e confiscar material suficiente para encurralá-lo.

Leroy fugiu para o México, onde tinha contatos, e seu pai vivera tranquilamente durante anos na condição de fugitivo. Esse poderia ter sido também seu destino, não fosse por um agente especial do FBI infiltrado na rede. Esse homem era Iván Danescu. Graças a ele, mais do que a outras pessoas, foi possível desenredar o novelo criminoso que agia nos Estados

Unidos e suas conexões no México. Seu nome jamais teria sido revelado ao público se estivesse vivo, mas morreu durante o ataque a uma fazenda de Guerrero, um dos centros de detenção das vítimas, onde estavam reunidos vários chefes. Iván Danescu acompanhava militares mexicanos em uma operação heroica, como diziam os jornais, para libertar mais de cem presos, que aguardavam a sua vez para ser transportados e vendidos.

Richard leu outra versão nas entrelinhas, porque havia estudado como os cartéis e as autoridades operavam. Quando algum chefe era preso, em geral escapava da prisão com aterrorizante facilidade. As leis eram eternamente burladas, porque tanto policiais como juízes se dobravam mediante ameaças ou corrupção e quem resistisse acabava assassinado. Raramente era possível extraditar os culpados que operavam impunemente nos Estados Unidos.

— Garanto que os militares entraram na fazenda para matar com o respaldo do FBI. Agem assim nas operações contra os narcotraficantes e não vejo por que seria diferente neste caso. Seu plano deve ter falhado e houve troca de tiros. Isso explicaria a morte de Iván Danescu por um lado e de Frank Leroy por outro — disse Richard a Lucía.

Ligaram para Evelyn, que não soubera da notícia, em Miami, e acertaram que ela viajaria para o Brooklyn, pois estava obcecada pela ideia de voltar a ver Frankie. Até então, não se atrevera a ligar para Cheryl. Lucía precisou convencer Richard de que, depois da morte de Frank Leroy, não havia mais perigo para Evelyn e que tanto a garota como Cheryl mereciam poder colocar, de alguma forma, um ponto-final naquela história que haviam vivido. Ofereceu-se para fazer o primeiro contato e, fiel à sua teoria de que o melhor era ir direto ao ponto, ligou imediatamente para Cheryl e pediu para vê-la, pois tinha algo importante para lhe dizer. Ela desligou, assustada. Lucía deixou um bilhete na caixa de correio da casa das estátuas: "Sou amiga de Evelyn Ortega, ela confia em mim.

Por favor, me receba: tenho notícias dela para a senhora". Acrescentou o número de seu celular e colocou no envelope as chaves do Lexus e da casa de Kathryn Brown. Naquela mesma noite, Cheryl ligou para ela.

Uma hora depois, Lucía foi vê-la, enquanto Richard a esperava no carro com a úlcera agitada pelo nervosismo. Haviam decidido que era melhor que ele não aparecesse, porque Cheryl se sentiria mais tranquila a sós com uma mulher. Lucía confirmou que Cheryl era como Evelyn a descrevera: alta, loura, uma aparência quase masculina, mas mais avantajada do que esperava. Aparentava ser muito mais velha do que de fato era. Estava agitada, temerosa e na defensiva, tremia quando a levou à sala.

— Diga de uma vez quanto quer e terminemos com isso imediatamente — disse-lhe com a voz entrecortada, em pé, com os braços cruzados.

Lucía demorou meio minuto para entender o que estava ouvindo.

— Pelo amor de Deus, Cheryl, não sei o que está pensando. Não vim chantageá-la, como está achando. Conheço Evelyn Ortega e sei o que aconteceu com seu automóvel. Certamente sei muito mais do que você sobre o Lexus. Evelyn quer vir até aqui para lhe explicar pessoalmente, mas, sobretudo, quer ver Frankie, sente muito a falta dele, adora seu filho.

E então Lucía viu uma espantosa transformação da mulher que estava na sua frente. Foi como se a couraça que a protegia se tivesse partido em pedaços e, em poucos segundos, ficou exposta uma pessoa sem esqueleto, sem nada que a sustentasse por dentro, feita só de dor e medo acumulados, tão débil e vulnerável que Lucía mal pôde resistir ao impulso de abraçá-la. Um soluço de alívio partiu o peito de Cheryl e caiu sentada no sofá, com o rosto entre as mãos, chorando como uma criança.

— Por favor, Cheryl, se acalme, está tudo bem. A única coisa que Evelyn sempre quis foi ajudar você e Frankie.

— Eu sei, eu sei. Evelyn era minha única amiga, eu lhe contava tudo. Mas foi embora quando eu mais precisava dela, desapareceu com o carro sem me dizer uma única palavra.

— Acho que você não sabe a história inteira. Não sabe o que havia no porta-malas do carro...

— Como não vou saber? — retrucou Cheryl.

Na quarta-feira que antecedera a tormenta de janeiro, quando Cheryl estava separando as camisas de seu marido para levá-las à lavanderia, viu uma mancha de gordura na lapela do seu paletó. Antes de colocá-lo na pilha de roupa, revistou os bolsos por rotina e descobriu uma chave pendurada em uma argola dourada. Uma pontada de ciúmes a advertiu que pertencia à casa de Kathryn Brown, e isso confirmou suas suspeitas sobre seu marido e aquela mulher.

Na manhã do dia seguinte, quando Kathryn estava fazendo exercícios com Frankie, o menino sofreu uma crise de hipoglicemia e desmaiou. Cheryl o reanimou com uma injeção e logo os níveis de açúcar se normalizaram. Ninguém era culpado pelo incidente, mas o assunto da chave a deixara predisposta contra Kathryn. Acusou-a de maltratar seu filho e a despediu no ato. "Você não pode me demitir. Fui contratada por Frank. Só ele pode me mandar embora e duvido que o faça", replicou a jovem, orgulhosa, mas pegou suas coisas e foi embora.

Cheryl passou o resto da quinta-feira com o estômago nas mãos esperando seu marido, e à tarde, quando ele chegou, foi desnecessário lhe explicar qualquer coisa, porque já sabia. Kathryn havia ligado para ele. Frank pegou-a pelos cabelos, arrastou-a até o quarto, bateu a porta com tal força que as paredes ficaram vibrando e lhe deu um soco no peito que a deixou sem ar. Ao vê-la lutando para respirar, temeu que tivesse exagerado, deu-lhe um pontapé e saiu furioso do aposento, tropeçando no corredor com Evelyn, que esperava, tremendo, a oportunidade de socorrer Cheryl. Deu-lhe um empurrão e seguiu em frente. Evelyn entrou correndo no quarto e ajudou Cheryl a se deitar, acomodou-a nos travesseiros, deu-lhe calmantes e colocou compressas de gelo em seu peito, temendo que tivesse fraturado as costelas, como acontecera com ela quando fora atacada pela gangue.

Na sexta-feira, Frank Leroy saiu bem cedo de táxi, antes que o resto da casa despertasse, para pegar um voo para a Flórida. Ainda não haviam fechado o aeroporto, como fariam poucas horas depois, por causa da tormenta. Cheryl passou o dia inteiro na cama, atordoada pelos tranquilizantes e sob os cuidados de Evelyn, em um silêncio obstinado, sem chorar. Então resolveu agir. Detestava seu marido e seria uma bênção que partisse com Brown, mas isso não aconteceria de maneira natural. A maior parte da fortuna de Frank Leroy estava em contas no exterior às quais ela nunca teria acesso, mas o que havia nos Estados Unidos estava em seu nome. Assim ele determinara para se proteger no caso de ter de enfrentar problemas legais. Para Frank, a melhor saída seria eliminá-la, e, se ainda não o fizera, era por falta de incentivo imediato. Também devia se livrar de Frankie, porque não pensava em carregá-lo com ele. Estava apaixonado por Kathryn Brown e de repente sentia a urgência de ser livre. Cheryl não suspeitava de que havia um motivo ainda mais poderoso: a amante estava grávida, o que descobriu com os resultados da autópsia, em março.

Pensou que deveria enfrentar a rival, porque era inútil tentar chegar a algum acordo com seu marido; só se comunicavam para o trivial e até isso provocava violência, mas Kathryn seria mais razoável quando entendesse as vantagens de sua oferta. Iria lhe propor que ficasse com seu marido, daria o divórcio a ela e lhe garantiria seu silêncio em troca de segurança financeira para Frankie.

Saiu de casa no sábado, pouco antes do meio-dia. A dor do soco no peito e as pontadas que sentia nas têmporas desde a surra da quinta-feira haviam aumentado, tinha dois copos de álcool e uma dose alta de anfetaminas no estômago. Disse a Evelyn que ia à sua terapia. "Acabaram de limpar as ruas, senhora, é melhor ficar aqui, tranquila", pediu-lhe. "Nunca estive mais tranquila, Evelyn", respondeu-lhe e partiu no Lexus. Sabia onde Kathryn Brown vivia.

Ao chegar, viu que o automóvel da mulher estava na rua, o que indicava que pensava em sair logo; caso contrário, ela o teria colocado na garagem, para protegê-lo da neve. Em um impulso, Cheryl pegou no porta-luvas a pistola de Frank, uma pequena Beretta semiautomática, calibre 32, e a colocou no bolso. Tal como havia imaginado, a chave era da porta da casa e conseguiu entrar sem fazer barulho.

Kathryn Brown estava saindo com uma bolsa de lona pendurada no ombro, vestida para ir à academia de ginástica. A surpresa de se ver de repente diante de Cheryl arrancou dela um grito. "Só quero conversar com você", disse Cheryl, mas a outra a empurrou até a porta, insultando-a. Nada estava acontecendo como havia planejado. Tirou a pistola do bolso de seu casaco e a apontou para Kathryn com a intenção de obrigá-la a ouvir, mas, em vez de recuar, a jovem a desafiou, gargalhando. Cheryl tirou a trava da pistola e a empunhou com as mãos.

— Bruxa estúpida! Você acha que pode me assustar com sua maldita pistola? Vai ver quando eu contar para o Frank! — gritou Kathryn.

Foi um único disparo. Cheryl não soube quando apertou o gatilho e, tal como jurou a Lucía Maraz quando lhe contou, nem sequer fez pontaria. "A bala acertou no meio da testa por acaso, porque estava escrito, porque era meu carma e o de Kathryn Brown", disse. Foi tão instantâneo, um ato tão simples e limpo, que Cheryl não percebeu o barulho do disparo nem o coice da arma em suas mãos, nem conseguiu entender por que a mulher caíra para trás, nem o que significava o buraco negro em seu rosto. Levou mais de um minuto para reagir e perceber que Kathryn não se mexia, se agachar e constatar que a havia matado.

Em seguida, cada gesto seu foi feito em estado de transe. Disse a Lucía que não se recordava dos detalhes do que havia feito, embora não parasse de pensar no que acontecera naquele maldito sábado. "O mais urgente naquele momento era resolver o que faria com Kathryn, porque, quando Frank descobrisse, seria terrível", disse a ela. A ferida sangrou muito pouco e as manchas ficaram sob o tapete. Abriu a garagem da casa e enfiou o Lexus. Graças a uma vida de atletismo e exercícios, e ao fato de que sua rival era pequena, conseguiu arrastar o corpo em cima do tapete, onde caíra, e colocá-lo à força no porta-malas do automóvel, junto com a pistola. Pôs a chave de Kathryn no porta-luvas. Precisava de tempo para fugir e dispunha de quarenta e oito horas até que seu marido voltasse. Há mais de um ano dava voltas em sua mente a fantasia de procurar o FBI e denunciá-lo em troca de proteção. Se as séries de TV tinham alguma coisa de verdade, poderiam lhe dar uma nova identidade e fazê-la desaparecer com seu filho. Antes de mais nada, precisava se acalmar, pois seu coração estava prestes a explodir. Foi para casa.

Durante a investigação da morte de Kathryn Brown, em março, Cheryl Leroy foi interrogada superficialmente. O único suspeito era seu marido, cujo álibi de estar jogando golfe na Flórida acabou sendo inútil, porque o estado do cadáver não permitia determinar o momento da morte. Talvez Cheryl, perturbada pela culpa, teria se delatado sozinha se tivesse sido interrogada nos dias que se seguiram à morte da jovem, mas isso só aconteceu dois meses depois, quando o corpo foi encontrado no Instituto Ômega e sua relação com os Leroy foi revelada. Naqueles meses, Cheryl conseguiu fazer as pazes com sua consciência. Fora se deitar em um sábado do fim de janeiro para descansar, com uma dor de cabeça que a deixava cega, e acordou algumas horas depois com a noção aterradora de ter cometido um crime. As luzes da casa estavam apagadas, Frankie dormia e Evelyn não estava em nenhum lugar, coisa que jamais acontecera. Quase enlouquecera imaginando possíveis motivos para o desaparecimento surreal de Evelyn, do automóvel e do cadáver de Kathryn Brown.

Frank Leroy voltou na segunda-feira. Ela passara aqueles dias em um estado de pavor absoluto e, se não fosse pelo dever em relação ao filho, teria engolido todos os soníferos que tinha e terminado de uma vez com sua vida miserável, como confessou a Lucía. Seu marido registrou o desaparecimento do Lexus para receber o seguro e acusou a babá de tê-lo roubado. Não encontrou sua amante e imaginou muitos motivos para isso, menos que tivesse sido assassinada; ficaria sabendo mais tarde, quando seu corpo foi encontrado e ele acusado do crime.

— Acho que Evelyn deu um sumiço nas evidências para me proteger e também o Frankie — disse Cheryl a Lucía.

— Não, Cheryl. Ela acreditava que seu marido matou Kathryn na sexta-feira e viajou para a Flórida para ter um álibi, sem imaginar que alguém iria usar o Lexus. O frio preservaria o corpo até a segunda-feira, quando ele já teria voltado.

— Como? Evelyn não sabia que fui eu? Então, por que...

— Evelyn pegou o Lexus para ir à farmácia quando você estava dormindo. Meu companheiro, Richard Bowmaster, bateu no carro dela. Foi assim que acabamos envolvidos nessa história. Evelyn achou que, quando seu marido voltasse, ficaria sabendo que ela usara seu carro e que teria visto o conteúdo do porta-malas. Ela morria de medo e se sentia aterrorizada por seu marido.

— Ou seja... Você também não sabia o que acontecera — murmurou Cheryl, transtornada.

— Não. Eu tinha a versão de Evelyn. Ela acha que Frank Leroy iria matá-la, porque precisava calá-la. Também temia por você e por Frankie.

— E agora? O que vai acontecer comigo? — perguntou Cheryl, aterrorizada pelo que havia confessado.

— Nada, Cheryl. O Lexus está no fundo de um lago e ninguém sequer suspeita da verdade. O que conversamos ficará entre nós duas. Vou contar a Richard, ele merece saber, mas não há necessidade de que mais alguém fique sabendo. Frank Leroy já a prejudicou o suficiente.

Às nove horas da manhã daquele último domingo de maio, Richard e Lucía estavam na cama tomando café com Marcelo e Dois, o único dos quatro gatos com quem o cachorro fizera amizade. Para Lucía, ainda era cedo, não havia necessidade de madrugar no domingo, e para Richard era parte da amável decadência de viver em casal. Era um dia radiante de primavera e logo iriam buscar Joseph Bowmaster para levá-lo para almoçar; à tarde, os três iriam esperar Evelyn na estação rodoviária, porque o velho insistia em conhecê-la. Não perdoava que seu filho não o tivesse convidado para participar da odisseia de janeiro. "Como teríamos feito para lidar com você na cadeira de rodas?", repetia Richard, mas para Joseph aquilo era uma desculpa, não um motivo; se conseguiram carregar um chihuahua, poderiam tê-lo levado também.

Evelyn saíra trinta e duas horas antes de Miami, onde começara a levar uma vida mais ou menos normal. Ainda morava com Daniela, mas pensava em ficar logo independente; durante o dia, trabalhava como babá em uma creche e, à noite, como garçonete de um restaurante. Richard a ajudava, porque, assim como dizia Lucía, em alguma coisa é preciso gastar o dinheiro antes de ir para o cemitério. Concepción Montoya, a avó guatemalteca, havia usado muito bem o dinheiro que Evelyn lhe enviava regularmente, primeiro do Brooklyn e depois de Miami. Trocara seu casebre por uma casa de tijolo com um aposento ao lado, onde vendia a roupa usada que sua filha lhe mandava de Chicago. Não ia mais ao mercado oferecer suas pamonhas, só comprar provisões e conversar com suas comadres. Evelyn calculava que tinha uns 60 anos, embora não pudesse prová-lo, mas, ao longo dos oito anos que se passaram desde a morte de seus dois netos e a ausência de Evelyn, havia envelhecido pela dor, como era possível ver nas poucas fotografias tiradas pelo padre Benito, nas quais aparecia com sua roupa mais elegante, a mesma que havia usado durante trinta anos e que continuaria usando até o dia de sua morte: a grossa saia de tecido azul e preto, o *huipil*, bordado com as cores de sua terra, a faixa em tons de roxo e laranja na cintura e equilibrando um pesado enfeite colorido na cabeça.

Segundo o padre Benito, a avó continuava muito ativa, mas havia diminuído, secado e enrugado, parecia um macaquinho, e, como andava sempre murmurando orações à meia-voz, achavam que era louca. Isso lhe favorecia, porque ninguém exigia que pagasse a tal da taxa de proteção. Deixavam-na em paz. Concepción conversava a cada quinze dias com sua neta pelo celular do padre Benito, porque se recusava a ter um próprio, como Evelyn lhe oferecera. Era um aparelho muito perigoso, que funcionava sem tomada ou bateria e dava câncer. "Venha viver comigo, mãezinha", implorara Evelyn, mas, para Concepción, essa era uma péssima ideia, pois o que ela iria fazer no norte, quem alimentaria suas galinhas e regaria suas plantas, estranhos poderiam ocupar sua casa, a pessoa não pode se descuidar. Visitar a neta, sim, mas iria pensar no assunto. Evelyn entendia que esse momento nunca iria chegar e esperava que algum dia sua própria situação lhe permitisse dar uma volta por Monja Blanca del Valle, mesmo que fosse só por uns poucos dias.

— Teremos que contar a Evelyn a verdade sobre o que aconteceu com Kathryn — disse Richard a Lucía.

— Por que vamos complicar as coisas? Basta que eu e você saibamos. E, além disso, já não importa.

— Como não importa? Cheryl Leroy matou aquela mulher.

— Suponho que você não está pensando que ela deve pagar por seu crime, Richard. Cheryl Leroy não era dona de seus atos.

— Você é uma péssima influência em minha vida, Lucía. Antes de conhecê-la eu era um homem honesto, sério, um acadêmico inatacável... — suspirou ele.

— Você era um chato, Richard, mas veja que mesmo assim me apaixonei...

— Jamais imaginei que acabaria obstruindo a justiça.

— A lei é cruel, e a justiça, cega. A única coisa que fizemos com Kathryn Brown foi inclinar um pouco a balança para a justiça natural, porque estávamos protegendo Evelyn e agora temos que fazer a mesma coisa com Cheryl. Frank Leroy era bandido e pagou por seus pecados.

— É irônico o fato de que não terem conseguido agarrá-lo pelos crimes que cometeu e tivesse que sair fugindo por um crime que não cometeu — disse Richard.

— Está vendo? Eu me refiro a isso quando falo em justiça natural — disse Lucía, beijando-o levemente nos lábios. — Você está me amando, Richard?

— O que você acha?

— Acho que você me adora e não consegue se explicar como conseguiu viver tanto tempo longe de mim, entediado e com o coração hibernando.

— No meio do inverno aprendi, finalmente, que havia em mim um verão invencível.

— Isso acabou de lhe ocorrer?

— Não. É de Albert Camus.

# Agradecimentos

A ideia deste romance nasceu no Natal de 2015, em uma casa de tijolos escuros do Brooklyn, onde havíamos reunido um pequeno grupo para tomar o primeiro café da manhã: meu filho Nicolás e minha nora Lori, sua irmã Christine Barra, Ward Schumaker e Viviane Fletcher. Alguém me perguntou o que iria escrever em 8 de janeiro, que estava chegando, a data em que comecei todos os meus livros ao longo de trinta e cinco anos. Como ainda não havia pensado em nada, eles começaram a lançar ideias e assim foi se formando o esqueleto deste livro.

Na pesquisa, fui, como sempre, ajudada por Sarah Kessler, Chandra Ramírez, Susanne Cipolla, Juan Allende e Beatriz Manz.

Roger Cukras foi a inspiração para o romance do casal maduro Lucía e Richard.

Meus primeiros leitores e críticos foram meu filho Nicolás, minhas editoras Johanna Castillo, Nuria Tey, meus agentes Lluís Miguel Palomares e Gloria Gutiérrez, o feroz leitor da agência Balcells, Jorge Manzanilla, meu irmão Juan, e minhas grandes amigas Elizabeth Subercaseaux e Delia Vergara. Também, logicamente, Panchita Llona, minha mãe, que, aos 96 anos, não soltou o lápis vermelho com que corrigiu todos os meus livros.

A todos eles e a várias outras pessoas que me apoiaram emocionalmente na vida e na escrita nestes últimos dois anos, que não foram fáceis para mim, devo estas páginas.

Impresso no Brasil pelo
Sistema Cameron da Divisão Gráfica da
DISTRIBUIDORA RECORD DE SERVIÇOS DE IMPRENSA S.A.
Rua Argentina, 171 – Rio de Janeiro, RJ – 20921-380 – Tel.: (21)2585-2000